Cuatro amigas

Patricia GAFFNEY

Cuatro amigas

Traducción de
Víctor Pozanco

PLAZA & JANÉS EDITORES, S.A.

Título original: *Saving Graces*

Primera edición: enero, 2002

© 1999, Patricia Gaffney
© de la traducción: Víctor Pozanco
© 2002, Plaza & Janés Editores, S. A.
 Travessera de Gràcia, 47-49. 08021 Barcelona

Printed in Spain – Impreso en España

ISBN: 84-01-32909-4
Depósito legal: B. 47.334 - 2001

Fotocomposición: gama, s. l.

Impreso en A & M Gràfic, S. L.
Santa Perpètua de Mogoda (Barcelona)

L 329094

Para Ian, Annie y Marti.
Y también para Carolyn, Jeanne, Jamie, Jodie y Kathleen.
Y para Molly.
Y, sobre todo, en memoria de Midge.

1

Emma

La mitad de los matrimonios terminan en divorcio. Pero ¿cuánto duran por término medio? Me temo que no superen los nueve años y medio. Ése es el tiempo que llevamos las Cuatro Gracias apoyándonos, y aún no nos aburrimos. Seguimos hablando sobre si hemos adelgazado, sobre nuestro peinado o los zapatos que acabamos de comprarnos. Que yo sepa, ninguna tienen interés en conocer a un miembro más joven y firme.

A decir verdad, nunca creí que durásemos tanto. Me uní al grupo porque Rudy me indujo a ello. Las otras dos son Lee e Isabel. Al principio estuvo en el grupo Joan, pero no siguió. Se trasladó a vivir a Detroit con su novio, que es urólogo, y perdimos el contacto. Las otras tres no me parecieron candidatas a amigas íntimas el día que las conocí, la verdad. Lee me dio la impresión de ser muy mandona e Isabel demasiado mayor (treinta y nueve) Aunque yo cumpliré cuarenta el año que viene, y con eso está dicho todo, y Lee es efectivamente mandona pero no puede evitarlo porque siempre tiene razón. No exagero. Si no le tenemos en cuenta su talante autoritario se debe a esa virtud innata de no equivocarse casi nunca.

La primera reunión, que celebramos en casa de Isabel cuando aún estaba casada con Gary, fue mal. Me parecieron muy envaradas. Envaradas y *ricas*, y eso fue lo que no acabó de gustarme. Porque yo acababa de mudarme a un pequeño apartamento en un sótano de Georgetown por el que pagaba mil cien dólares al mes (por el barrio), de modo que estaba un poco susceptible en cuestiones de dinero. Lee daba la impresión de acabar de pasar un día en el balneario de Neiman's. Además, era soltera, todavía no se había licenciado pero trabajaba como profesora de educación especial a tiempo parcial —y ya sabéis lo poco que se gana en esos trabajos— y, sin embargo, vivía a un tiro de piedra de Isabel en el snob Chevvy Chase, en una casa de propiedad. Y como es natural me sentí un poco cohibida.

Durante el trayecto hasta casa le expliqué a Rudy, en un plan tan humorístico como sarcástico y desdeñoso, por qué difícilmente podía yo unirme a un grupo de mujeres que tenían podadora eléctrica, vestían en Ellen Tracy, recordaban a Eisenhower y se ligaban al urólogo.

«Pero son majas», insistió Rudy, aunque la verdad es que eso nada tenía que ver. Hay muchas personas «majas» en este mundo, pero una no va a cenar con ellas todas las semanas y les hace confidencias.

La otra cuestión eran los celos. Yo era lo bastante estrecha de miras como para que me importase que Rudy tuviese una buena amiga que no fuese yo. Una noche por semana ella y Lee enseñaban desinteresadamente a leer a los analfabetos «prácticos» que tanto abundan entre los urbanitas, e intimaron durante el período de formación. Nunca me preocupó, ni me preocupa ahora, que intimasen. Lo digo porque dudo que existan dos personas con menos en común que Lee y Rudy. Pero mi viejo e inseguro yo es demasiado neurótico para reconocer la belleza potencial de las Cuatro Gracias, aunque fuese tan evidente.

Todavía no nos llamábamos las Cuatro Gracias, claro está. Ni siquiera ahora nos llamamos así ante los demás. Es cursi. Suena a telecomedia, ¿verdad? *Las Cuatro Gracias*, protagonizada por Valerie Bertinelli, Susan Dey y Cybill Shephard. Reparen en que todas estas mujeres son atractivas, inteligentes y simpáticas, aunque algo granaditas. En fin... La génesis de nuestro nombre es un asunto privado, no por ninguna razón especial —es algo divertido que nos refleja bastante bien a todas—. Pero no nos gusta comentarlo porque es muy personal.

Regresábamos en el coche después de cenar en un restaurante de Great Falls (cenamos fuera cuando a quien le toca cocinar no le apetece). Dimos un rodeo, porque Rudy se pasó la salida del Beltway. Podíamos considerarnos un grupo desde hacía cosa de un año. Nos habíamos quedado sin Joan, pero aún no se había incorporado Marsha, que fue el miembro efímero número dos. De modo que estábamos sólo nosotras cuatro. Yo iba en el asiento trasero. Rudy miró hacia atrás para apreciar mi imitación de la camarera, que a todas se nos antojó que se parecía a Emma Thompson tanto por su aspecto como por su voz. Isabel gritó «¡Cuidado!» y una fracción de segundo después atropellamos al perro.

Aún puedo ver la expresión del animalito en el instante previo a que el parachoques lo alcanzase y lo hiciese volar por encima del capó del Saab de Ruby, que se quedó perpleja pero no demasiado afectada, como si lo considerase un curioso accidente sin importancia.

Todas gritamos. Y empecé a decir «Lo hemos matado, lo hemos matado. Por fuerza», mientras Rudy arrimaba el coche al bordillo. A decir verdad, de haber conducido yo, seguramente no habría parado. Porque estaba convencida de que lo habíamos matado y prefería no verlo. Cuando yo tenía doce años atropellé a una rana con la bicicleta y aún no lo he superado. Pero todas bajaron, y yo tuve que bajar también.

No era un perro sino una perra, y no estaba muerta. Pero no lo supimos hasta que súbitamente Lee se metamorfoseó. Allí mismo en el bulevar MacArthur, se convirtió en Cherry Ames, la enfermera de la autopista. ¿Han visto alguna vez a una persona hacerle el boca a boca a un perro? Es divertido pero sólo para contarlo. Verlo resulta estremecedor y vomitivo, aparte de ilegal en casi toda Nueva Inglaterra. Rudy se quitó el echarpe de cashmere (siempre he deseado tener uno) y envolvió a la perra porque según Lee iba a entrar en estado de shock.

—Tenemos que llevarla al veterinario enseguida —dijo Isabel.

Pero no se veía en las inmediaciones ninguna casa ni ninguna tienda desde la que se pudiera telefonear, nada salvo una oscura iglesia al otro lado de la carretera.

Isabel le hizo señas a un coche que se acercaba y, cuando se detuvo, corrió a hablar con el conductor. Yo seguí junto al arcén retorciéndome las manos.

Rudy y Lee llevaron a la perra al asiento trasero del Saab. El animal tenía el morro ensangrentado. Lo vi con mi visión periférica, de la única manera que me sentía con ánimo de mirar en aquellos momentos.

—A Curtis le va a dar un ataque —recuerdo que musité al ver que una mancha oscura se agrandaba en la tapicería color miel del 900 Turbo. Pero Rudy, que sería quien pagase el pato si Curtis se cabreaba, ni siquiera pestañeó.

—Hay un veterinario en Glen Echo —dijo Isabel al subir y sentarse en el asiento del acompañante, junto a Rudy, para indicarle por dónde tenía que ir.

Yo tuve que subir atrás, con Lee y la perra. No soporto ver a nadie sangrar y menos aún agonizar. Me mareo. Literalmente. Una vez vi a un hombre, a un vecino, pillarse un pie con el cortacésped eléctrico y me impresionó tanto que empecé a vomitar en la acera. No exagero. De modo que miré por la ventanilla y vi al otro lado de la carretera, iluminado por los faros de los coches, un letrero que ponía NUESTRA SEÑORA DE LA GRACIA. Si empiezan a olerse a cuento de qué viene el nombre que nos pusimos, han olido bien.

Rudy condujo como si llevase un fórmula 1 hasta el consultorio del veterinario de Glen Echo. El veterinario no estaba (eran las once de la noche), pero acudió al poco de que el adormilado ayudante nocturno lo llamase. *Gracia* —la perra— tenía un pulmón hundido, una pata rota y otra dislocada, pero se salvó. La factura ascendió sólo a 1.140 dólares. Nadie reclamó a la perra —*quelle surprise!*—, pero al salir de la clínica veterinaria Lee e Isabel discutieron sobre cuál de las dos tendría que quedársela. *Ernie*, el viejo beagle de Isabel, acababa de morir, de modo que ganó ella, o perdió, según se mire, y se quedó con *Gracia*, que aún vive y sigue con ella. Está vieja y canosa como nosotras, y sus correrías por las autopistas se han terminado. Pero es un encanto, y lo digo yo, que no soy muy perrera. Siempre pensé que nos odiaría por haberla atropellado, pero nos adora por haberla salvado. Cuando celebramos el aniversario de nuestro grupo, decimos que es también el cumpleaños de *Gracia* y la obsequiamos con montones de juguetes y comestibles.

De modo que ya saben por qué nos llamamos como nos llamanos.

Habrán notado que soy la única que no hizo realmente nada parecido a una heroicidad. El grupo, al igual que *Gracia* en su benevolencia y generosidad, optó por no tenérmelo en cuenta. Ninguna de ellas me lo ha echado en cara, ni siquiera en broma (algo que yo habría sido incapaz de resistir hacer, por lo menos una vez en nueve años y medio). Pero no. Desde el primer momento me aceptaron sin condiciones como una de las Gracias, y eso por sí solo, aunque no me hubiesen dado tantas pruebas de apoyo y amor, amabilidad, fidelidad, simpatía y solidaridad, habría garantizado mi lealtad de por vida.

Y me las han dado a montones. Aunque como nuestro grupo no tenía nada de monjil, debería decir que también hubo celos, mezquindades, enfrentamientos y exabruptos. Pero eso son pelillos a la mar, y me aterra pensar que mis prejuicios respecto de la gente acomodada casi me indujeron a excusarme para no unirme al grupo, después de la primera reunión en casa de Isabel.

La buenaza de Rudy fue la que me dio esa impresión de envaramiento y estrechez de miras, lo que no deja de ser curioso. Porque, de las cuatro, Rudy es con mucha diferencia la única a quien podemos considerar la más natural. Lee es la normal (a veces incluso la llamamos así). Y ella lo acepta como un cumplido, algo que la retrata bastante bien.

2

Lee

Nos reunimos por primera vez el 14 de junio de 1988, en casa de Isabel, en Meadow Street. Nos hizo pollo estilo cantonés, con salsa de cacahuetes y fideos de celofán. En aquella primera ocasión fuimos cinco: Isabel, Rudy, Emma, Joanne Karlewski y yo. Sugerí reglamentar las contribuciones al condumio, porque cuatro de nosotras trajimos ensaladas. Convinimos en que, a menos que una preparase el primer plato porque la cena se organizase en su casa, nos asignaríamos los platos del modo siguiente: Rudy los entremeses, Emma la ensalada, Joanne el pan, Isabel la fruta y yo el postre. Salvo en el caso de Rudy, estas aportacione se han mantenido invariables desde entonces (a ella tuvimos que sustituirle los entremeses por los postres porque nunca llega puntual).

Nos reuníamos el primer y tercer miércoles de mes hasta septiembre de 1991, al volver yo a la enseñanza y tener clase los miércoles. Entonces lo cambiamos a los jueves y prácticamente hemos respetado el día hasta la fecha. Nos reuníamos a las siete y media y la reunión duraba hasta las diez o diez y media. Durante los primeros años, de manera más o menos formal, tratábamos de un tema concreto que decidíamos la semana anterior (madres e hijas, ambición, confianza, sexo y esas cosas). Lo empezábamos a tratar después de cenar y lo comentábamos durante una hora. Pero acabamos por abandonar esta práctica y la verdad es que la echo de menos. De vez en cuando les sugiero que volvamos a tratar siempre un tema, pero nunca secundan la idea. «Ya hemos hablado de todo lo humano y lo divino —aduce Emma—. Hemos agotado los temas.» Y la verdad es que no le falta razón. Aunque creo que el verdadero problema es la desidia. Es más fácil charlar de cuestiones intrascendentes que organizar las ideas acerca de un tema concreto sin desviarse de él. Estoy convencida de que nuestras conversaciones son mucho más interesantes cuando están organizadas.

Al unirse al grupo Susan Geiser, que estuvo con nosotras desde febrero de 1994 hasta abril de 1995, instituimos la regla del cuarto de hora, que aún sigue en vigor, aunque ya no la necesitamos ahora que Susan no está. Las Cuatro Gracias llevábamos bastante tiempo sin más incorporaciones, hasta que Isabel conoció a Susan y le propuso unirse a nosotras. Susan tenía algunas características encantadoras y podía ser bastante interesante y divertida. Pero tenía un defecto: nunca se callaba. A mí no me importaba demasiado pero a Emma y Rudy las sacaba de quicio. De modo que una noche Isabel propuso la regla del cuarto de hora —con un tacto increíble del que sólo Isabel era capaz— y, desde entonces, cada una de nosotras viene dedicando quince minutos durante la cena a contar cómo está, lo que ha hecho y lo que ha pensado últimamente. Pero no somos muy estrictas con la observancia de esta regla. No estamos pendientes del reloj. Lo del cuarto de hora es sólo a modo de orientación. Yo suelo terminar en cinco minutos, mientras que Rudy necesita por lo menos veinte. De modo que, en la práctica, la regla funciona.

Emma y Rudy dicen que fui yo quien propuso formar el grupo y quien concibió el plan y la organización originales. Pero, a decir verdad, Isabel lo impulsó tanto como yo. Éramos amigas desde hacía año y medio, desde una noche de Halloween cuando Terry, su hijo, me vomitó en los zapatos nuevos. Fue mi primera noche en la casa de Chevvy Chase y lo estaba pasando en grande, dándoles palomitas de maíz y manzanas recubiertas de caramelo —que hice yo misma— a todos los pequeños que iban a pedir golosinas por las casas. Un verdadero enjambre. Yo acababa de mudarme desde el apartamento que tenía en un rascacielos de College Park y me parecía increíble que viviesen tantos niños en mi nuevo vecindario. Pero estaban tan monos, tan encantadores con sus trajecitos de princesitas, brujas y rangers. A las ocho y media ya apenas sonaba el timbre de la entrada y, a las nueve, Halloween pareció haberse terminado.

Iba a apagar la luz del porche para subir a ducharme cuando algo golpeó la puerta. Fue un ruido sordo. Pensé que habrían tirado algo, acaso una de las calabazas que vacié y modelé y dejé en los escalones. Miré por la mirilla y vi a un chico. Dos. Y como a uno lo reconocí abrí la puerta.

—¿Qué me dais? —les dije yo.

Eso les hizo gracia. Se empujaron y se echaron a reír convulsivamente. Una risa ebria. Ninguno de los dos iba disfrazado.

—¿Sois payasos? —les pregunté.

—No, somos gamberros —dijo el que luego supe que se llamaba Kevin.

De nuevo se echaron a reír a carcajadas. Llevaban fundas de almohada llenas de caramelos, prueba de una fructífera noche. Lo que significaba que llevaban horas rondando por ahí. ¡Y aún se pregunta la gente por qué es tan problemática la juventud actual!

Aquellos dos eligieron mal la casa.

—A ti te conozco —dije señalando a Terry—. Vives en Meadow Street, en la casa blanca de la esquina. ¿Ya sabe vuestra madre lo que estáis haciendo esta noche?

—Pues claro —dijo Terry, pero dejó de reír.

La gélida llovizna le había puesto de punta su pelo rubio y enrojecido las mejillas. Terry tenía entonces quince años, pero aparentaba menos. La ropa le venía tan grande que parecía un niño que jugase a disfrazarse.

—¿Y tú dónde vives? —le pregunté al otro.

—En Leland Street —musitó Kevin retrocediendo hacia los escalones.

Suelo surtir este efecto en los chicos. Cuando me muestro severa con ellos se serenan (y en aquel caso, literalmente). Pero no es por miedo, sino porque consigo hacerles ver las cosas como son, con sensatez.

—La que cruza Connecticut Avenue, ¿verdad? ¿En qué lado está tu casa?

—En el de aquí —contestó Kevin.

—De acuerdo —dije, porque no quería que cruzase una calle tan transitada estando borracho—. Pues marchaos a casa enseguida. Y sea lo que sea lo que llevéis para beber me lo voy a quedar —dije tendiendo la mano.

Kevin también parecía menor de lo que era pero no tenía muy buena pinta. Era un poco malcarado y llevaba un falso tatuaje de una calavera en la mejilla, supongo que en vías de un *look* nazi.

17

—¡A la mierda! —exclamó Kevin—. Además, lo lleva Terry —añadió trastabillando por los escalones hasta la acera—. ¡Ya nos veremos cuando se esfume esa mala puta, Terry!

—¡Qué maravilla de léxico! —exclamé.

Terry retrocedió y chocó con la puerta mosquitera. Trató de sonreír pero no pudo.

—Kevin es un imbécil —farfulló—. Perdone —añadió. La funda de la almohada se le escurrió entre los dedos y cayó al porche con un ruido sordo.

La recogí. Dentro había una botella de vodka casi vacía, debajo de los caramelos. Moví una calabaza y dejé la botella en lo alto de la pilastra.

—¿Crees que podrás llegar solo a casa?

—Claro —dijo, pero no se movió. Y si no se desplomó fue porque tenía las rodillas muy juntas.

—Anda... vamos —dije suspirando.

Lo tomé del brazo. Ahora mide más de metro ochenta y es muy fornido, pero entonces éramos casi de la misma estatura, aunque yo era más fuerte y no me supuso esfuerzo cargar con la mitad de su peso al apoyarse en mí por la acera hasta la esquina. Protestó, aunque cada vez menos a medida que llegábamos a su casa. La luz del porche estaba apagada. De lo contrario habría visto que Terry palidecía, y las gotas de sudor en su labio superior. Titubeó al entrar, temeroso de lo que le esperaba, pensé.

Llamé y casi al instante Isabel abrió la puerta, sonriente, con un cuenco de golosinas. La reconocí y no pude evitar sonreírle. Era una mujer algo mayor que yo, muy simpática y que paseaba a su beagle por el mismo solar —el «pipicán» lo llamamos en el barrio— por el que yo paseaba a *Lettice*, mi cocker spaniel.

—¿Terry?

Al ver a su hijo detrás de mí, Isabel frunció el ceño perpleja.

—Mamá —dijo.

Aunque no llegó a decir mamá sino «ma...». Si llego a cerrarle la boca a tiempo quizá hubiese salvado mis zapatos. Pero soltó un repugnante chorro de chucherías a medio digerir, batidos y vodka, casi todo encima de unos Ferragamo grises de ante que me había comprado aquel mismo día.

Isabel salió presurosa al porche, seguida al instante por Gary. No recuerdo qué impresión me causó aquel día. Aunque no reparé en gran cosa (en que era el marido, mayor que ella, bajito y fornido, vulgar). Se ocupó de Terry mientras Isabel se ocupaba de mí.

He estado charlando con ella miles de veces en su cocina desde entonces. Isabel no se parece a ninguna de las amigas que he tenido y, al principio, aunque me caía muy bien, nunca imaginé que llegaríamos a intimar. Por lo pronto era mayor que yo, aunque sólo ocho años. Pero parecían más, acaso por ser de otra generación, según ella. Creo que no se debe sólo a eso. Hay personas que nacen sabiendo cosas que a los demás nos cuesta toda una vida aprender. Además estaba muy avejentada, tenía el pelo casi gris, llevaba moño —nada menos—, y no tenía el menor sentido de la moda (con los años he conseguido que por lo menos el pelo lo lleve más acorde con los tiempos). Sin embargo, aún era hermosa. Aquella noche me recordó a una de esas vírgenes de los pintores italianos, aunque mayor. Aquello fue en 1987. De modo que sus verdaderos problemas aún no habían empezado. Pero su expresión ya era triste. Aunque también había serenidad y esa luz interior que siempre me asombra tanto.

Y yo... bueno, llevaba una vida ajetreada, entre mi dedicación a la enseñanza a tiempo parcial y el trabajo para preparar mi tesis de licenciatura. Pese a ello me sentía un poco sola. Y puede que necesitada de una madre, no porque no la tuviese sino porque anhelaba cierto trato maternal.

Emma dice que no tengo sentido del humor, que no capto las ironías. Supongo que se debe a que no poder tener hijos me amarga un poco. Salvo Isabel, tampoco las demás han tenido hijos pero yo soy la única que quiere tenerlos. Creo que Isabel y yo estamos hechas para ser madres, pese a que ambas tuvimos padres más bien fríos. Yo anhelo ser madre y anhelo el calor materno. Y ella trata a todo el mundo como una madre, pero ¿quién le da a ella el calor maternal? Nadie.

Bien pensado, puede que esto no entrañe ninguna ironía. Puede que sólo sea patético.

Hizo que me quitase los *panties* y que me pusiera unos calcetines limpios, de Terry, y me sirvió una jarra de sidra caliente mientras me limpiaba los zapatos en el lavabo del aseo. Al volver, tuvimos una conversación de lo más agradable y distendida. Me hizo muchas preguntas. Lo que más recuerdo es que le conté algunas de las gamberradas de mis dos hermanos cuando eran adolescentes, que luego se convirtieron en ciudadanos modélicos, como suele decirse. De modo, le dije, que no debía preocuparse demasiado de que Terry pudiera terminar descarriándose. No me quedé en su casa mucho rato, pero al marcharme reparé en que ella había obtenido mucha más información acerca de mí que yo acerca de ella.

Terry vino a casa al día siguiente a excusarse del modo más encantador y a invitarme a cenar. Y así es como empezó. Isabel y yo nos hicimos amigas. Y cuando no nos visitábamos, coincidíamos en el pipicán con *Lettice* y *Ernie*, o íbamos a jugar a tenis o a pasear en coche por el campo. Y compartí su llanto cuando Terry decidió ir a estudiar a la Universidad McGill de Montreal. Escuchaba todos los detalles del largo y tímido cortejo a que me sometió mi esposo. Y cuando rompió con Gary, ella y *Gracia* ocuparon mi dormitorio de invitados durante tres semanas; y, cuando contrajo el cáncer, lo sentí como si me hubiese ocurrido a mí. No puedo imaginar no haber conocido a Isabel y apenas recuerdo cómo era mi vida antes de conocerla.

Cosa de un año después de la juerga de Terry la noche de Halloween, estábamos sentadas en el suelo de linóleo, secando a nuestras perras después de su último baño del verano.

—Pasas demasiado tiempo conmigo en esta cocina, Leah Pavlik. Deberías salir e ir a jugar con amigos de tu edad —me dijo Isabel.

—¡Tú sí que deberías jugar con amigos de mi edad! —repliqué.

Nos echamos a reír y luego, no estoy segura de cuál de las dos lo dijo, surgió la idea de formar un grupo.

Siempre he tenido muchas amigas y reconozco que disfruto organizándolas. Cuando era pequeña fundé un club sólo para chicas y nos reuníamos en el sótano de mi casa cuando cursábamos sexto y séptimo. Y en el instituto fui cocapitana de la escuadrilla del pompom, y luego presidenta del club femenino en la facultad. Pero desde que me trasladé a Washington, supongo que debido a estar muy ocupada, no hice muchas amigas, salvo Isabel. Me encantó la idea de fundar un grupo. No sería una tertulia literaria ni política, ni tampoco un grupo feminista. Su única característica sería la de estar formada por mujeres que nos cayesen bien y a las que admirásemos, de quienes pensáramos que podíamos aprender algo, para reunirse a menudo y hablar de nuestros problemas y de todo aquello que nos interesase. Ciertamente, era un programa con muy pocas pretensiones. Poco podíamos imaginar que aquello sería la semilla de un hermoso jardín.

Así me lo dijo Isabel años después, que era como si cultivásemos lozanas verduras para nutrirnos y bonitas flores para nuestro goce. Le pregunté en qué categoría vegetal me incluía, creyendo que me catalogaría de verdura ya crecidita, pero me dijo que en ambas.

«Todas nos incluimos en las dos, puntualicemos», añadió.

Un año después de haber formado el grupo, en una de las reuniones tratamos el tema, a propuesta mía, de qué opinábamos cada una de las demás —las que no nos conocíamos antes de asistir a la primera reunión—. Empecé yo diciendo que Emma me pareció ser una persona dedicada a algún trabajo creativo, acaso una estrella del rock (más bien una estrella en declive, quise decir, debido al talante de estar de vuelta de todo que a Emma le gusta transmitir). No es en absoluto una persona hastiada y no sé por qué se esfuerza tanto en demostrarlo. No hace ninguna falta. Le encantó que la comparase con una estrella del rock. Hasta el punto de que quiso saber a qué estrella del rock creía yo que se parecía. Le contesté que a Bonnie Raitt, porque pensaba que ambas tenían unas bonitas facciones, y a veces la misma expresión ceñuda. Llevaban el pelo igual, largo, de un tono rubio rojizo y, por expresarlo de un modo piadoso, peinado a su aire. Me muero de ganas de presentar a Emma a mi peluquero, pero ella asegura que no le interesa.

Rudy y Emma coincidieron en decir que Isabel les cayó bien nada más verla, que pensaron que era encantadora aunque quizá algo anticuada, un pelín demasiado conservadora.

—Una maruja, pero en el mejor sentido —dijo Emma.

—No, más que maruja, maternal —la corrigió Rudy.

Recuerdo perfectamente que en aquella primera reunión Isabel llevaba un delantal rojo de hilo por encima del jersey y de unos pantalones holgados, y no se lo quitó en toda la noche, simplemente porque no se acordó. Esa es una buena muestra de lo poco presumida que es. Pero ¿conservadora? ¡Qué va! Ni por asomo. Y esta es una buena prueba de que la primera impresión puede ser totalmente equivocada.

Isabel dijo que pensaba que Rudy era una de las mujeres más

hermosas que había visto en la vida real. Y Emma y yo estuvimos de acuerdo. Las demás somos mujeres bastante atractivas dentro de lo normal, creo yo. Pero Rudy es hermosa de verdad. Llama la atención. No podemos ir a ninguna parte sin que se fijen en ella. Tiene el cutis como un bebé, un cuerpo de chica de portada de revista, un pelo tan negro que azulea, resplandeciente y perfecto, y tan dócil que hace lo que quiere con él. Si sólo fuese muy bonita quizá inspirase animosidad, de pura envidia, pero además de tener una excepcional belleza clásica es una persona muy dulce, candorosa y vulnerable, que atrae el instinto maternal y de protección de cualquiera. Todo el mundo quiere salvar a Rudy, sobre todo los hombres, según ella. Pero lamento decir que, hasta la fecha, dudo que nadie la haya salvado.

En cuanto a mí, según Emma también tenía aspecto de estrella del rock. Y enseguida le pregunté a quién me parecía. En cierta ocasión un cincuentón interesante me dijo que le recordaba a Marie Osmond, «por lo chispeante». Pero Emma me comparó a Sinead O'Connor.

—¿Cómo? —exclamé.

—No por la calva, ¿eh?, aunque llevabas el pelo muy corto, Lee. Lo digo por ese talante severo y esos aires de sabihonda que gastas.

Ah, pues muchas gracias, mujer, pensé ofendida.

—A mí me parece que Sinead O'Connor es muy atractiva —añadió como si me adivinara el pensamiento—. ¿No te has fijado en sus ojos?

—No.

—Pues es una mujer preciosa, Lee, y te he comparado a ella como un cumplido.

Menos mal. Pero, en cualquier caso, no tengo el menor parecido con Sinead O'Connor. Me parezco a mi madre: menuda, fibrosa, morena y vivaz. Y no me doy aires de sabihonda, aunque la verdad es que suelo tener razón.

En fin, ya está bien de primeras impresiones.

Al casarme con Henry pensé que ya no necesitaría tanto al grupo, que mi interés por mis amigas se iría extinguiendo, que no tendría tanto tiempo ni energía para dedicarles. Pero no fue así. Durante siete u ocho meses estuve tan volcada en hacer el amor con Henry que prácticamente me olvidé de todo lo demás. Pero no fue más que una transición que no afectó a las Cuatro Gracias.

Emma y Rudy se partían de risa a mi costa durante aquella época de mi vida. No sé qué opinarían de mí antes de que conociese a Henry —que era una mojigata, supongo—. Y no lo soy ni lo he sido nunca. Tampoco suelo decir tacos, y soy reservada en algunas cosas. Y cuando no lo soy tanto lo expreso en términos que pueden parecer algo anticuados, e incluso gazmoños. De modo que cuando conocí a Henry y, de pronto, el sexo pasó a ser lo único en mi mente racional y poco imaginativa, les pareció cómico.

Pude haber evitado que se burlasen de mí por el simple procedimiento de no hacerles confidencias, pero por la razón que fuese, supongo que por el *circo* hormonal que desfilaba por mi interior, no podía dejar de hablar de ello. No podía tener la boca cerrada. Nunca me había ocurrido nada parecido pese a que ya tenía treinta y siete años. Un jueves por la noche cometí el error de decir en la reunión qué aspecto tenía Henry con el uniforme azul, su nombre grabado en letras doradas en una plaquita y el de la razón social de su empresa al dorso: PATTERSON & CO. También les dije que no sólo era un manitas sino que tenía manitas. Debí poner cara de haberlas probado porque incluso Isabel me dirigió una mirada maliciosa. La verdad es que Henry era el colmo del atractivo masculino, una irresistible combinación de sexualidad y de capacidad para solucionar los problemas.

Luego cometí un error aún mayor. Les conté que la primera vez que vino a casa, que fue sólo para arreglar la cisterna de un váter (aún no lo había contratado para que cambiase las viejas cañerías por otras nuevas e instalase nuevos registros para la calefacción), me mostró un diagrama en un catálogo de fontanería para que viese con exactitud lo que estaba estropeado y cómo pensaba repararlo.

—Esto forma parte del servicio —me dijo con su meloso y solícito acento sureño—. Un cliente bien informado es un cliente satisfecho.

Se arremangó y el sol que entraba por la ventana del cuarto de baño iluminó el vello rubio de sus pecaminosos antebrazos. Tendrían que ver el diagrama que me mostró para entender lo que quiero decir, pero créanme si les digo que el dibujo del émbolo que penetraba en el receptáculo del mecanismo de apertura y cierre del paso del agua de la cisterna tenía exactamente el mismo aspecto, *exactamente el mismo*, que el de un pene en una vagina.

De modo que ya pueden imaginar los chistes de fontanería que he tenido que soportar en los últimos cuatro años.

Y no acaban ahí las humoradas. Aparte de la incontenible lujuria que me inspiró Henry desde que lo vi, intuí que sería el padre más maravilloso del mundo. Mis genes llamaban a sus genes, solía bromear. Juntos íbamos a producir unos hijos judeoprotestantes, intelectomanuales (el elemento intelectual lo aportarían mis padres, no yo, porque mi padre enseña física cuántica en Brandeis y mi madre es agente de bolsa). Pero la cosa no pinta bien en la planta productora de bebés en la actualidad. A veces parece por culpa de la fontanería de mi fontanero y otra de mi calefacción. Los médicos no están seguros.

Trato de no pensar en lo peor que podría ocurrirnos, o sea no tener hijos. Sería un mundo muy triste y desolado en el que nunca me había imaginado. Me siento estafada al pensar en todos los años que estuve tomando religiosamente la píldora o utilizaba espermicida o diafragma.

He logrado ocultar mis peores temores al grupo mucho mejor de lo que he conseguido ocultar mi cómica libido, pero probablemente no lo conseguiré durante mucho tiempo. Además, ¿por qué tendría que ocultarlos? Para conservar la imagen que tienen de mí como una persona serena y sensata, supongo.

Pero Isabel ya lo sabe. Como de costumbre. Una vez me dijo que no habría superado lo de su divorcio, el cáncer, la quimioterapia y todo lo que ello implicaba sin mí —algo que es muy amable, muy típico de ella, aunque no sea cierto—. Pero sí lo será en mi caso. Si ocurre lo peor —si Henry y yo no podemos tener hijos— estoy segura de que sin Isabel no podré sobrellevarlo.

3

Rudy

No sé por qué mis amigas se preocupan tanto por mí. Soy una pejiguera. Tanto, que me echaría a correr si me viese venir. Pero son muy pacientes y solidarias conmigo. Me rodean con sus brazos y me dicen «Oh, Rudy, lo estás haciendo muy bien». Hay que leer entre líneas. Lo que quieren decir en realidad es que si aún no me han puesto la camisa de fuerza es que estoy bien. Quizá, pero me tienta tocar madera cuando me lo dicen.

Lo que no le digo a nadie, ni siquiera a Emma, que cree saberlo todo acerca de mí, es lo mucho que han influido la norpramina y la amitripilina en mi salud mental. Y antes la protriptilina y el alprazoam, y el meprobamato. Y podría seguir.

Sólo lo sabe Curtis, mi marido, y Eric, mi psicólogo. Acerca del resto soy franca: de mi desastrosa familia, de los muchos años de tratamiento psicológico, mi lucha contra la depresión y la locura. Todo el mundo toma ahora Prozac o Zoloft, de modo que ya ha dejado de sorprender a nadie, ni de avergonzar, como dice Emma, el hecho de vivir mejor a base de química.

Pero no lo cuento. Porque necesito que mis amigas crean que mi comportamiento es espontáneo, auténtico. Si conociesen mi secreto ejército de psicofármacos, todo lo que hiciese bien lo atribuirían a los medicamentos y también lo que hiciese mal. Nada en mí les parecería auténtico. Para ellas Rudy no sería real.

Ya verán lo que pasa cuando les cuente lo que he hecho hoy. Imagino cómo van a reaccionar. Emma se echará a reír, Isabel se mostrará solidaria y me consolará y Lee me lo reprochará, aunque con gentileza. Y todas se preguntarán en privado: *¿En qué estarían pensando para contratarla?* Pero no es su opinión la que me preocupa sino la de Curtis.

Lo que ha ocurrido es que me han echado del Teléfono de la Esperanza. Me avergüenza decir que sólo he estado una semana. La señora Phillips, mi jefa, me ha dicho que he tenido una conversación demasiado personal con una de las personas que llamó, en flagrante violación de las normas que nos explicaron durante el cursillo. Sé que no estuve muy acertada, que ha de haber normas, pero la verdad es que si volviese a llamar la chica que llamó, una tal Stephanie, actuaría del mismo modo.

Nos previenen para que al iniciar la conversación seamos cautas. Y no sin razón, porque ya me habían gastado más de una broma. Pero la voz delgadita, joven y tensa de Stephanie la delató enseguida. Y deduje que no era una broma.

—Teléfono de la Esperanza. Soy Rudy. ¿Diga? Soy Rudy. ¿Quién es?

—Hola... Llamo en nombre de una amiga.

—De acuerdo. ¿Cómo se llama tu amiga?

Pausa.

—Stephanie.

—¿Y tiene Stephanie algún problema?

—Sí. Muchos problemas.

—¿Cuál es el más importante? El que más la preocupa.

—Pues... no sé. Llora muy a menudo. Por muchas cosas. Por su familia, por sus amigos.

—¿Qué ocurre con su familia?

Un suspiro.

—Ocurre de todo —dijo—. Su madre es un verdadero desastre.

—¿En qué sentido?

Silencio.

—¿En qué sentido es un verdadero desastre? —insistí.

Silencio.

—¿Bebe?

—¿Qué?

—Que si la madre de Stephanie bebe demasiado.

—Sí. Ya lo creo. ¿Cómo lo ha adivinado?

—Bueno... mi madre también bebe mucho. Supongo que por eso lo he adivinado.

La verdad es que no me explico por qué le dije eso.

—¿Ah sí? ¿Es una alcohólica? Mi madre es una borracha, horrible. No sé cómo puedo... ¡Dios mío!

—Cálmate. ¿Me oyes, Stephanie? Tranquilízate. El noventa por ciento de las personas que llaman dicen hacerlo en nombre de un amigo o amiga. Pero no debe importarte. Creo que no hay nada malo en ello. Supongo que llamarías en nombre de una amiga si te lo pidiera, porque creo que eres una buena chica.

Mi manera de hablarle no respondía a mi talante habitual. Pero cuando hablo con alguien a través del Teléfono de la Esperanza termino por hablar como ellos. Y, antes de echarme, la señora Phillips decía que era una de mis tácticas más eficaces.

—Sí —dijo Stephanie en tono escéptico.

—Lo digo en serio. Noto que eres una buena chica.

—¿Cuántos años tiene?

—¿Yo? Cuarenta y uno.

Oí resoplar.

—¿Y qué va a saber usted entonces de los problemas de una adolescente?

Oí el roce de sus dedos en el auricular y temí que fuese a colgar.

—Mi madre era alcohólica —me apresuré a decir—. Quiso suicidarse cuando yo tenía doce años. Y cuando tenía once se suicidó mi padre.

Se hizo un largo silencio. He tenido mucho tiempo para analizar por qué dije eso. Lo hice a conciencia de que contravenía las reglas. Pero en aquellos momentos no se me ocurrió nada mejor para que no colgase.

Y funcionó. Stephanie empezó a desahogarse.

—Mi madre.... casi todos los días cuando vuelvo a casa al salir del colegio está como catatónica. Borracha perdida. Y he de ocuparme de ella. Y como no puedo traer amigos a casa no tengo amigos. En fin... sí tengo. Sólo una amiga, Jill. Pero ella no... No puedo contarle lo que ocurre. Y por eso...

—Te comprendo. Yo tampoco tenía amigos. Pero eso fue un error. Me equivoqué.

—No entiendo.

—Pues que cometí el error de avergonzarme de lo que ocurría, como si fuese yo quien bebiese. Pero, escúchame, Stephanie, tú no tienes nada de qué avergonzarte. Eres inocente. No mereces lo que te está ocurriendo.

Stephanie rompió a llorar. Ambas guardamos silencio unos momentos. Y, aunque no estoy segura, creo que a partir de entonces la señora Phillips empezó a escuchar desde su extensión.

—Y eso no es lo peor —dijo Stephanie cuando se rehízo un poco—. Pero afecta a todo.

—Entiendo.

—Y ahora hay algo más, algo todavía...

—¿De qué se trata Stephanie?

—¡Oh, Dios...!

Rompió a llorar de nuevo. Pensé en Eric, mi psicólogo, que nunca llora, por más que vea que me desmorono en la consulta. Sin embargo, nunca he pensado que sea una persona fría o insensible. Todo lo contrario. Pero no llora. Y menos mal que no llora, porque alguien ha de mantener la entereza en estas situaciones.

Y eso es lo que intenté hacer en aquellos momentos.

—¿Qué ha ocurrido? Intuyo que algo muy grave.

—Sí. He hecho algo malo.

—¿Con un chico?

Silencio.

—¿Es usted adivina?

—Lo he adivinado por casualidad. Puedes decirme lo que sea.

—¿Está usted casada? ¿Cómo se llama?

—Me llamo Rudy y estoy casada.

—¿Cuánto tiempo hace?

—Cuatro años y medio, casi cinco..

—O sea que se casó a los treinta y siete, ¿no?

—Sí. Un poco mayor —me adelanté. Pero noté que eso era lo que pensaba.

—Y... ¿ha hecho alguna vez algo con un chico que...?

—¿De lo que después me avergonzase?

—Pues sí.

Tenemos prohibido contar historias paralelas. Se nos enseña a escuchar y hacer preguntas y dirigir a los interlocutores a los adecuados servicios sociales.

—Mira, Stephanie, he hecho cosas con los hombres de las que ni siquiera a mi psicólogo le he hablado.

—O sea que va usted al psicólogo —dijo con una risita nerviosa.

—Pues sí. Se llama Eric Greenburg. Y está en Maryland.

—Eh, un momento...

—Anótalo, por si acaso...

Le di el número de teléfono y creo que ella lo anotó. Aunque, como pueden imaginar, también tenemos prohibido dar este tipo de información.

—De acuerdo —dijo Stephanie aclarándose la voz—. Se trata de un compañero de curso. Se llama George, pero todo el mundo lo llama Araña. El Hombre Araña. No sé por qué. Ni siquiera me cae demasiado bien. Quiero decir que no somos novios ni nada. Pero estaba en el centro comercial anoche con unos amigos suyos y yo estaba con Jill, y empezamos a hablar y esas cosas. Y al cabo de poco rato George nos invitó a ir a su coche a fumarnos un porro. Jill dijo que ni hablar, que ella se largaba. Y eso sí que fue una estupidez por mi parte. Porque le dije que bueno, que yo me quedaba.

—Hummm.

—Y ella se marchó y yo fui al aparcamiento con George y sus dos amigos y nos colocamos.

—Hummm.

—Yo ya había fumado porros. No era la primera vez. Creo que fue porque estaba colocada y...

—No querías volver a casa.

—Exacto.

—Querías olvidarte de todo. Dejarte ir.

—Sí, oh Dios, Rudy...

—Ya lo sé. Y...

—Y... ¿sabe lo que hice después?

—Me lo figuro. ¿Y qué tal fue?

Stephanie se echó a reír. Pero enseguida volvió a llorar.

Tengo el teléfono en una mesa, entre dos paneles de fibra de vidrio que quedan a la altura de mi mentón. Si no quiero que me vean cuando hablo casi he de pegar la cara a la mesa. Me llevé la mano a la nuca y oí a Stephanie llorar con desconsuelo.

—Cálmate, cálmate. No pasa nada. Sigues siendo una buena chica pese a todo.

—Es que fue horrible, Rudy, horroroso. Oh, Dios, ¡si ni siquiera me gusta! Y se lo contará a todo el mundo, a todos sus amigos, y entonces...

—¿Y qué? Tú no eres así y lo sabes. De modo que... ¡que se vayan al infierno!

—Es que Jill no me dirige la palabra.

—Bueno... porque está enfadada, pero...

—Ahora me odia. Mi mejor amiga me odia...

—No lo creo.

—Que sí.

—Está confusa y muy enfadada contigo, pero no te odia. ¿Es de verdad tu mejor amiga? ¿Cuánto hace que sois amigas?

—Desde primaria. Hace cuatro años —dijo Stephanie como si hiciese cuarenta años—. ¿Qué voy a hacer ahora?

—Pues... hablar con ella.

—¡No me habla! Además, no puedo contárselo todo.

—Sí puedes. Me lo has contado a mí, ¿no? Aunque comprendo que te costará.

—No puedo. Es muy estricta. Y es una buena chica. Siempre ha sido una buena chica. A veces pienso que si yo hubiese tenido una hermana, no me sentiría tan mal. O incluso un hermano. Si tuviese a alguien...

—Bueno, no necesariamente.

—Sí, porque si tuviese una hermana, podría confiarme a alguien, y contarle toda esta mierda.

—Te lo parece así.

—No. Creo que todo me sería mucho más fácil. Muchísimo. Pero estar sola y...

—Mira, voy a decirte una cosa —dije contraviniendo de nuevo las normas—. Tengo hermanos y, cuando yo tenía tu edad, no hacían sino agravar mis problemas.

—No lo entiendo.

—¿Verdad que el hecho de que tu madre beba hace que te sientas como una inútil?

—¿Y?

—Pues creo que si tuvieses una hermana o un hermano también te sentirías así. En lugar de tener una persona por la que preocuparte tendrías tres. Lo que quiero decir es que tener hermanos no mitiga necesariamente los problemas.

—Aun así me gustaría tener a alguien.

¿Por qué no dejé las cosas en este punto?

—Escucha, Stephanie... Claire, mi hermana, se fugó de casa cuando yo tenía dieciséis años y ella dieciocho, y se unió a una secta religiosa. Y todavía pertenece a ella.

—Ufff...

—Sí. Es una secta que cree que debemos adorar a los gatos porque son descendientes directos de Jehová.

—¿De quién? ¿De Jehová?

—De Dios. Jehová significa Dios.

Stephanie se echó a reír.

—En serio. Y no creen sólo eso. Y mi hermano Allen, ni siquiera sabemos dónde está. Desapareció. O sea que ya ves cómo es mi familia, Stephanie. Mi padre se suicidó y mi madre era una cuba, mi hermana se mete en una secta y mi hermano desaparece. Y aquí me tienes... trabajando en el Teléfono de la Esperanza, comportándome como si fuese una persona sin problemas. De modo que escúchame...

Stephanie seguía sollozando.

—Creo que lo primero que tienes que hacer —proseguí— es llamar al doctor Greenburg y luego llamar a Jill, porque ahora la necesitas mucho.

—Sí, pero no sé...

Cuando nuestra jefa quiere hablar con nosotras empieza a parpadear una luz roja en el teléfono. Entonces debemos dejar al interlocutor en espera, pulsar un botón y ver qué quiere la jefa. La luz roja de mi teléfono llevaba parpadeando por lo menos dos minutos.

—Sí, mujer, creo que deberíamos tomar la iniciativa con Jill. Eso haría yo en tu caso. ¿La aprecias de verdad?

—Sí. Creo que sí —contestó Stephanie, que de nuevo se echó a llorar, ahora con mayor desconsuelo. Quizá había tocado una fibra especialmente sensible.

—Vamos, Stephanie... cálmate...

La luz roja seguía parpadeando.

—¿Rudy?

—¿Qué, cariño?

—¿Y ahora está bien? ¿Después de todo lo que le ha pasado?

—Pues sí, la verdad. Estoy perfectamente.

Se nos permite mentir. Y si no fuese así debería serlo.

—¿Qué ocurrió con su madre? —preguntó Stephanie con voz queda.

—Ambas lo superamos. Vive en Rhode Island con mi padrastro y hablamos por teléfono de vez en cuando —dije. Porque no tenía sentido contarle que hacía cinco años que no la veía, desde que me casé—. Se excusó conmigo una vez.

—¿Ah sí?

—Y eso me hizo mucho bien.

—Oh, Dios, Rudy —exclamó Stephanie suspirando—. Parece que su familia estaba más jodida que la mía. Lo siento...

—Puedes estar segura, Stephanie. Si tuviese que contártelo todo acerca de mi familia llegarías tarde mañana al instituto —dije. Stephanie se echó a reír. Me caía muy bien aquella chica. Y tuve una idea—. ¿Dónde vives?

—En Tenley Circle. Voy al instituto Wilson.

—Si quieres podríamos vernos y charlar otro rato. Vamos... si te apetece.

—Sí. Me encantaría. ¿Qué le parece un sábado?

—Sería estupendo. Mi marido suele trabajar los sábados y podríamos almorzar juntas.

—Ah, claro, olvidaba que está casada.

—Sí, estoy casada.

—¿Y mola?

—¿Estar casada? Sí mola, sí. Por lo general sí.

—Ya. Por lo general —dijo ella en un tono de voz que de pronto sonó irónico y amargo. Me partió el corazón.

—¿Nos vemos el sábado entonces?

—Oh, sería...

Clic.

—¿Stephanie? ¡Eh! ¿Sigues ahí?

Miré el auricular. Se había quedado mudo. En mi consola parpadeaban seis o siete luces verdes. Era gente que deseaba hablar con los voluntarios del Teléfono de la Esperanza. ¿Habrían pasado la comunicación de Stephanie a otra? Pulsé un botón al azar.

—... salir de la norma de esa manera es improcedente, y esa chica lo sabía...

Clic.

—Señora Lloyd.

Me erguí en la silla. La señora Phillips nunca me llamaba señora Lloyd. Yo la llamaba señora Phillips y ella me llamaba Rudy. Mi jefa es una mujerona, escultural y muy bonita, de color, e intimida. Se me plantó enfrente, con sus enormes pechos casi rozándome la cara. Me sentí como una niña pillada en falta.

—Señora Lloyd, cuelgue el teléfono, recoja sus cosas y salga inmediatamente de esta oficina.

—Un momento, ya sé que...

—¡Fuera! —me espetó.

Se apartó hacia un lado y señaló una de las ventanas que daban a la calle. Llevaba las uñas pintadas, larguísimas y muchos anillos y brazaletes que entrechocaban. Parecía una diosa.

—Por favor, señora Phillips, le agradecería que me permitiese hablar dos minutos más con esa chica. Creo que...

—Señora mía —me dijo con expresión de incredulidad—, está usted despedida. ¿En qué estaba pensando?

La señora Phillips no estaba indignada sino furiosa. Era la primera vez que le oía alzar la voz.

—Sé que he cometido un error, señora Phillips, no volveré...

—Estamos aquí para atender a quienes llamen, señora Lloyd, pero no para proporcionarles esa terapia suya.

—Es que yo...

—Y ya puede dar gracias de que no la denuncie.

—¿Denunciarme?

Fue de pesadilla. Domina tu ira, me dice Eric. Pero dudo que fuese ira lo que sentí y en todo caso estaría sofocada por el sentimiento de culpabilidad, el remordimiento, el dolor y la mortificación. Fue uno de los fiascos más grandes de mi vida.

Pobre Stephanie, me dije de vuelta a casa. ¿Qué sería de ella ahora? ¿Y si volvía con el Hombre Araña? Quizá pudiese localizarla. Sabía que vivía en Tenley Circle, que estudiaba en el instituto Wilson y que tenía quince años...

¿Por qué creía poder ayudarla? Lo único que había hecho era hablarle de mí, de una madre alcohólica, de una familia rota. La señora Phillips tenía razón en todo. Me había ganado a pulso que me echasen, y puede que algo más.

Y lo pagaría aún más caro. Y bien pronto, en cuanto se lo contase a Curtis.

4

Isabel

Acabo de leer un libro de una autora que cree que, en su anterior reencarnación, fue simpatizante de los nazis. Según ella, colaboraba con las SS, espiaba a sus vecinos y se enriqueció aprovechándose de la guerra. Está convencida de que entonces fue un hombre. Basa su convicción no sólo en la regresión por medio de la hipnosis sino también en las circunstancias de su vida actual. La pobre mujer es tetrapléjica. Un horrible accidente de automóvil, que sufrió cuando tenía dieciséis años, la dejó sin poder mover más que los músculos de la cara. Y, según ella, el sufrimiento que ahora soporta es el castigo por los pecados cometidos en los años cuarenta en Alemania.

El karma. *Todo lo que va vuelve.*

A mí nunca me han hipnotizado y, por lo tanto, nunca he sido sometida a regresión. Si he tenido otras vidas, les he perdido la pista. Pero no excluyo la posibilidad. El escepticismo es un lujo que ya no me permito. Se lo dejo a los jóvenes e inmortales. Pero si es cierto que el yin y el yang están siempre equilibrándose, preferiría pensar que se equilibran aquí y ahora, en esta vida. Incluso sé dónde situaría yo el fulcro para el equilibrio perfecto: en mis cuarenta y seis años. Antes y después las mitades de mi vida se abren como alas, como un corazón partido en dos. He vuelto a nacer. Y aquí, en el tercer año de mi nueva vida, trato de equilibrar mi vida anterior con esperanza y amor, solidaridad, cordialidad y amabilidad, superficiales y gratuitos estallidos de gozo. Hay mucho que contrarrestar (aunque nada tan odioso como los crímenes nazis). Sólo confío en tener el tiempo suficiente para hacerlo. Sería perfecto vivir hasta los noventa y dos. O sea, cuarenta y seis y cuarenta y seis.

Entre buenas amigas llevarse diez años no es mucho y, sin embargo, a veces me siento como si las Cuatro Gracias y yo viviésemos en siglos distintos. Aún no he cumplido los cincuenta. Teóricamente soy un producto del *baby boom*, de la explosión demográfica de mediados del siglo. Sin embargo, mi padre era misionero y pasé la mitad de mi infancia en Camerún y Gabón, y la otra mitad en Iowa. Luego, el trabajo de mi esposo nos llevó a Turquía donde pasamos seis años de nuestro matrimonio. Nuestro hijo nació allí. Esto no justifica mi continuada inquietud acerca de la cultura popular sino que creo que en ella ha influido otra cosa. Algo que alienta en mi interior. Una infelicidad terminal, lo llamaría Emma. Y es una explicación perfectamente válida.

Las Cuatro Gracias somos mujeres activas y dinámicas, bastante juiciosas, sin más lastre emocional —salvo en el caso de Rudy— del que cabría esperar de un sondeo al azar entre ejecutivas de mediana edad. Sin embargo, nuestra infancia fue un desastre. Para unas más que para otras, por supuesto. Rudy podría escribir un libro y Emma probablemente lo escribirá. La familia de Lee y la mía tienen en común una apariencia de normalidad, y una realidad muy distinta en su seno. De vez en cuando jugamos las cuatro a lo que llamamos «¿Qué nos mantiene unidas?», y siempre concluimos que se debe a haber sobrevivido a nuestra infancia.

Me pregunto si hubiese sobrevivido al cáncer sin el cariño y atenciones de las demás. Sobrevivido.... sí, probablemente. Pero sólo eso: mera supervivencia. Nada, ninguna otra experiencia me ha equilibrado tanto. Llegué a creer que nunca me recuperaría, que mi cambio era irreversible. Y así fue, pero no en el sentido que me temía. Había leído todo tipo de artículos y libros sobre la enfermedad. Los relatos autobiográficos de mujeres que explicaban que el cáncer había cambiado sus vidas, que las había convertido en personas distintas, *fue una bendición disfrazada...* Estas historias me enfurecían. Me sentía engañada y traicionada. Tenía la sensación de que me mentían y me sentía profundamente ofendida. Y ahora... ahora soy una de esas mujeres. Hace dos años que perdí un pecho y me oigo gritar el mismo sentimiento que me hacía rechinar los dientes: «No es que se lo desee a nadie, pero fue positivo que me sucediera. Ha cambiado mi vida radicalmente.»

Y necesitaba que cambiase. Mi vida había dado un pequeño rodeo debido, entre otras cosas, al descubrimiento de la permanente infidelidad de mi esposo. No sé por qué pero he estado pensando mucho en Gary últimamente. Me he preguntado si hice bien en utilizar su última infidelidad como catalizador de nuestra ruptura. Si continuásemos casados y volviese a serme infiel, ¿lo perdonaría? Creo que sí. Espero que sí. Porque no soy la misma persona. Ya no albergo ira dentro de mí. Gracias a Dios. Pero ¿qué diría Lee si se lo comentase? ¿O Emma? ¿O Rudy? ¡No quiero ni pensarlo! La única luz en el horrible trance de mi divorcio fue su amistad. Hicieron piña para apoyarme, culpando a Gary. En el seno del grupo pasaron de tenerle cierta simpatía a desear verlo muerto y, por entonces, su actitud me resultó muy reconfortante.

Hasta la fecha nunca les he comentado a las Gracias toda la historia de sus infidelidades. Supongo que porque me resulta demasiado embarazoso. El comportamiento de Gary fue vergonzante y parte de esa vergüenza me ha salpicado, como si parte de la culpa fuese mía. Y puede que lo fuese. Es más, estoy segura de que lo fue. Pero nunca lo olvidaré y siempre les estaré agradecida por su justa ira cuando les conté cómo descubrí su primera infidelidad. Fue la noche de nuestro 19º aniversario, algo que visto en retrospectiva resulta coherente. Gary siempre ha sido muy oportuno.

Me llevó a un nuevo restaurante turco en Besheda (un pequeño regalo nostálgico en honor a los viejos tiempos, cuando estábamos recién casados en Ankara). Me sorprendió y me emocionó. Bebimos raki y cenamos estofado de cordero con berenjenas. Al volver a casa hicimos el amor en el sofá. No acostumbrábamos hacerlo allí, pero Terry estaba en Richmond para asistir a una fiesta y pasaría la noche allí. Por una vez estábamos solos en casa. Luego me quedé dormida y me desperté a oscuras. Con la ropa en la mano subí a nuestro dormitorio. Me sentí coqueta y seductora al pensar que ya llevaba diecinueve años casada y aún hacía el amor en el sofá. La voz de Gary llegó hasta mí a través de la puerta entreabierta del dormitorio. Me detuve en el descansillo de la escalera por pura curiosidad. ¿Con quién podía estar hablando a medianoche en tono susurrante?

Hablaba con una tal Betty Cunnilefski que trabaja de ayudante administrativa en su oficina. La había visto una vez y la recordaba vagamente: cetrina, menuda y canija, la clase de mujer que ve una cenar sola en los restaurantes.

Gary me lo confesó todo aquella misma noche de un tirón. Me juró que no volvería a verla y que haría que la trasladasen a otra oficina. Pese a lo mucho que me enfureció lo sentí un poco por Betty a quien Gary, fiel a su palabra, trasladó a otra sección antes de una semana. Y es muy probable que no volviese a verla. Por entonces lo creí. Lloró de un modo muy convincente y me suplicó que lo perdonase, de un modo igualmente sincero. Parecía casi tan afectado como yo e incapaz de explicar por qué lo había hecho. Y fue mejor así porque si me llega a decir que se sentía solo, incomprendido o sexualmente insatisfecho; que lo hizo estando borracho, que lo sedujeron, que se debía a la crisis de la mediana edad o hubiese puesto cualquier excusa por el estilo, no habría hecho sino provocar mi ira. Yo apenas era consciente de ello y me sentía incapaz de estallar, algo que hubiese dejado atónito a Gary de haberlo entrevisto.

Tardé tres años en estallar. Ignoraba si Betty fue la primera con la que me fue infiel, pero desde luego no fue la última. ¿Cómo se las ligaba? Eso es lo único que ahora me interesa saber, una vez que mi furia se ha extinguido. Gary es bajito, cuellicorto y chaparro. Lleva barba y tiene el pelo entrecano. Es muy ancho de espaldas y paticorto. En la cama es muy bruto. Está bien si a una le gusta así, pero con el tiempo llegué a detestarlo. En el fondo, es bastante frío y calculador. Le gusta coquetear pero es muy torpe. No me lo imagino ligando. Pero lo consigue. ¿Qué les da?

Por lo pronto es un tipo mundano y apasionado. Por eso me enamoré de él. Además elige mujeres necesitadas de un hombre, solas, tímidas, mujeres que son un blanco tan seguro como patético. Y así exactamente era yo. No puedo afirmar que lo haga deliberadamente y que por lo tanto proceda de un modo cruel y calculador, o si se trata de una pura y ciega intuición. Nunca lo he tenido claro. Quiero concederle el beneficio de la duda. Quiero perdonar.

No se trata de generosidad ni de bondad. Lo que ocurre es que ya no hay lugar en mi interior para la amargura. Así de sencillo. Y a riesgo de parecer fatua, me permitiré decir que el mundo está lleno de Bettys. No sé a quién debo agradecer esta nueva y visceral actitud. Me resulta divertido pensar que acaso se deba en parte al Dios luterano de mi padre. Pero sólo en parte. En la actualidad lo atribuyo más a lo que Emma llama *oh-cultismo*, aludiendo al Tarot, reencarnación, anteriores existencias, astrología, numerología, meditación e hipnoterapia, todo lo que cae bajo la rúbrica de la *New Age* (toda espiritualidad al margen del protestantismo ortodoxo, según Emma). Yo creo en todo eso. El desdén que siente por todo ello mi amiga no tiene límites, pero sus burlas son siempre gentiles y afectuosas. Es una especie de juego entre nosotras. El caso es que Emma y yo estamos más unidas que nunca.

Podría replicarle que para mí es un verdadero gozo ver a Dios en tantos lugares. El peso de los convencionalismos y del racionalismo se me hace más llevadero al pensar que puedo morir, que realmente puedo morir. Y ahora me siento libre. Libre, con cuarenta y nueve años, y muy agradecida por empezar a vivir de nuevo. El yin y el yang. He vuelto al instituto; me he trasladado de Chevvy Chase a Burleith y de Burleith a Adams-Morgan —una progresión muy reveladora por sí sola—. Me tiño el pelo. Podría echarme un amante. Despertarme por la mañana no es un acto obligatorio y tedioso sino el comienzo de una posible aventura. Me he remodelado. Aunque... no. Me han remodelado. Las circunstancias me han impuesto un nuevo concepto del hecho de ser mortal. Y ha merecido la pena. Sólo he tenido que dar a cambio un pecho.

Un trato vitalicio.

5

Emma

Una mala noticia no sienta tan mal si la recibe una en buena compañía. Es como si te tirasen por la ventana de un quinto piso y rebotases en una marquesina, el techo de un coche o un montón de bolsas de plástico antes de estrellarte en la calzada. Tendrías bastantes probabilidades de sobrevivir.

Esta analogía es demasiado burda para persistir en ella, aparte de que no tengo a quien comparar con un montón de bolsas de basura. De modo que me limitaré a decir que la noche que descubrí que Mick Draco estaba casado, pensé que mis tres amigas eran un paracaídas extraordinario.

Uno de los jueves que tocaba reunión fuimos a cenar a La Cuillerée de Adams-Morgan, en lugar de al apartamento de Isabel porque se le había estropeado la cocina.

—Han vuelto a rechazarme el manuscrito —acababa yo de comunicarles a Rudy, Lee e Isabel.

Estaba a punto de reírme de su preocupación y solidaridad, aunque fuese para mí como un lenitivo, para que no notasen lo hundida que me sentía, cuando de pronto Lee dirigió la mirada hacia una mesa cercana y dijo «Mick Draco».

Me quedé de piedra, desorientada. Porque hacía cinco minutos había fantaseado con él. Léeme el pensamiento, Lee, pensé mientras seguía su mirada. Y entonces lo vi. Una ensoñación hecha realidad.

Lee lo llamó. Pero como Lee es de la clase de personas que antes se comería una cucaracha que alzar la voz en público, Mick

Draco no la oyó. ¿De verdad lo conocía Lee? Me ruboricé y me levanté.

—¡Eh, Mick!

Él se giró, sonrió y se acercó a nuestra mesa.

Llevaba cuatro días pensando en él, desde nuestra breve charla previa a la entrevista en una tasca de tres al cuarto, frente a su destartalado estudio de la calle Ocho. Me dijo que vivía cerca, en Columbia Heights. Pero, encontrármelo de pronto en aquel restaurante francés de moda de Columbia Road me sorprendió.

Era atractivo, todavía muy erguido, delgado y no demasiado alto, mi tipo de hombre favorito físicamente. Y aún conservaba el pelo, castaño, con algunos mechones plateados, una cara grande e inteligente y unos ojos marrones que brillaron al verme.

—Es el tipo de quien te hablé —me dio tiempo a susurrarle a Rudy antes de que se inclinase hacia nosotras, con las manos en los bolsillos de su chaqueta de cheviot, sonriente y complacido, aunque un poco nervioso y cohibido.

Pensé que en cuanto viese a Rudy se olvidaría incluso de mi nombre. Es muy propio de los hombres. Ya estaba acostumbrada y me lo tomaba con filosofía. Pero aquella noche, de buena gana le hubiese cubierto a Rudy la cabeza con un saco.

—Hola, Mick, encantada de conocerte —lo saludó Lee—. Hace tiempo que quiero llamar a Sally. ¿Os conocíais tú y Emma? No tenía ni idea.

¿Quién será Sally?, me pregunté mientras Lee se lo presentaba a Rudy y a Isabel. Y entonces caí. Sally sería su esposa. Maravilloso. La historia de mi vida. Ni siquiera se prestaba para un buen chiste, para una de esas groserías de alguno de los ineptos tipos con los que me había acostado. No. Pura y simplemente me dolió. No estaba preparada para saber lo mal que sentaba. ¿Creen que se debía a inmadurez o inestabilidad? Lo digo por lo de reaccionar tan mal por el hecho de saber que un tipo al que apenas conocía estaba casado. Bueno, pues eso mismo pienso yo. No puedo explicarlo porque no me había sucedido nunca.

—El hijo de Mick, Jay, va a la guardería —dijo mirando a Mick con sus centelleantes ojos negros, visiblemente encantada de verlo.

Así me enteré de lo de Sally.

Otro disgusto. Aparte de esposa tenía un hijo que, además, iba a la guardería en la que trabajaba Lee. Sonreí de oreja a oreja y les conté cómo conocí a Mick.

—Nos conocimos hace sólo unos días. Mick será el protagonista de un artículo que estoy escribiendo acerca de los cambios de profesión en la mediana edad.

Rudy e Isabel parecieron sentir curiosidad. Mick guardó silencio.

—Antes trabajaba como abogado especializado en patentes y marcas y ahora es pintor.

—Aspirante —dijo Mick Draco, que ladeó la cabeza, sonrió y movió las manos sin sacarlas de los bolsillos.

Era tímido, sin duda. Dios mío. Ésa es otra de mis debilidades. Tengo dos: los hombres tímidos y los que son más inteligentes que yo. Pero cuando tomamos café no estuvo nada tímido. Y ahora no parecía fascinado por Rudy. Aunque la verdad era que tampoco me miraba a mí mientras mantenía una superficial conversación con Lee. Isabel observaba en silencio, sin perder detalle.

En principio, había ido allí para celebrar nuestra reunión de los jueves. Por eso no lo invitamos a sentarse con nosotras. Y me alegré. ¿Para qué atormentarme innecesariamente? Cuando la conversación empezó a languidecer, Mick le dijo a Rudy e Isabel que se alegraba de verlas y a Lee que le diría a Sally que la llamase.

Sally. Yo nunca había conocido a ninguna Sally, pero la imaginé. Debía de ser rubia natural y sencilla, con un atractivo de sexy casera. Debía de llevar delantal mientras horneaba complicados pero saludables pasteles para Mick y su hijo. Para sus «hombres», como los llamaba ella.

Mick retrocedió un paso y me miró a los ojos por primera vez.

—El lunes —dijo.

—De acuerdo. El lunes.

—¿Quieres que almorcemos antes otro día?

—No, no puedo. Tal como quedamos, en tu estudio —dije en tono envarado, estúpida de mí. Porque Mick no había hecho nada incorrecto.

Mick no llevaba alianza pero tampoco había mentido, ni siquiera se había permitido ese coqueteo que utilizan los hombres para dejar implícito que son solteros aunque sin decirlo. De modo que, en todo caso, la culpa fue mía, por dar por sentado algo sin más base que mi deseo. Menuda bobada. Creía haber dejado de cometer estas tonterías hacía años.

Al despedirnos Mick fue junto a un tipo cargado de espaldas y con coleta blanca que estaba sentado junto a una de las ventanas que daban a la calle. Los miré con el rabillo del ojo mientras Lee hablaba de Sally, de lo encantadora que era y de que pensaban ir juntas a clases de ballet. Me tentaba confesarles que acababan de partirme el corazón, en plan de broma, por supuesto. Todavía me reservo algunos secretos, pero mis desengaños con los hombres no son parte de ellos. ¿Por qué no lo conté? Primero, porque el hecho de que Lee conociese a la esposa me lo hacía embarazoso. Y segundo, por Isabel. No hacía tanto que se había divorciado y el adulterio es un tema que aún le afecta.

Esto no significa que yo pensara en el adulterio. Ni hablar. Detesto engañar, a quienes engañan y la infidelidad. Pero...

Noté algo en la cara de Isabel, que estaba plácidamente sentada, con su amable expresión y su sonrisa de Buda. Siempre da la impresión de abstenerse de juzgar a los demás. Quizá por eso me abstuve de reírme de mí misma, con comentarios más o menos cínicos por haberme colado por un hombre casado.

Como de costumbre, Rudy habló la última porque el cuarto de hora que en principio le correspondía solía alargarse hasta la media hora y, a veces, a los tres cuartos de hora. A ninguna nos importa, sólo que es mejor contar con ello de antemano. Nos contó una larga y divertida historia acerca de que la habían echado de su trabajo en el Teléfono de la Esperanza.

—Ya sabía que os ibais a reír —dijo—. Pero os aseguro que no es tan divertido.

—¿De verdad le diste el teléfono de Greenburg? ¡Oh, Rudy, por Dios!

—¿Por qué no? Es un terapeuta de familia que trata a adolescentes. Y creo que si una chica puede necesitar consejo de esa clase es ella.

—Pero infringiste las normas —dijo Lee con ese tono condescendiente y didáctico que suele utilizar con Rudy, aunque no conmigo, porque si lo hace yo replico del mismo modo pero multiplicado por cien, con lo que resulta aún más irritante. A ver si así toma buena nota.

—Ya lo sé —dijo Rudy—. Pero...

—En estos servicios no permiten recomendar a profesionales de ningún tipo, Rudy. ¿No te lo explicaron? ¿No os dieron un cursillo de formación antes de que empezaseis a atender llamadas?

—Sí. Nos explicaron que no debíamos recomendar médicos, clínicas ni hospitales, ni siquiera programas de ayuda. Ya sé que cometí un error, pero no pude evitarlo. Si la hubieseis oído... —Dejó de mirarnos a Lee y a mí, miró a Isabel y prosiguió—: Tú habrías hecho lo mismo.

—Espero que sí —asintió Isabel sonriente.

—Pero eso no se puede hacer —insistió Lee—, porque entonces el Teléfono de la Esperanza se convertiría en un simple servicio de información. Se prestaría a muchos abusos. Pensadlo.

Isabel se recostó en el respaldo, jugueteando con sus rizos de color rubio ceniza. Lleva el pelo teñido pero le sienta muy bien. Está estupendamente. Nadie le echaría más de cuarenta y cinco años.

—¿Con cuántas organizaciones humanitarias colaboras como voluntaria, Rudy? —le preguntó Isabel en tono amable.

—¿Ahora? Pues... con cuatro.

—¡Caray! ¿Y cuáles son?

—Alfabetización, Reparto de Comidas Calientes, Sociedad Humana y La Hora del Cuento.

—¿La hora del cuento?

—Sí, vamos a los hospitales infantiles a contarles cuentos a los niños.

—Ah.

Se hizo un silencio mientras asimilábamos la información. En la esquina de la calle Quince y G suele tocar la guitarra una mujer mayor, de color. A veces dejo caer un dólar en su caja de puros al pasar, aunque sin detenerme, porque siempre llevo prisa. Salvo algunos cheques que envío por Navidad, cuando puedo, esa es mi única obra de caridad.

Isabel no siguió preguntando. No era necesario. Lee dejó de dar lecciones y yo de reír. La amable y despreocupada Rudy pidió más agua al camarero. Ni siquiera había reparado en que Isabel había sabido dejar las cosas en su sitio.

Rudy vio que yo le sonreía.

—¿Qué pasa? —me dijo sonriéndome a su vez.

—Nada.

Me encanta la manera que tiene Rudy de entornar los ojos cuando sonríe. Hace doce años, en la sección de información de la biblioteca de la Universidad Duke, no debía de haber sonreído mucho, pues de lo contrario lo habría notado. Entonces sólo nos conocíamos de vista. En la actualidad nos complacemos en bendecir la suerte, la oportunidad, la providencia —o el destino, como lo llamamos cuando bebemos—, que nos permitió conocernos. Nos decimos que habría sido una tragedia no habernos trasladado a Washington el mismo año; y que fue un verdadero milagro habernos unido a la misma tertulia literaria.

«¿Qué fue lo primero que te llamó la atención en mí?» No nos cansábamos de hacernos la misma pregunta. «Que te reías con todos mis chistes —contestaba siempre yo—. Eras la única de la tertulia que tenías sentido del humor, y una risa contagiosa.»

Era verdad, pero aún lo era más que Rudy siempre decía en voz alta lo que yo sólo me limitaba a pensar. Sabía expresarlo todo muy bien, y sus palabras siempre encajaban con mi vida interior, armonizaban con mis sentimientos más profundos, como si estuviese dentro de mí. Era como si hubiese encontrado a mi alter ego. Y creo que, aunque soy su mejor amiga, atrae a las demás por la misma razón. No sé si se debe a todos los años que ha estado yendo al psicólogo, pero Rudy tienen el don de decir lo inexpresable y de hacer que suene normal y humano.

Cuando le pregunto lo que vio ella en mí me contesta que era «muy divertida». Me gusta. Me encanta hacer reír a la gente. No necesito acudir al psicólogo para que me explique por qué. «Además de que eras sincera. Y algo seria, pero en el buen sentido. Un poco bobalicona, pero con un corazón de oro.»

Es lo más bonito que me han dicho nunca.

Durante los postres me puse a divagar. Mick Draco tenía unos hombros increíbles. Draco es un apellido griego, ¿no? Aunque su nariz no lo era. Me puse las gafas. Tenía un lunar junto a su ceja derecha. Aunque llevaba el pelo demasiado largo para la moda, le sentaba bien. Acababa de reír por algo que le había dicho su amigo. No pude oír la risa a causa del jaleo del restaurante pero me hizo sonreír.

Me quité las gafas y me rehíce. No tenía nada que hacer con Mick Draco. Soy una calamidad en cuanto a las relaciones hombre-mujer. Pasar media vida tratando inútilmente de mantener relaciones con el otro sexo durante más de un año no puede atribuirse a que me haya estado «buscando a mí misma». Nunca me encontraré, porque soy un fracaso.

—¿Qué haría sin vosotras? —le pregunté a Rudy mientras atacábamos la *crème brûlée*.

Todas me sonrieron cariñosamente. Isabel miró mi vaso de vino, sólo a modo de supervisión, con expresión comprensiva y maternal.

—Lo digo en serio —insistí—. Si con las mujeres hubiese tenido tan mala suerte como con los hombres, habría tenido que pegarme un tiro.

Rudy me dio una palmadita en el hombro y volvió a lo que estaba contando acerca de su psicólogo. Lo que acababa de decirles era la pura verdad. Puede que muriese soltera, pero siempre tendría a mis amigas. Dios sabe bien que hay cosas peores que vivir sola. De todas maneras, la mayoría de los hombres no son más que cambios de rasante, molestos obstáculos en el curso de una vida que, de no ser por ellos, sería un camino de rosas. Muy de vez en cuando una puede encontrar a un hombre que merezca la pena pero, aun así, siempre tienen tara. En cambio, buenas mujeres encontramos por todas partes. Puede una elegir a voluntad, quedarse con las mejores, formar un grupo y tener amigas para toda la vida.

Al salir de La Cuillerée, Lee se volvió hacia la puerta y se despidió por señas de Mick Draco, pero yo me abstuve. Seguí adelante, sin volverme a mirarlo. Pasaba de él. Mis amigas me habían ayudado a verlo todo con perspectiva. Las Gracias me habían salvado una vez más.

Aunque, claro, el lunes tendría que volver a verlo.

6

Rudy

Anoche tuve una pesadilla horrible. Corría como una deses-perada porque llegaba tarde a alguna parte. Hasta casi el final del sueño no caía en que a donde llegaba tarde era a mi sesión con Eric. No iba con mi coche sino con el de Curtis y no encontraba dónde aparcar. De modo que me subí a la acera y aparqué frente a la consulta de Eric. Hummm, pensé, eso no va gustarle nada. Pero no sé si me refería a Eric o a Curtis. Supongo que a Eric. Da igual. El caso es que estaba impaciente por verlo. Tenía algo importante que decirle, algo acerca de mi padre. ¿Qué? No lo sabía. Corrí es-caleras arriba, crucé la sala de espera e irrumpí en su despacho sin llamar. Y allí estaba él, haciendo el amor en el suelo con alguien.

No le veía la cara a la mujer. Estaban vestidos (me pareció cu-rioso que el sueño se autocensurase) pero no cabía duda de que estaban haciendo el amor. Eric alzó la vista y me sonrió, como hace siempre, y luego vi que la mujer era pelirroja y tenía la cara pálida. Se reía. Era Emma.

¿Debía contarle este sueño a Eric? ¿Y a Emma? Se echarían a reír, seguro. Pero a mí no me resultó divertido. Ni mucho menos.

Me eché a llorar. Tenía el corazón destrozado. Me escondí detrás de la puerta. Pero me vieron, y entonces me sentí humilla-da. Luego... luego el sueño cambió y éramos Eric y yo quienes hacíamos el amor en su sofá tapizado de terciopelo. Desnudos. Emma aparecía entonces con los brazos en jarras y decía: «Mara-villoso. ¡Ya verás tú cuando se entere Curtis!» Y nada más oír *Curtis* me desperté y empecé a temblar.

Podía ver el perfil de su hombro bajo la colcha, de espaldas a mí. Seguía con la mirada el movimiento de su cuerpo al respirar, aterrada al pensar que se hubiese enterado de lo que soñaba y que fingiese estar dormido.

No ha sido más que un sueño, sentí el impulso de decirle. No te entristezcas. No ha sido más que un sueño. Sólo te quiero a ti.

Pero, como es natural, cuanto más lo miraba más me despertaba y, al cabo de un rato, deslicé un brazo bajo su cintura, me arrimé a él y me sentí a salvo.

Pero ¿debía contarle a Eric aquel sueño? Por lo menos él sabría interpretar lo que significaba. A Curtis, en cambio, no podría contárselo nunca. Además, ni siquiera fue un buen polvo, aunque para el caso daría igual. En realidad resultó más placentero verlo que hacerlo. Estoy segura de que el sueño tenía un significado más allá de lo sexual, de control, dominio y puede que incluso amor. ¿Por qué será que en los sueños el sexo casi nunca significa realmente sexo? Al igual que la carta de la muerte en el tarot nunca significa muerte. O, por lo menos, eso te dicen. En definitiva. ¿Tenía mi sueño que ver con lo que deseaba o con lo que temía? ¿O ambas cosas?

La verdad es que no lo sé. Aunque no es de extrañar, porque nunca estoy segura de nada. En cierta ocasión Eric me dijo: «Mira, Rudy, ¿qué es lo peor que podría ocurrir si tuvieses una firme opinión sobre algo y estuvieses equivocada?» Pero no creo que eso venga al caso. No temo equivocarme, porque siempre me equivoco. Y si no, pregúntenle a Curtis. Lo que ocurre es que si una opta por creer una cosa elimina las demás. De modo que no es justo. ¿Por qué elegir? Es mejor, más cómodo no hacerlo. Además, es importante dejarse siempre una vía de escape, una salida. Tener siempre donde ocultarse.

De modo que opté por no contarle a nadie aquel sueño.

Eric está fascinado con las Cuatro Gracias. Cuando deja vagar la mirada abstraído mientras me enrollo con algo que lo aburre, siempre consigo recuperar su atención hablándole de ellas. Creo que se debe a alguna razón sexual. Probablemente él lo negaría si se lo dijeses así. Pero estoy convencida de que a mi psicólogo no sólo le gusta que le hable de las Cuatro Gracias sino que le gustaría acostarse con ellas. Con todas a la vez.

Eso no significa que lo hiciese, caso de poder. Es un profesional muy estricto. Pero en el fondo de su noble subconsciente, estoy casi segura de que al bueno de Eric le gustaría tirársenos a todas.

—¿Qué aspecto tienen las Gracias? —me preguntó una vez—. ¿Cómo es Emma?

—Muy bonita. Pero ella cree que no. Cree que está gorda. Es pelirroja y tiene una piel blanca de irlandesa, con muchas pecas en verano, y sonrosada cuando se ruboriza. No sabe disimular. Trata siempre de aparentar calma y tiene un aire desenfadado que engaña. Pero en realidad es... Iba a decir tan neurótica como yo, pero quizá exagero.

—Ajá. ¿E Isabel?

—Es mayor pero también muy bonita. O por lo menos así me lo parece. Cuando la conocí tenía el pelo gris y... lo sigue teniendo, claro. Pero se lo tiñe de rubio. Tiene los ojos azules. Es alta, aunque no tanto como yo. Se mantiene en forma a base de andar mucho. En realidad está mejor ahora que antes de contraer el cáncer.

La verdad es que no se me ocurrió nada más que decirle de Isabel; que es una persona introvertida y hay que ser muy observadora o tratarla durante mucho tiempo para percatarse de lo encantadora que es.

—Lee es mona. Detesta que se lo digan, pero es la verdad. Es menudita. Parece una duendecilla. Los niños la adoran y creo que en parte se debe a que es casi de su estatura. Es morena y, desde que la conozco, lleva el pelo muy corto. Dice que es lo más práctico. Y eso la retrata del todo.

—De modo que todas sois atractivas —dijo Eric acariciándose el mentón. Le brillaban los ojos con una inocente picardía que me hizo reír. A veces es como un libro abierto.

—Se agradece el cumplido. Nunca me he parado a pensarlo. Pero puede que así sea.

—¿Y qué opina Curtis de vuestro grupo? —me preguntó Eric sin venir a cuento.

—¿Curtis? Se muestra un tanto ambivalente —dije, utilizando una palabra muy socorrida que a Eric le encanta.

—Pero al principio no le gustaba, ¿verdad?

No recordaba habérselo comentado. Me pareció una deslealtad haberlo hecho.

—Puede, pero sólo al principio. Y nunca se opuso claramente. Creo que no le gustaba porque siempre está muy ocupado.

—¿Y eso qué tiene que ver?

—Pues que le gusta estar conmigo cuando llega a casa.

Curtis es asesor jurídico del congresista Wingert. Se levanta a las seis y a veces le dan las diez de la noche en el despacho. «Me paso todo el día hablando con imbéciles, Rudy —me dice— y me gusta encontrarte en casa cuando vuelvo.» La verdad es que me parece razonable. «Necesito estar contigo —añade—, a solas. Lo necesito, no es sólo que me guste. Me equilibras.» No me imagino capaz de contribuir al equilibrio de nadie.

—O sea que no le gustaba que te unieses al grupo porque... estarías menos en casa —me dijo Eric.

—No, no exactamente. No sé cómo expresarlo.

Eric se encogió de hombros, aunque adiviné lo que pensaba: pasivo-agresivo.

En cierta ocasión cometí el error de contarle a Eric que Curtis se complace en advertirme a menudo que la biología es el destino. El imperativo biológico. Según Curtis, los casos de psicosis en mi familia son tan serios porque, probablemente, son congénitos. Y, naturalmente, a Eric le sentó mal. No hay argumento que desagrade más a un psiquiatra. También a mí me desagrada, pero he de asumirlo. Porque si no me lo recuerda Curtis me lo recuerdo yo. «El factor genético» va contra todo lo que Eric cree. Incluso dijo que los motivos de Curtis para opinar así podrían ser algo turbios.

Pero, cuando pintan bastos, a mí me parece un argumento coherente y Curtis me sirve de consuelo y solaz. Me estrecha entre sus brazos y jura que siempre me protegerá, y entonces me siento segura, a salvo.

Eric dice que mimo demasiado a Curtis. Pero no entiende que es justamente al revés.

—¿Y qué opinan de Curtis las otras tres Gracias? —me preguntó Eric tras unos momentos en silencio.

—Hablan muy poco de él. No es un tema que interese al grupo, Eric. Me refiero a que no nos reunimos para hablar de los hombres.

Me dirigió una mirada paciente. Porque Eric casi siempre sabe cuando trato de salirme por la tangente.

—Bueno, la verdad es que sí hablamos un poco de Curtis, claro. Al margen de las reuniones del grupo con quien más hablo de él es con Isabel.

—¿Ah sí? ¿No con Emma?

—No, con Emma no. Emma y yo tuvimos una fuerte agarrada en cierta ocasión por Curtis —dije, aunque se trataba de algo tan doloroso que prefería no recordarlo—. Hace años. De modo que ahora es un tema que nunca abordamos. Apenas decimos nada salvo frases protocolarias. ¿Qué tal está Curtis? Muy bien, gracias. Dale recuerdos. Y eso es todo.

—Nunca me lo habías contado. ¿Tuviste una agarrada con Emma? ¿Cuándo?

No me apetecía contárselo en aquel momento.

—Hace mucho tiempo. Sigo pensando que fue culpa de Emma.

—¿Por qué?

—Porque aguardó hasta la víspera de mi boda, literalmente, la noche anterior, para sincerarse sobre lo que opinaba de Curtis. Ya la he perdonado. Aunque en realidad no hay nada que perdonar. Pero es difícil de olvidar.

—Cuéntamelo.

—Es agua pasada, Eric.

—Ya lo sé. Pero me interesa.

—¿Por qué?

—Porque sí. Vamos, cuéntamelo.

Suspiré, resignada a contárselo.

Fue un 5 de diciembre, cuatro años atrás. Hacía mucho tiempo que Curtis y yo vivíamos juntos, pero la noche anterior a la boda no durmió en casa, sólo por divertimento, y Emma vino a pasarla conmigo. Era una de mis damas de honor y se tomaba su papel muy en serio. Se mostraba muy solícita y diligente con todos los detalles. Y me vino muy bien, porque yo necesitaba ayuda. Mi madre y mi padrastro habían llegado en avión desde Rhode Island aquel mismo día; mi hermano desde Los Ángeles, aquella noche; y mi hermana obtuvo un permiso de un día de la secta y llegaría a la mañana siguiente. Sería la primera vez que nos reuníamos todos en veinticinco años. Desde el entierro de mi padre.

Los padres de Curtis llegaron dos días antes desde Georgia y se hospedaban en el Willard. No sé cuál de las dos familias me saca más de quicio. Él llama a los suyos «viejos aristócratas sureños», aunque no tengo muy claro que se pueda ser aristócrata y pelanas. Los Lloyd tienen ese dulzón y cachazudo encanto sureño que hace que hierva mi sangre de Nueva Inglaterra. No paran de sonreír, aunque sé que en el fondo de su corazón no albergan más que desdén. Y no hablan sino que farfullan. Me recuerdan a esos rollizos lagartos pardos que se tumban en las rocas calientes, demasiado perezosos para mover un músculo. No paran de beber, y en público, no en privado como mi familia —martinis, vasos de burbon de medio palmo, lingotazos de whisky de malta o de coñac caliente—. Han convertido el hecho de beber en un arte delicado y sensual. Cuando vamos a visitarlos los observo como una mirona. Me siento como si observase una escena erótica parapetada tras un seto de magnolios, madreselva o de cualquier otra planta dulzona y empalagosa, y casi puedo oír a aquel personaje de Tennessee Williams que gritaba: «¡Men*da*city!»

Bueno, exagero, pero no mucho. Curtis se queja de que exagero las excentricidades de su familia para minimizar las de la mía. Y tiene razón.

La víspera de la boda, por la noche, Emma fue conmigo a casa después de la cena del ensayo. Pasaría la noche allí, se levantaría temprano y me ayudaría a vestirme para la boda. Estábamos hambrientas, pese a que acabábamos de cenar. Nos hicimos unas tortillas a la francesa y descorchamos una botella de vino. Habíamos brindado una docena de veces en la cena del ensayo, pero como ya habíamos perdido la cuenta pensamos que no venía de una. Sé que bebo demasiado, pero aquella noche en concreto no fue más que una parte del problema.

No encontrábamos el momento de meternos en la cama. Y a medianoche aún estábamos bebiendo y hablando, cantando al compás de la música de mi cadena. Nos hicimos confidencias de solteras, aunque tuvimos buen cuidado en no expresarlo así. En realidad, fingíamos hacer justamente lo contrario —que nada iba a cambiar, que mi matrimonio con Curtis era una pura formalidad, puesto que ya hacía mucho que vivíamos juntos—. Recuerdo que Emma estaba tendida en el suelo del salón (estábamos en mi vieja casa de D Street de Capitol Hill, una casa adosada, oscura y destartalada con seis dormitorios repartidos en tres plantas) y yo estaba en el sofá, con mi camisón más viejo y raído, porque ya había metido en las maletas los mejores para la luna de miel.

—Por supuesto yo ya sabía que Curtis no le caía bien —le dije a Eric—. Lo noté nada más presentarlos diez años atrás, poco después de que Curtis y yo nos mudásemos a Washington. Pero nunca me lo había dicho.

—Oportuna —ironizó Eric.

—Sí.

La cosa empezó de un modo inocuo. Comentábamos lo del nuevo trabajo de Curtis para el congresista, del dinero que ganaría y que no tardaríamos en mudarnos a una casa más grande.

—Sí, eso es estupendo —dijo Emma—, pero lo que no acabo de entender es qué pinta en todo esto el matrimonio. Me refiero a qué necesidad tienes de *ponerte la soga al cuello*.

Me sorprendió la acritud con que lo dijo, pero me limité a responder que no era más que una forma de cumplir con un ritual de compromiso público, o sea, la respuesta habitual.

Estábamos en junio y hacía calor. Emma no llevaba más que una holgada camiseta sin mangas y las bragas. Se tapó las rodillas con la camiseta, se rodeó las piernas con los brazos y empezó a menear su melena pelirroja.

—Sí, pero ¿por qué no limitarte a seguir viviendo con él como hasta ahora? ¿Qué falta hacen los papeles? —me dijo.

Me contó entonces un chiste sobre Mickey Roonie o Liz Taylor; sobre los muchos problemas que se habrían ahorrado de haberse limitado a follar. Nos reímos las dos, pero no fue una risa franca. Noté que había cólera en sus ojos al desviar la mirada.

—Puede que te sorprenda, pero Curtis me hace feliz —le dije un tanto alarmada—. Lo que pasa es que no lo conoces a fondo. No sabes cómo me siento cuando no está conmigo —añadí con una risa forzada—. Supongo que no creerás que eso es malo.

—Por supuesto que no. Te veo con él y sin él. Cuando él está apenas hablas, Rudy. O lo miras como si tuvieses que pedir permiso para decir lo que sea. Y eso me pone enferma.

La repulsión que reflejó su voz nos sorprendió a las dos.

—Eso es mentira —dije muy seria. Estábamos las dos a la defensiva. Me levanté y apagué la música.

En todos los años que llevábamos de amigas jamás habíamos utilizado ese tono entre nosotras. Ni había pronunciado palabras tan duras. *Mentira*, una palabra feísima que sólo se utiliza con los amigos íntimos en plan de broma.

—Os asustasteis —dijo Eric.

—Yo por lo menos sí. Me eché a temblar. Emma y yo habíamos tenido nuestras diferencias, acerca de cosas que nos crispaban, pero siempre sabíamos limar asperezas con sentido del humor. A Emma se le da bien quitarle hierro a un asunto a base de bromear. Es su estilo y le funciona. Es de las que haría cualquier cosa para evitar un enfrentamiento. Porque le teme a la cólera, sobre todo a la mía, supongo —dije echándome a reír—. Por extraño que te parezca.

—Lo dicho: estabais las dos asustadas.

—Sí. Asustadas, furiosas y borrachas.

Emma trató de apaciguarme diciendo:

—¿Es porque queréis tener hijos? Que os casaseis por querer tener hijos lo entendería.

—No —contesté—. Por supuesto que no. Quiero tener hijos, pero no es esa la razón de que vaya a casarme con él. ¿Se puede saber qué te pasa, Emma?

Se hizo un silencio de lo más embarazoso. Miramos en derredor, a todo, salvo a nosotras.

—Amo a Curtis —añadí—. ¿Tan difícil es eso de entender? Curtis es bueno para mí.

—No, no lo es —dijo ella, y se levantó con una copa de chardonnay tibio en una mano, un cigarrillo encendido en la otra y un enorme 28 estampado en el pecho (de los Redskins).

Emma no bebe mucho y sólo fuma cuando está conmigo. De modo que su aspecto resultaba incongruente. Y muy mono. No hay otra palabra para expresarlo. Me moría de ganas porque dijese algo divertido para atajar la conversación y volver a nuestro tono habitual.

—No sé cómo ha conseguido hacerte creer que es bueno para ti —dijo—. ¿Acaso no te das cuenta de que sólo es una máscara?

—¿Una máscara?

—Es que... Rudy, tú eres mucho más fuerte de lo que él deja que creas. ¿Habrías abandonado la carrera de no ser por Curtis? No. Y ahora tendrías un verdadero trabajo, una verdadera profesión.

—¡Vaya! O sea que ahora resulta que tampoco te gusta mi trabajo. ¡Maravilloso!

Me dolió mucho. Yo trabajaba por entonces en una boutique de Georgetown vendiendo complementos y bisutería de diseño. Pero me gustaba y lo hacía bastante bien. Además, en todo caso, no había sido culpa de Curtis. Nos trasladamos a Washington después de que Curtis terminase derecho y, en fin, yo no acabé historia.

—¿Y por qué demonios ha de ser Curtis culpable de que ahora tenga un modesto empleo? ¿Qué crees, que me obligó a dejar los estudios?

—Sí, eso es exactamente lo que creo. Aunque sin que te dieses cuenta.

—¡Vaya! Pareces adivina.

—Mira, Rudy, es un manipulador. Le gusta manejar a la gente. No sé cómo no te das cuenta. Te hace creer que eres tonta, el muy imbécil. Es como aquel psicópata sureño que interpretaba Bruce Dern.

Le arrojé un compact a la cabeza. Le dio en el cuello y le hizo un pequeño corte, pequeño pero que le sangró. Se quedó blanca como la cera. Nos fulminamos con la mirada, aterradas, deseando que la otra se excusara primero. Si no hubiésemos estado bebiendo desde las cinco de la tarde estoy segura de que habríamos encontrado una salida, una honrosa retirada. Pero estábamos borrachas, y las dos hartas de hablar acerca de Curtis.

Eric me miraba como si yo tuviera dos cabezas.

—¿Eso hiciste? ¿Tirarle un compact?

—Inconcebible, ¿verdad? —dije, aunque no me extrañaba que le extrañase porque soy notoriamente pacífica.

—¿Y cómo terminó la cosa?

—Le dije que si era eso lo que opinaba de Curtis lo mejor que podía hacer era no asistir a la boda.

Eric tiene unos enormes ojos castaños, como los de un personaje de un cuadro de Velázquez. Cuando los abre tras sus gafas de montura metálica, comprendo que he dicho algo que lo asombra.

—Y ella me dijo «Está bien. Si eso es lo que quieres». Y yo dije «Creo que eso es lo que quieres tú». Y así estuvimos un buen rato, mareando la perdiz. Esa es otra de las virtudes de Emma. Salirse por la tangente. Quienes no la conocen a fondo creen que es franca y abierta, pero no lo es. Es una de las personas más reservadas que conozco.

—¿Y asistió a la boda?

—Por supuesto. Pero no porque lo aclarásemos. No aclaramos nada.

—¿Y pasó la noche en tu casa?

—Sí, porque optamos por dejarlo correr. Nos acobardamos. Yo empecé a llevar platos y copas a la cocina y al volver la vi de pie junto a su maleta, embutiéndose en unos pantalones vaqueros. Yo temblaba de rabia y andaba envarada como una muñeca. «¿Te vas a ir?» Me contestó que sí sin mirarme, pero noté que estaba llorando. Y eso me pudo. Porque Emma nunca llora. De modo que me eché a llorar yo también, le dije que sí que quería que fuese a mi boda y ella me dijo que iría, y así acabó la cosa. Pero no llegamos a aclararnos y ninguna de las dos nos hemos excusado hasta la fecha. Nos fuimos a la cama y nos dormimos o, en mi caso, más exactamente perdí el conocimiento. Me tomé un somnífero y me acosté, sólo por quitarme de en medio. La boda fue horrible. Me levanté con una jaqueca que me duró tres días. Por encima del cuello de su vestido de dama de honor le vi el corte que le había hecho, y cada vez que se lo veía me sumía en el negro pozo de la depresión. Lee e Isabel eran las otras damas de honor. No tardaron más de treinta segundos en notar que algo había pasado entre nosotras. Emma y yo estuvimos tres meses muy enfadadas.

—Pero hicisteis las paces.

—Sí. Ojalá te hubiese conocido entonces —dije.

—¿Cómo se produjo exactamente la reconciliación? —preguntó Eric sonriente.

—Eso no puedo contártelo. Forma parte de la historia de Emma, no de la mía. Se produjo debido a otra calamidad con un hombre, pero es todo lo que puedo decir. Aunque en este caso fue un hombre relacionado con ella, no conmigo.

Eric no podía dejar de menear la cabeza.

—¿Cómo te sentiste cuando Emma te dijo que Curtis era un manipulador y un...? ¿Qué más te dijo que era?

—Lo llamó psicópata. ¿Cómo crees que me sentí? Fue una puñalada. Son las dos personas de este mundo a las que más quiero y no puedo soportar que se odien. Aunque él no la odia y eso aún me lo hace más cuesta arriba. Nunca ha dicho una palabra contra ella.

—¿De verdad crees que a Curtis le cae bien Emma?

—Lo único bueno de mi boda —dije ignorando la pregunta— fue que al fin conocimos al novio de Lee. Aunque aún no era su novio. Henry *el Fontanero* lo llamábamos. Ardíamos en deseos de conocerlo, porque ya sabes cómo es Lee, la original princesa judía americana, que estaba colada... más que colada, perdona la expresión, estaba *encoñada* con aquel tipo. Pero terminamos enamoradas de él igual que ella, y nueve meses después se casaron.

Y así terminó mi sesión de cincuenta minutos con Eric.

7

Emma

¿Cómo se sienten cuando miran un cuadro abstracto y no les dice absolutamente nada, se les queda la mente en blanco y ni siquiera se les ocurre una broma o una ocurrencia acerca del cuadro, si lo están viendo con un amigo y todo lo que les pasa por la cabeza es: mira, uno de los dos está loco, oh, egregio pintor, y puesto que te han organizado la exposición en una galería de postín y toda esa gente se emboba contemplando lo que has hecho, y dice cosas inteligentes acerca de tu obra, debe de ser a mí a quien se le va la olla? ¿Qué hacer entonces?

Lo que yo hago es largarme lo antes posible procurando no abrir la boca, además de tratar de beber lo más posible del vino blanco de baratillo que han servido, si se trata de una inauguración, para no malgastar del todo la noche, aparte de que siempre se me ocurre algo más que decir sobre la obra del pintor si estoy ligeramente colocada.

Pero estas soluciones no sirven si una está en el estudio del pintor, a solas con él y con su obra. Y pongamos que su obra te deja confusa, sin saber si es una maravilla o una porquería, porque no entiendes de pintura. Y supongamos que estás escribiendo un artículo serio y bien pagado sobre el artista para el importante periódico que te lo publica y que, además, sientes una lujuriosa atracción por el cuerpo del pintor, una pasión absurda por su personalidad. Encima, está casado. ¿Qué ocurre entonces?

Pues que estás jodida.

—Y bien, Mick. Cuéntame cómo fue el tránsito desde el derecho hacia las bellas artes. El paso de Constitution Avenue a la calle Siete —dije. Cuanto antes piense una en el titular, mejor—. Los burgueses al Bauhaus. Los inquietos al PoMo.

—Pues...

—Y de paso, ¿qué es exactamente el posmodernismo?

Cuando estoy nerviosa soy insoportable. Veo venir que pierdo los estribos, pero no puedo evitarlo, no puedo callarme y cuanto más importante es la ocasión para mí, más impertinente me pongo. Y la verdad, aquel día me superé.

Estábamos de pie en el centro de su gélido y atestado estudio, más pequeño de lo que yo suponía, porque lo comparte con otros dos. El fotógrafo del periódico, Richard, acababa de marcharse después de sacar un par de centenares de fotos, desde todos los ángulos imaginables y algunos inimaginables, de Mick untando pintura amarilla en un lienzo con un palustre (una paleta de albañil). Entonces pude mirarlo bien de pies a cabeza, porque no tenía que hablar, sólo mirar. Mentí antes al decir que tengo dos debilidades. Tengo tres, aunque no me gusta reconocer la tercera. Es la belleza física. Ya sé que eso es superficial, y detesto que sea así. A veces salgo con hombres poco atractivos a propósito para que nadie pueda acusarme de superficialidad. Pero la verdad es que, en igualdad de condiciones en lo demás, los prefiero guapos.

Al contemplarlo me dije que el atractivo de Mick radica tanto en la forma de moverse como en su tipazo, en la expresión de su cara —sentido del humor y timidez, concentración arrebatada e impaciencia—. Llevaba unos pantalones negros holgados, chaqueta de lana, una camisa azul de mecánico y corbata roja. Y yo llevaba vaqueros y camiseta. Pensé que resultaba divertido que él se hubiese vestido tanto y yo más bien me hubiese desnudado, como si nos hubiésemos vestido para el otro al elegir la ropa por la mañana.

Debo decir en su honor que ni siquiera intentó contestar a mis estúpidas preguntas.

—¿Te sientas? —dijo. Luego, con un pringoso trapo que tenía en su mesa de trabajo digamos que limpió de salpicaduras de yeso la única silla del estudio.

—No, gracias —dije mirando la silla con cara inexpresiva.

Tiene una sonrisa turbadora. Entorna los ojos y muestra unas pestañas más largas que las mías, frunce los labios e imaginas que piensa que te burlas de él.

—Ya sé que no es el mejor sitio para hablar —farfulló—. ¿Prefieres que salgamos a tomar un café?

¡Ah, estupendo! Podíamos volver a ir a Murray's, a aquella tasca donde te sirven bazofia y te congelan con el aire acondicionado, donde todos los clientes tienen aspecto cadavérico y el café sabe a anticongelante.

Nos sentaríamos en un reservado cara a cara, en una destartalada mesa con mampara, junto a una ventana tan pringosa que parecía translúcida, como hicimos la semana pasada, y allí charlaríamos sin parar.

—Sí, de acuerdo —farfullé a mi vez— Si quieres...

Durante el camino, embutidos en los abrigos para protegernos del aguanieve de noviembre, me hizo la pregunta básica, o por lo menos eso creo. Lo volví a imaginar muy tímido o muy introvertido, debido a la manera en que se alejó unos pasos de mí y se asomaba a la esquina de la calle G mientras me explicaba lo que debía de ser uno de los acontecimientos más significativos de su vida. Yo apenas lo oía. Y él había elegido el momento menos íntimo para abordar el tema —allí en mitad del tráfico— como si quisiera deslizar su respuesta sin que nadie lo notase.

—Me pasé a la pintura cuando creí que podía hacerlo —me dijo o eso pensé que me dijo, porque volvía a farfullar—. Supongo que bromeabas sobre lo del posmodernismo.

—Pues no, no bromeaba.

—Es que..., en cierto modo, ha redimido a la figuración, ha hecho que la figuración vuelva a ser respetable, podríamos decir. Ha devuelto a la pintura el concepto de significado, algo que no quedaba demasiado claro durante el modernismo (me refiero al modernismo en sentido amplio, no al *art nouveau*); o llámale abstracción, si lo prefieres.

Me tomó del brazo en el cruce y pasamos al otro lado.

—¿A ver, a ver, cómo es eso? —dije en un alarde de brillantez.

Se aclaró la garganta.

—La abstracción nunca me ha seducido; no la sentía ni la entendía. La miraba y sabía que no podría hacerlo y creo que era lo bastante orgulloso o estúpido para pensar que eso significaba que no podía ser pintor. Estúpido, bastante estúpido, durante años.

Mick farfulló algo más que no entendí. Fui a hacerle otra pregunta pero en ese instante me abría la puerta del local y entré.

En Murray's la barra está a la derecha, los taburetes son de skai agrietado, y a la izquierda hay una hilera de reservados con mamparas y banquetas con la tapicería hecha polvo. La semana anterior nos sentamos en la barra, pero aquel día optamos por una mesa. La decoración..., en fin, parece la de una cafetería de terminal de autocares de Trenton. En las paredes tienen espejos empañados, con grabados color sepia, y te sobresalta verte porque la enfermiza luz de los fluorescentes te da un aspecto tan horrible como el de la persona con la que hablas. La grasa de los espejos actúa como un filtro y te da un aire espectral. La temperatura ronda los 25 °C. Y esa es la razón de que vengan aquí los pintores que tienen buhardillas o estudios en las inmediaciones. Según Mick vienen para calentarse.

—¿Café? —me preguntó.

Asentí con la cabeza y él fue a pedir las consumiciones en la barra, porque en Murray's no te sirven en la mesa.

—De modo que te hiciste pintor porque el ambiente del posmodernismo pictórico te hizo sentir libre para ser pintor —dije cuando regresó, preparada con bolígrafo y bloc para anotar sus respuestas.

—No, eso suena ridículo. No escribas eso.

A mí me pareció que sonaba bien.

—¿Por qué? Se trata de un artículo sobre personas que abandonan empleos que no les satisfacen por un sueño que creen que los satisfará.

Ya se lo había explicado antes pero me pareció conveniente repetirlo.

—Lo que yo busco son agentes de seguros que optan por ser guardabosques, dentistas que quieren escribir novelas de misterio. Washington es perfecta para esto. A la gente le encanta leer que un funcionario lo deja todo para ser jockey, cómico, criador de perros o promotor de algo.

—Lo sé. Tengo claro lo que buscas.

—Bien. Planteémonoslo de este modo: ¿por qué no te gustaba el derecho? ¿Por qué lo dejaste?

Me sonrió con un malicioso brillo en los ojos.

—Estoy impresionado —dijo.

—¿Ah sí?

—Porque te has puesto muy seria al preguntarlo.

Nos echamos a reír. No sé por qué, pero me sentí flotar, exultante. Quizá porque me miraba con admiración, como si me analizase y le gustara lo que veía. Pero no daba la impresión de querer ligarme, sólo de que le gustaba. Durante un minuto seguimos sentados en silencio, removiendo el azúcar del café y sacando servilletas de papel del servilletero de hojalata.

—Bueno, volvamos a lo del posmodernismo —dije al mirar mi bloc y pensar que estaba allí para hacerle una entrevista—. De modo que tú...

—Mira, Emma, olvídalo. Te diré la verdad —me dijo con expresión entristecida.

—De acuerdo —dije—. Pero esto no es un interrogatorio policial. No tienes por qué decirme nada que pueda herir a nadie.

Me expresé como una de esas periodistas consagradas al periodismo de investigación. Mick me había pedido no grabar la conversación, aunque yo suelo resistirme un poco aduciendo que así nos aseguramos de que no se deslice nada que pueda herir a alguien, y que es mejor así por mi propio bien y por el suyo. Pero cuando Mick me pidió que no lo grabase accedí sin más.

Apoyó los antebrazos en la mesa, se inclinó hacia adelante, pasando el dedo por el borde de la taza manchada de café.

—En realidad no se trata de un secreto —dijo mirándome a los ojos.

Yo le sostuve la mirada sin parpadear, tratando de reflejar profesionalidad. Pero me sentía como una liebre deslumbrada por los faros de un coche. Era obvio que me estaba tanteando, tratando de entrever si podía confiar en mí. Guardé silencio. ¿Qué podía decir? Aunque la frase que pugnaba por salir de mis labios era: ¡Oh, Mick, si supieras...!

Se recostó en el respaldo y ladeó el cuerpo para recostarse también parcialmente en la pared, y apoyó un pie en la raída banqueta. Se aflojó la corbata.

—Draco es un apellido griego —me dijo en un tono desenfadado.

Tomé nota aunque sin idea de adónde quería ir a parar.

—Mi padre es Philip Draco. ¿Te suena?

—No.

—Percy, Wells, Draco & Dunn. Es un bufete bastante conocido con delegaciones en la mayoría de las ciudades grandes. Pero mi apellido no es Draco.

—¿Ah no?

—No es mi verdadero apellido, el de nacimiento. Soy adoptado. No conocí a mis verdaderos padres.

—Oh.

—Fui hijo único y crecí sabiendo lo que estaba destinado a ser: abogado como mi padre, que es un buen hombre —añadió—, extraordinario en muchos aspectos, y un gran abogado, probablemente uno de los cincuenta mejores del país.

—¿Te criaste en Washington?

—No; en Chicago.

—¿Cuántos años tenías cuando descubriste que eras adoptado?

—Siempre lo supe.

—¿Incluso de pequeño?

—No recuerdo no haberlo sabido. —Titubeó un poco, jugueteó con el mantelito de papel, que incluía un mapa de las principales atracciones infantiles que ofrecía Washington, y luego prosiguió—: No hicieron que me sintiese como si estuviera a prueba. Mis padres se portaron maravillosamente. En todo caso fui yo quien se sintió así. Porque...

Apuró el café y miró el nombre del fabricante de la taza grabado en el fondo.

—Porque no querías que lamentasen haberte elegido, ¿no?

—Exacto.

La sorpresa y la gratitud eran tan elocuentes en su expresión que me estremecí. Coloqué las tazas en la bandejita, me levanté y fui a la barra por más café. Tendríamos que dejar lo personal a un lado, pensé.

Pero al volver a la mesa, sentarme, remover el azúcar, beber un sorbo y comportarme con normalidad noté que me miraba de otra manera. Al hacer o decir algo, inadvertidamente o no, que hace que nuestro interlocutor pase a otro nivel de relación, a otra manera de vernos, solemos notarlo. A veces es positivo y a veces una desearía haber sido más circunspecta. No sabía en qué caso estaba, pero una cosa tuve clara: ya no se trataba de que Mick me interesase sino de que también yo le interesaba a él.

Cogí de nuevo el bloc y él prosiguió.

—Hace cuatro años, después de mucho pensarlo, me decidí a averiguar quién era mi verdadera madre. Hacía ya siete años que ejercía el derecho, aunque no me gustaba. Es más, lo detestaba —me dijo mirándome risueño—. Estaba casado y tenía un hijo de casi dos años. Mi esposa, Sally, dejó su empleo al nacer Jay para poder dedicarse a él por completo.

—¿En qué trabajaba ella? —dije en plan profesional, como si fuese un dato imprescindible para el artículo.

—Trabajaba de pasante. Así nos conocimos.

—¿Y averiguaste lo de tu madre? —dije tras tomar nota.

—Sí. Pero antes debo contarte algo acerca de mí. Yo siempre he pintado, dibujado, esculpido e incluso hecho maquetas de arquitectura, también colages. Siempre he hecho algo creativo. Desde niño.

—O sea que siempre has sido artista, ¿no?

—Más o menos, aunque yo no lo llamase así. Nunca me había pasado por la cabeza. No había artistas en la familia, ni remotamente. Lo más aproximado es un primo segundo aficionado a la fotografía.

—Pero ¿localizaste a tu madre? ¿Quién era?

—Sí, la localicé —contestó sonriente—. Cuando me dio en adopción estudiaba segundo curso en el Instituto de Bellas Artes de Chicago.

—Oh, Mick, ¡es asombroso!

—Ya me parecía que te iba a interesar. Es una buena historia para el artículo, ¿verdad?

—¿Bromeas?

Lo de mi agente inmobiliario convertido en músico ambulante y lo del mensajero de UPS convertido en predicador parecía una tontería en comparación a lo de Mick.

—¡Es increíble! —exclamé—. ¡Menuda historia! ¿Y la ves ahora? ¿Qué hace? ¿Sigue...?

—No la he visto nunca.

—¿Ah no?

—Le escribí una carta y sé que la recibió, pero no me contestó. De modo que tuve que dejarlo correr. Y no he intentado verla.

Frunce los labios de manera que parece que esboce una sonrisa cuando algo lo apena. Provoca ternura y compasión. Pero yo no lo compadecí sino que me condolí.

—El caso es que averiguar quién era mi madre fue como una explosión —dijo tocándose las sienes con los dedos—. Y cuando el humo se hubo disipado todas las piezas encajaron y comprendí lo que debía hacer. Por primera vez me entendí a mí mismo.

—Eso es estupendo —dije sintiendo cierta envidia—. Como el homosexual que decide salir del armario, ¿no?

—Exacto. Aunque no fue de la noche a la mañana. El humo tardó casi un año en disiparse.

—Supongo que eso se debió a tu lado de jurista. Me refiero a ser cauto.

—En parte sí.

No se extendió sobre el tema y empecé a pensar cómo podía formularle una pregunta acerca de su esposa, acerca de cómo lo había encajado ella. Pero no me decidí. En la misma situación sí se la habría hecho a otra persona. Pero en aquellas circunstancias mis motivaciones eran impuras.

En cambio le pregunté acerca de los primeros tiempos tras abandonar el derecho, y si le había resultado difícil dejar la profesión. Me contestó que sintió pánico.

—Mis ingresos se redujeron en un noventa por ciento —me dijo observándome mientras yo tomaba nota—. Ahora llevo tres años dedicándome sólo a pintar y he vendido dos cuadros, ambos a amigos. Puede que nunca consiga vivir de la pintura.

Pero no lo creía así en realidad, porque lo dijo con tono absolutamente despreocupado, y no daba la impresión de ser de la clase de personas capaces de vivir a costa de los demás indefinidamente.

Un alma gemela.

Pero él había abierto la puerta y yo tenía la obligación de entrar.

—Tu esposa...

—Sally.

—¿Le parece bien todo esto? —dije anotando el nombre—. ¿Está...?

—Se ha portado maravillosamente. De verdad —dijo asintiendo con la cabeza a la vez que yo transcribía sus palabras: «*Se ha portado maravillosamente.*»

Lo miré expectante. Resulta asombroso comprobar lo mucho que se le puede sonsacar a una persona sin decir palabra, limitándose a aguardar en silencio. Mick se frotó la mejilla describiendo un círculo (necesitaba un afeitado).

—Jay va a la guardería. Me parece que ya lo sabes porque conoces a Lee Patterson. Sally tuvo que volver a ponerse a trabajar. Es ayudante administrativa en el Departamento de Trabajo.

—Ajá.

—No tuvo más remedio. De lo contrario nos hubiésemos muerto de hambre. Y hemos tenido que mudarnos a Columbia Heights.

—¿Dónde vivíais antes?

—En la calle Q, en Dupont Circle, cerca del parque.

—Ya.

—Estamos restaurando una vieja casa adosada.

—Conozco eso.

—¿Ah sí?

—Bueno, no exactamente. Pero compré una de esas casas en el centro de la ciudad, y la hice restaurar.

—Ya —dijo él sonriente, aunque creo que lo que hizo fue imitarme en tono burlón—. Bueno, eso es distinto.

—Supongo.

El cambio de dirección equivalía a haber perdido rango social y eso parecía preocuparlo. Lo que no estaba claro era si lo sentía por él o por Sally, y no me aventuré a preguntárselo. Aunque tampoco era asunto mío.

—Y, bueno, ¿cómo llamarías al tipo de pintura que haces? —le pregunté alzando la vista.

Apoyó el mentón en la rodilla y frunció el ceño.

—¿Cómo lo llamarías tú?

Se me escapó una risita nerviosa. Pero su pregunta estaba exenta de hostilidad y agresividad. Simplemente parecía sentir curiosidad.

—Mira, Mick, te seré franca: no entiendo ni medio de pintura. De verdad. Soy una ignorante absoluta en la materia, de modo que si quieres que este artículo resulte convincente y auténtico, deberías hablarme de un modo más concreto. En realidad, tendrías que explicármelo como a una niña. O por lo menos explicármelo muy despacio.

Se echó a reír. ¡Oh, Dios, cómo me encantaba hacerlo reír!

Y al fin me lo explicó, con todo detalle. El quid de la cuestión estaba en que aún no había encontrado su propio estilo, ni tampoco sus temas predilectos, pero trabajaba dentro de una figuración formalista porque necesitaba ejercitarse, y porque la abstracción era para él un callejón sin salida. Opinaba que el posmodernismo no era una verdadera época sino las últimas boqueadas del modernismo antes del principio de la siguiente fase. No quiso aventurarse a decir cómo podía ser esa fase pero, al presionarlo yo un poco, dijo que creía que podía caracterizarse por un resurgimiento de la figuración en su más alto grado de excelencia técnica, de la que el arte coetáneo era incapaz y de la que, por lo tanto, había renegado cínicamente.

Le pregunté a qué pintores admiraba y me dijo que a Rembrandt, Fatin-Latour, Arshile Gorky, Alice Neel y Eric Fischl. ¿Y a quiénes detestaba? Prometió decírmelo, pero sólo confidencialmente, y citó cinco nombres, todos ellos hombres, desconocidos para mí. Se veía deslizarse progresivamente hacia el retrato, me dijo. En realidad, últimamente aparecía en sus pinturas y bocetos un personaje recurrente, un joven, acaso un adolescente, a quien llamaba «Joe» y que pensaba que quizá fuese él mismo. El color era su fuerte y el dibujo lo que menos dominaba. Asistía a dos clases de dibujo distintas, cuatro días a la semana, y creía estar progresando un poco. Lamentaba no disponer del tiempo ni del dinero para estudiar bellas artes, porque se hallaba en un momento en que su falta de formación académica constituía un obstáculo cada vez mayor.

Lo anoté casi todo, pero cuando más me hablaba más perdía yo la concentración. Era hermoso verlo tan apasionado por la pintura. Era casi una obsesión, y yo me pirro por los hombres que adoran su trabajo. Verlos tan resueltos me resulta increíblemente sexy y deseable. Sobre todo porque así no han de apoyarse en mí para darles sentido a sus vidas.

Ya no supe qué más preguntarle. Miré el reloj.

—Comamos algo, empiezo a tener temblores —dijo Mick, alargó la mano y, en efecto, le temblaban los dedos—. El café me hace un efecto increíble. No estoy acostumbrado a beber dos tazas seguidas con el estómago vacío —añadió, y fue al lavabo.

Pedimos hamburguesas, patatas fritas y batidos de leche, la clase de comida que ambos jurábamos no comer nunca. Pero no dejamos ni las migas. Mientras comíamos fue él quien empezó a hacerme preguntas. Al principio casi no me di cuenta. Pero cuando me dijo «¿Siempre has querido trabajar para los periódicos? ¿O descubriste un día quién era tu verdadera madre y quisiste ser como ella?», comprendí que invertía los términos y se disponía a entrevistarme.

Me sentí halagada. La mayoría de las personas que conozco no se interesan por la vida interior de los demás. Se muestran amables, educadas, te preguntan qué tal estás y, en cuanto empiezas a decírselo, desconectan. Dejan vagar la mirada, se ponen en línea de espera y lo que aguardan es que te tomes un respiro antes de decirte que sus vidas son mucho más interesantes que la tuya. No quisiera parecer cínica, pero sucede continuamente.

La excepción, por supuesto, son aquellos hombres que quieren acostarse contigo. Y cuanto mejor se les da la táctica con mayor atención te escuchan; cuanto más te desean, más interesados se muestran en tu charla. Lo curioso es que este manido método funciona, por lo menos conmigo. Debería estar al cabo de la calle de estas cosas, pero no. Siempre pico.

De modo que volví a mirar con sentimientos encontrados a los inteligentes ojos castaños de Mick Draco, que ahora me miraban con mayor insistencia y más expectantes, pensando en lo que a continuación me preguntó. ¿Tratas de seducirme?, le dije telepáticamente. Espero que sí.

No, no, lo detesto.

—Mary McCarthy.

—¿La escritora? —exclamó arqueando las cejas.

—Sí, o Iris Murdoch. Katherine Anne Porter. Aunque no, no realmente. Me preguntaba quién tenía edad para ser mi madre hace cuarenta años. Treinta y nueve.

¡Mierda! Acababa de decirle mi edad. ¡Y él era más joven! Sólo un año, pero más joven.

—O sea que te gustaría escribir novelas, ¿no?

Eso me desconcertó. No el hecho de revelarle mi edad sino mi sueño secreto. En realidad no era tan secreto, porque las Gracias lo conocen, aunque Rudy es la única que sabe hasta qué punto lo deseo. También lo sabe mi madre; y un par de ex novios, porque fui lo bastante estúpida para confiárselo. Pero pasa por ser un secreto. ¿Por qué? Porque detesto fracasar. Y porque la periodista que aspira a escribir la gran novela americana es un estereotipo estúpido y humillante, y no me apetece que me lo asignen.

Pero estaba hablando con un hombre que había abandonado el derecho para dedicarse a la pintura. Y si alguien podía entender mi sueño, sin duda sería Mick. De modo que no traté de salirme por la tangente tomándolo a broma sino que lo miré a los ojos.

—Sí, es lo que me gustaría. Algún día. Es lo que más me gustaría hacer. Pero... me da miedo.

—Claro —dijo como si fuese lo más natural del mundo—. Asusta.

—A mí me aterra —dije sin faltar a la verdad.

—¿Y qué vas a hacer?

—He escrito algunos relatos cortos que son una porquería. No le interesan a nadie —dije de nuevo a la defensiva, con los brazos dentro de mi armadura—. Y estoy intentándolo con un relato más largo, pero no es bueno. De verdad. No es falsa modestia.

—¿Lo ha leído alguien?

—¿Bromeas? —dije echándome a reír—. Por suerte tengo un sentido del ridículo muy desarrollado. Me evita muchos problemas.

Mick me sonrió y luego desvió la mirada. Me quedé fría al notar que estaba un poco violento. Por mí. Porque lo que acababa de decirle era muy transparente.

—Me pregunto que es más personal una pintura o un poema —dijo—. Me preguntó qué es más revelador.

—Es fácil. Un poema.

—¿Por qué?

—Porque es más fácil esconderse detrás de una pintura.

—¿Ah sí? ¿Por qué?

Sonreí, tratando de ganármelo de nuevo a base de ingenuidad.

—Porque las pinturas no las entiendo.

—Yo no entiendo los poemas.

Me eché a reír, pero él no.

—De acuerdo —dije—. Entiendo tu punto de vista.

—¿Qué punto de vista?

—Tú eres más valiente. Eres un héroe. Yo soy muy gallina. Mira, no voy a discutir contigo. Creo que tienes razón. Así que no hay disputa.

—No se trata de eso. No es eso lo que pretendía decir...

—Bueno, estoy equivocada. Olvídalo, da igual. Ni siquiera sé de qué hablamos.

Suspiró exasperado.

—Estoy seguro de no ser más valiente que tú, Emma.

—Porque no me conoces.

—Cierto, pero noto que no tienes nada de gallina.

—¿Ah sí? —exclamé, reprochándome que mi actitud no podía ser más pueril e inmadura. Resultaba patética de puro precaria—. ¿En qué te basas?

No llegó a contestarme. La ensordecedora sirena de un coche patrulla y luego de una ambulancia, después de otro coche patrulla hizo imposible la conversación. Mick se encogió de hombros y sonrió. Ladeó el cuerpo para ver los coches policiales a través de la grasienta ventana.

—¡Oh, Dios! —exclamó—. ¡Son las tres menos diez!

Miré el reloj de pared que había junto a la entrada.

—¿Y?

Empezó a rebuscar la cartera por los bolsillos. Parecía atónito.

—He de ir a recoger a Jay. Lo siento. No tenía ni idea de que fuese tan tarde. He de llegar a Judiciary Square en diez minutos. No sé cómo ha podido pasarme el tiempo tan deprisa. ¿Crees que hemos terminado la entrevista?

—Sí, supongo que sí —dije aunque era incapaz de pensar. Tenía la mente en blanco.

—Déjame que pague yo —añadió.

—No. Va a cuenta de gastos del periódico.

—De acuerdo. Siento tener que marcharme ya...

—No importa. Si vas en metro llegarás enseguida. No hay más que una estación.

—Me parece que voy a ir a pie, corriendo.

Se levantó, arqueó las cejas y se alisó el pelo hacia atrás.

—Bueno, si necesitas hacerme más preguntas, ya sabes cómo ponerte en contacto conmigo.

—Toma mi tarjeta. Puedes llamarme si se te ocurre algo más para ampliar o matizar.

—Creo que será un artículo magnífico.

—Gracias por una entrevista tan estupenda.

—Ha sido un placer —dijo dirigiendo de nuevo una mirada hacia el reloj.

—Para mí también.

—Buena suerte.

—Gracias. Estaré pendiente de tu artículo en el *Art World*.

—Vale.

Al fin tuve que dejar de sonreír. La expresión de Mick pasó de inquieta a angustiada. Por unos segundos fue como si estuviésemos ambos desnudos. Fui a decir algo pero no me salieron las palabras. A él tampoco. Se había acabado, terminado. Hola y adiós. Si nos estrechábamos la mano....

Pero no. Se limitó a decir mi nombre e inclinó ligeramente la cabeza. Frunció los labios con esa esbozada sonrisa que indica que algo no le gusta. Y luego se alejó de mi vida sin tocarme.

Tanto mejor. Por los pelos. Quizá no hubiese podido soltarme jamás.

Volví a casa en autobús. Tengo coche pero me gusta viajar en autobús y en metro, porque así tengo tiempo para pensar. Si estoy de buen humor, me gusta contemplar a los pasajeros y especular acerca de sus vidas, medirlos de acuerdo a la estrecha e imperdonable escala que utilizo para determinar la normalidad de una persona. Si estoy de mal humor me complazco en ensimismarme y mirar abstraída por la ventanilla del 42 o del vagón del metro de la línea roja, haciendo de todo edificio, viandante o cabina telefónica una metáfora de la corrupción, el deterioro y el engorro urbano. Eso me levanta el ánimo.

Pero hoy estaba más allá del buen y del mal humor. Estaba exasperada. No me entendía ni yo. Soy mi mejor amiga, me tengo confianza, mantengo una constante conversación conmigo misma —y en voz alta si estoy sola— y es muy importante para mí conocerme. Es vital. De lo contrario sería el caos.

¿Por qué me sentía tan desolada? Oh, por favor. La palabra desolada me ofende, porque es melodramática. Había estado bebiendo café toda la tarde con un hombre y charlando. Había sido una agradable conversación y se habían producido momentos de honestidad que me habían entusiasmado, pequeñas explosiones de ingenuidad que no se producen muy a menudo entre yo y los demás, salvo con Rudy, y raramente entre yo y los hombres con los que he salido a lo largo de los pasados cinco años. Sobre todo estando sobria.

La verdad es que no era tan sorprendente. Si Mick llega a dejarme grabar la entrevista, podría oírla y estoy segura de que me rascaría la cabeza y pensaría ¿dónde está lo extraordinario? Aparentemente nada había sucedido. ¿Por qué estaba tan afectada entonces? Estaba dolida, magullada por dentro como si hubiese sufrido un accidente.

No debía sacar las cosas de quicio. Había visto algo que deseaba y no lo había conseguido. Eso era todo. Lo llaman pérdida, y la reacción corriente es el pesar. De modo que soy normal. ¿Y cuánto puede durar? No mucho, soy Emma DeWitt, no Emma Bovary.

A las cuatro de la tarde mi casa estaba oscura como si fuera de noche. Encendí luces y la calefacción pensando que quizá debiese comprarme un gato, o un pájaro, algo que hiciese mucho ruido cuando llegase a casa. Me preparé té (o sea, más cafeína como llaman algunos, no sé por qué, a la teína) y le eché un vistazo a mi tedioso correo. Luego contemplé la lluvia deslizarse por la ventana de la cocina formando largos y monótonos surcos.

Sonó el teléfono y el corazón me dio un vuelco.

—¿Sí?

—¿Sondra?

—¿Quién?

—Ah, perdone, me he equivocado.

Clic.

Lo mismo digo.

Fue un percance insignificante pero revelador. Me temblaban las rodillas. Con los codos en la repisa, apoyé la cabeza en las manos y estuve compadeciéndome durante más de un minuto.

Mick no iba a llamarme. Y, en el fondo, no quería que me llamase. No iba a utilizar el recurso de pretextar haber olvidado una pregunta y llamarlo yo. No éramos tan torpes.

Todo lo que concluye produce cierto alivio, aunque sea triste. Odio la ambigüedad. Soy partidaria del todo o nada. Puedo aceptar una negativa si es inequívoca, diluida en la esperanza o en un «sí, pero siempre y cuando...».

Decidí darme un baño. Soy de las de ducha, pero reconforta escaldarse en la bañera cuando una está triste. Un baño o un tazón de leche bien caliente con copos de avena son los mejores remedios que conozco cuando se está deprimida. Bueno, quizá no, pero ambos son sanísimos. Me llevaría el teléfono al cuarto de baño y llamaría a Rudy. Curtis aún no habría llegado a casa y podríamos hablar.

Arriba, en mi estudio, el contestador tenía un mensaje.

«Hola, Emma, soy Lee. Es lunes y aproximadamente las dos y media de la tarde. Te llamo para saber si vas a venir a cenar el viernes.»

¡Estupendo! Así me distraería. Además, hacía siglos que no veía a Henry, que me levanta el ánimo.

«¿Sigues viendo al tal Brad, el ingeniero?»

Lamentablemente sí.

«Lo digo porque puedes venir con él, o con quien quieras. O sola, si lo prefieres. Da igual. Sólo que estaríamos desparejados. Bueno. Espero no habértelo dicho con demasiado poca antelación y que puedas venir.»

Me halaga la equivocada idea de mi vida social que tiene Lee.

«Será algo informal. Todos traen algo y lo juntamos. De modo que puedes ponerte cualquier cosa.»

O sea que yo me presentaría con leotardos y un jersey y ella se pondría un vestido de cóctel de doscientos dólares. ¿Aún los siguen llamando vestidos de cóctel?

«Creo que además de a ti sólo voy a invitar a los Draco. Ayer me topé con Sally y entonces recordé que ya conoces a Mick. Y he pensado que sería divertido reunirnos. Sally te gustará. Es simpática. Me encanta.»

¡Por Dios bendito!

«Bueno, llámame enseguida que puedas. Estaré en casa toda la tarde. O mañana. Déjame el mensaje si estás fuera toda la noche de juerga. Jajá. Ciao.»

Como he dicho, odio la ambigüedad. Se me hace muy cuesta arriba asimilar la alegría y la desolación al mismo tiempo. Bajé a la planta porque necesitaba recurrir a la artillería. Un tazón de copos de avena con leche bien caliente para tomármelo mientras me escaldaba en la bañera.

8

Lee

Lo hubiese pasado mejor durante la cena si Emma y Mick Draco, el marido de Sally, hubiesen simpatizado más. Creo que es una grosería evidenciar animosidad hacia una persona en el trato social, porque crea mal ambiente. No es que se enzarzasen en una discusión sino que no se dirigieron la palabra, ni mirarse siquiera. Y la verdad es que eso me parece una descortesía. Para con todos, desde luego, pero sobre todo para la anfitriona. O sea yo. Está claro que su entrevista del lunes pasado no fue bien. Pero yo no tenía ninguna culpa.

Traté de suavizar el ambiente lo mejor que pude y una persona poco observadora quizá no hubiese notado nada anormal. Pero, permítanme decir que eso sólo podría pasarles inadvertido a los hombres. Las mujeres somos mucho más receptivas por lo que a la dinámica de las relaciones interpersonales se refiere.

Después de cenar serví el postre en el salón (mousse de manzana con salsa al calvados).

—¿Cuánto tiempo lleváis casados? —preguntó Sally en plan sociable mientras tomábamos el café.

—Cuatro años —contesté—. ¿Y vosotros?

—Seis, ¿no? —repuso Sally, que miró a su esposo y este asintió con la cabeza—. No creía que hiciese tanto. ¿Cómo os conocisteis? Me encanta saber cómo se conocieron los matrimonios felices.

Sally es una mujer muy sociable y agradecí que tratase de animar la conversación. Porque, al igual que yo, debía de haber reparado en la tensión entre Mick y Emma.

Fui a contestar pero Henry se me adelantó.

—Pues yo volvía a casa en el coche al salir del trabajo por la tarde, y me llamó por teléfono mi madre, que estaba empantanada con una reparación en la zona de Alexandria y quería que fuese en su lugar a hacer otra reparación.

—O sea que tu madre es...

—Sí, es fontanera, como yo. La empresa se llama Patterson e hijo. Pues bien, yo soy el hijo.

—¿Ah sí?

—De modo que me pidió que fuese a Maryland, a casa de una señora que tenía un lavabo embozado.

Sally se echó a reír.

—¡Qué romántico! —exclamó—. Y resultó que la señora de Maryland era Lee, ¿verdad?

—Exacto. Fui a Chevvy Chase, llamé a la puerta, a esta puerta, y... a primera vista.

—¡Caray! —exclamó Emma—. ¿Cómo ibas vestida, Lee?

—Bah, no me acuerdo.

—Pues yo sí —dijo Henry sonriente, mirándome con el rabillo del ojo de un modo que me trajo ciertos recuerdos—. Llevaba un traje sastre con corbatín negro. Una indumentaria varonil que me hizo reír porque ella no podía ser menos masculina. Llevaba zapatos rojos, con tacón de aguja, pero no me llegaba ni al mentón. Era una monada. Como un cesto lleno de gatitos.

La verdad es que nunca he tenido zapatos rojos con tacón de aguja. Los he tenido de color burdeos, eso sí, y de medio tacón. Pero nunca lo puntualizo cuando Henry evoca aquel día. Cree recordarlo con tal precisión y cariño que me abstengo de corregirlo.

En cambio yo sí que recuerdo exactamente lo que llevaba él: uniforme azul, riñonera de herramientas y botas. Recuerdo la impresión que me causó su dulzón acento sureño y que, aunque me comía con los ojos, estuvo correctísimo en todo momento. Se le notaba que tenía que esforzarse pese a que no hablamos más que de cisternas. En cambio yo estaba salida.

—Cuando hube terminado la reparación me sirvió una taza de té y unas galletas.

—Unas tortitas —lo corregí.

—Bueno, pues tortitas. El caso es que nos sentamos a la mesa de la cocina y estuvimos hablando cosa de hora y media.

—¿De qué? —preguntó Sally fascinada.

Henry y yo nos miramos y nos encogimos de hombros.

—Quizá no debería decirlo, pero antes de marcharme ya me había encargado que cambiase toda la instalación del cuarto de baño.

—Y luego le encargué la de la calefacción.

—Y después la del aire acondicionado.

—Y luego tuve que casarme con él —bromeé—. Porque me arruiné.

Sally se levantó para servirnos más café.

—¿Y vosotros, Emma? ¿Cómo os conocisteis tú y Brad? —preguntó Sally tratando de desarmar a Emma, que titubeó aunque fingiendo que la pregunta no le resultaba embarazosa.

—Pues... del modo más corriente. En un bar.

—Ajá. Suena interesante —dijo Sally.

—No mucho.

Brad estaba sentado junto a Emma en el sofá y le puso la mano en el muslo. Me pareció que estaba muy bonita aquella noche. Bien pintada, para variar, y con trenza. Además iba bien vestida. Hacía siglos que no veía a Emma con falda. Brad debía de gustarle. Porque normalmente no se molesta en estar especialmente atractiva para los hombres con los que sale.

—La verdad es que a mí me pareció muy interesante —dijo Brad—. Me lo puso tan difícil que tuve que recurrir a todo mi encanto masculino.

—No tuviste más que invitarme a una ronda detrás de otra.

—Bromea —le aseguré a Sally. Porque las humoradas de Emma no siempre son fáciles de captar hasta que no se la conoce a fondo. Y aun así.

—Yo estaba con dos compañeros de la oficina y Emma con una amiga.

—¿Quién? —interrumpí. Sentí curiosidad porque no sabía cómo se conocieron.

—No la conoces —me dijo Emma—, es una compañera del periódico. Pero la verdad es que no tiene excesivo...

—Fue en Shannon's en la calle L, entre semana, un miércoles —prosiguió Brad—, después de salir del trabajo, antes de cenar. Una hora que me encanta porque puedes decidir entre volver a casa o ir de juerga.

Brad es ingeniero y, como tal, amante de la precisión. Es guapo pero no creo que sea el tipo de Emma. Resulta demasiado corriente.

—Yo estaba sentado en la mesa contigua a la suya. No había dejado de mirarla en toda la noche. Y cuando se levantó para ir al aseo, yo me levanté también. Y le dije... Bueno, cuéntalo tú.

—No, cuéntalo tú —dijo ella como si se hubiese quedado en blanco.

—De acuerdo. Le dije «¿Quiere que le cuente un chiste?». Y ella me dijo «¿Por qué». Y yo le contesté «Porque tiene una risa encantadora y me gustaría oírla de nuevo».

—Precioso —dijo Sally—. Muy bueno —añadió mirando a su esposo.

—Pero tardé una hora en conseguir que aceptase cenar conmigo, ¿verdad, Emma?

—¿Lo veis? —dijo Emma cruzando la pierna para que él le retirase la mano del muslo—. Nada interesante.

—Luego sólo tardé dos horas en convencerla de que me dejase acompañarla a casa. Y entonces...

—Colorín colorado —lo atajó Emma—. Fuimos felices y comimos perdices.

—Bueno, bueno —dijo Brad riendo—. Fundido en negro. Me temo que el resto se lo ha cargado la censura.

—¿Y cuánto tiempo lleváis juntos? —preguntó Sally.

Emma se encogió de hombros.

—Pronto hará cinco meses —repuso Brad—. Lo recuerdo bien porque fue la noche siguiente al Cuatro de Julio, y el metro estaba aún sembrado de desperdicios. ¿Te acuerdas, Emma?

—Sí —contestó ella.

Miré a Emma detenidamente para cerciorarme de si se había ruborizado. Y sí. Bajó la cabeza pero estaba sonrojada. Bueno, muy interesante. No es habitual en ella conocer a un hombre en un bar y llevárselo a casa. Pero, por otro lado, no es una mujer a la que le importe el qué dirán. «Vete a la mierda», le espetaría a cualquiera que se metiese con ella. Pero el caso es que se había ruborizado por haberse acostado con Brad la primera noche. Muy interesante. Debía de ser por Sally, que es una persona recatada y debía de temer escandalizarla.

—Pues Mick y yo nos conocimos cuando me rescató —dijo

Sally deslizando la mano por el brazo de su esposo—. Mi caballero andante. Le atizó a un sinvergüenza que quiso quitarme el bolso de un tirón en MacPherson Square.

—¡Qué galante! —exclamé.

Mick se inclinó para hacerle una carantoña a *Lettice*, que dormitaba con la cabeza apoyada en su zapato. Yo no podía verle la cara. Él y Sally eran una pareja muy atractiva, acaso por lo distintos que eran. Él era alto, moreno y reservado y ella menuda, rubia y vivaz. Parecían hechos el uno para el otro.

—Ah, pues eso no es nada —prosiguió Sally—. No me dejó ni darle las gracias. Me dijo que tenía mucha prisa, me preguntó si estaba bien y se marchó. Me quedé de piedra. Estaba guapísimo, con un terno muy elegante. ¡Y con tirantes! Me pirro por los hombres con tirantes.

Me eché a reír.

—Nunca se me había ocurrido pensarlo —dije.

—¿Y a ti, Emma? ¿No te gustan los hombres con tirantes?

—Depende.

—Y los chalecos... Me encanta que se quiten la chaqueta y se queden con chaleco y en mangas de camisa. Es muy sexy —dijo Sally, y parpadeó en actitud coqueta mirando a Mick, que deslizó el índice por sus labios y le sonrió.

—Lo tendré en cuenta —dijo Brad dándole un golpecito con el codo a Emma—. Recuérdame que me quite la chaqueta más a menudo.

Emma le dirigió una de sus maliciosas miradas y él se echó a reír.

—Era jueves, o quizá viernes, y ¿a que no sabéis a quién me encontré en la fiesta de Navidad del despacho? ¡A él!

—¡Vaya! —exclamé con incredulidad—. ¿A Mick?

—Resultó que trabajábamos en el mismo edificio de Vermont Avenue. Increíble, ¿no? ¡Y en el mismo bufete!

—Pero no habíamos coincidido nunca —dijo Mick aclarándose la voz—. Ella era nueva y yo llevaba una temporada viajando continuamente.

—Eso sí que es una coincidencia —dijo Brad.

—A mí me pareció un milagro —dijo Sally recostándose en el hombro de Mick—. Estábamos predestinados. ¡Flechazo!

—Muy romántico —dije.

—Sí, Romeo y Julieta —dijo Emma, y se levantó. La miramos y nos pareció sorprendida de verse de pie—. Lo siento, pero he de marcharme ya, que mañana trabajo.

—¿En sábado? —exclamó Brad sorprendido.

—No hay más remedio. El periódico sale todos los días.

A todos les entró entonces prisa por marcharse y la velada terminó mucho antes de lo normal. Al traerle el abrigo, Emma se excusó.

—Lo siento, Lee. He estropeado tu preciosa fiesta.

—Tenías que habérmelo dicho.

—Lo siento. No he caído. Lo estaba pasando estupendamente. Lo siento de verdad. Ha estado todo perfecto, como siempre. Eres la mejor anfitriona.

—Lamento que no te haya caído bien —musité mientras los demás se ponían los abrigos.

—¿Quién?

—Mick.

—¿Cómo? —dijo Emma con perplejidad.

—Nada. Ya te llamaré y hablaremos.

—De acuerdo —dijo echándose a reír.

Todos dejaron de hablar y la miraron.

—¿De qué te ríes? —preguntó Henry.

—De nada —dije.

Mientras iba a abrir la puerta pensé que acaso no debía haberla invitado. Pero se despidió con naturalidad y nos dio un abrazo a todas. Brad les estrechó la mano a Henry y Mick; Henry abrazó a Emma; Mick me abrazó a mí y... Mick y Emma ni siquiera se miraron. Puede que a lo sumo musitasen «buenas noches». Eso fue todo. Y entonces lo comprendí. No suelo equivocarme en estas cosas.

—Una cena estupenda —dijo Henry ya en casa, mirándose la dentadura en el espejo del cuarto de baño.

—Sí.

Yo había hecho un *thaazi saag aur narial* (carne de ternera con espinacas al curry y coco). Según la receta era para diez personas pero nos lo comimos entre seis. A eso le llamo yo salir bien la cena.

—Sally es encantadora, ¿verdad? —dije.

Henry farfulló algo ininteligible a modo de asentimiento.

—Y parece que tú y Mick habéis congeniado enseguida —añadí. No me sorprendía porque aún no había conocido a nadie a quien no le cayese bien Henry.

—Sí, es un tipo interesante —dijo él—. ¿Sabes que me ha dicho? Puede que luego no resulte, pero nos va a recomendar a mí y a Jenny a los dueños de su estudio para el trabajo de fontanería. ¿Y sabes quiénes son los dueños?

—No.

—Carney Brothers. Si ponemos un pie en uno de esos viejos edificios del centro... Son una mina de oro, porque siempre hay algo que no funciona. Sólo con un par de contratos de mantenimiento nos forraríamos. Sería estupendo, ¿no?

—Ya lo creo.

—Llamaré a Jenny mañana. Ahora ya es demasiado tarde. Puede que luego no resulte —repitió—, pero ha sido todo un detalle por parte de Mick ofrecerse. No todo el mundo lo haría.

Henry llama Jenny a su madre. Antes me resultaba extraño, porque a mí nunca se me ocurriría llamar Irene a mi madre. Pero él se crió en comuna de mujeres de Carolina del Norte en los años sesenta, y tenía muchas madres. Padres no, pero madres tenía un montón. De modo que en lugar de llamarlas a todas «mamá», las llamaba por sus nombres, incluso a su auténtica madre. Y acabó por parecerme lógico.

—Sí, ha sido una fiesta muy agradable. Aunque se palpaba cierta tensión —dijo Henry, y se apartó un poco para que pudiera quitarme el maquillaje frente al espejo—. Me ha parecido que a Emma no le ha caído muy bien Sally. Aunque quizá haya estado un poco tensa por haber discutido con Brad. No sé qué ha podido ver en ese tipo.

—¿En Brad? A mí me parece simpático. Además, a Emma le gustan las personas inteligentes y Sally lo es mucho. No debía de tratarse de eso. Es Mick quien no le cae bien.

—¿Mick? ¿Tú crees?

—¿No has notado que no se han dirigido la palabra en toda la noche?

—Hummm —dijo Henry con expresión pensativa.

—Se han mirado pero no se han hablado. Parece obvio que la entrevista para el artículo del periódico no resultó bien.

—¿Cansada? —dijo Henry cuando hube terminado de lavarme los dientes.

Me encogí de hombros, aunque la verdad es que sí estaba cansada. No obstante dije que no, por si acaso pensaba en algo... especial. Aunque enseguida rompí el encanto con un comentario poco apropiado.

—¿Recuerdas aquel pollo relleno que solía hacer? ¿Crees que estaría bien hacerlo cuando vengan mis padres en diciembre?

Henry me había estado dando un ligero masaje en la espalda. Entonces retiró las manos y me miró.

—Quizá no —dijo echándose la toalla al hombro y saliendo del cuarto de baño—. Aunque, ¿qué vas a hacer si no?

Terminé de asearme y lo seguí, con *Lettice* trotando por delante. Henry ya se había metido en la cama. Tenía su lamparita de lectura apagada, los ojos cerrados y las manos entrelazadas sobre el estómago. Oh no, pensé. Puse a *Lettice* en su cestito, me senté en el borde de la cama junto a Henry para que no tuviera más remedio que mirarme.

—¿No quieres que vengan? Serán sólo dos noches.

—Claro que quiero que vengan. Son tus padres.

—¿Seguro que quieres que vengan?

—Claro. Pero no son dos noches. Son cuatro.

—No, sólo dos.

—Dos a la ida y dos a la vuelta. Cuatro.

—No, una y una.

Mis padres querían quedarse en casa a la ida y a la vuelta de su viaje anual a Florida.

—Ah bueno —exclamó aliviado.

Me eché a reír. Le retorcí los extremos del bigote tratando de curvárselo hacia arriba. Él me sonrió y volvió a cerrar los ojos.

Mi esposo tiene pinta de hippie entrado en años. Cabría pensar que a mí no me gusta ese aspecto, pero en su caso sí me gusta. Lleva coleta pero siempre muy cuidada. Por la noche se la deshace y se convierte en una poblada melena que resplandece en la almohada como una bandera rojiza. Nunca puedo evitar acariciarla.

—Además no serán un incordio —le dije—. Te aprecian de verdad.

—Ya.

—De verdad.

—Bueno, Lee, dejémoslo. Te casaste con un simple obrero. Un simple obrero, un patán sureño. De acuerdo a la mentalidad de tus padres, no les habría sentado tan mal que te casases con un jeque árabe.

—¡Pues sí que los conoces tú! —exclamé. Me levanté airada, me metí en mi lado y tiré de la punta de la sábana que estaba bajo su cadera—. ¿Me odia tu madre por haberte casado con una heterosexual?

Muy bueno. Uno a cero a favor de Lee.

Henry se echó a reír. Pero a mí no me pareció divertido. No había querido hacer un chiste. Al ver que no me hacía gracia, ladeó el cuerpo, apoyó la cabeza en las manos entrelazadas detrás de la nuca y miró el techo, cavilando.

Detesto reconocerlo, pero mi familia intimida a Henry. Lo aprecian de verdad, pero él no se da cuenta. No digiere que mi padre sea físico, mi madre economista, uno de mis hermanos psicólogo y el otro cardiólogo. Mientras que él es huérfano de padre, fontanero y sureño, con una miniempresa familiar con su madre como socia. Ciertamente tengo más dinero que Henry, aunque no lo haya ganado yo. Mi profesión se centra en los primeros estadios del desarrollo y educación infantil, una profesión propia de mujer, o sea que ni da prestigio ni dinero. Lo que gano se debe a que mi madre me asesora muy bien sobre qué acciones conviene comprar. Rara vez se equivoca. Y siento decir que esa es otra cosa que Henry no digiere. No es que albergue resentimiento hacia mí, sino que se culpa y entonces se encierra en sí mismo y se pone de mal humor. Por otra parte, el hecho de que no consigamos tener hijos no ayuda.

Le toqué el tobillo con el pie y fingí que había sido sin querer. Henry se cambia de calzoncillos y camiseta antes de acostarse. Me encanta lo bien que huele el suavizante y el olor que deja la secadora. Me pone en situación.

Sin embargo, el sexo entre nosotros se ha hecho muy complicado. Ni siquiera tiene ya que ver con el amor. Todo se reduce a curvas de temperatura y a períodos de fertilidad. A levantarse a hacer pipí en un cuenco e introducir unos bastoncitos de cartón impregnados de una sustancia inteligente. Lo sé todo acerca de la hormona LH. Tengo tres estuches de predicción de ovulación en el cuarto de baño. Dimos gracias a Dios cuando supimos que Henry tenía una vena varicosa en el escroto, porque eso eleva la temperatura testicular y es la causa más común de la infertilidad masculina. De modo que se sometió a una operación de microcirugía para solucionar el problema y empezamos de nuevo. Nada. Ahora volvemos a los termómetros para tomar la temperatura basal, a los períodos de fertilidad y a los bastoncitos sonrosados que se vuelven azules. Has de hacer el amor cuando se ponen azules, tanto si te apetece como si no.

Moví el pie rozándole la pantorrilla. Era un buen momento para mí, hormonalmente hablando. Pero él ya lo sabía porque se lo había dicho por la mañana. Si le hacía una insinuación ahora, pensaría que era por la oportunidad del momento. Y la verdad es que así era, en parte.

Oh, Dios, ¿qué va a ocurrir? A veces Henry no funciona. Bueno... en realidad sólo le ha ocurrido dos veces. Sin duda se debe al estrés, como ambos sabemos perfectamente. La segunda vez que le ocurrió me dijo: «¡Nunca he sido impotente!» Y yo dije: «Bueno, yo también a veces soy impotente; sólo que no se nota!»

El comentario nos ayudó un poco. Y desde entonces no ha vuelto a suceder.

Anhelo tener un hijo. Mi vida está como atascada y no podré salir del atasco hasta que solucione el problema. Ya sé que no es justo para nadie y menos aún para Henry, pero no sé qué hacer. No sé cómo salir de este círculo vicioso de probar, fallar y vuelta a empezar.

Suspiré y apagué la luz. Siempre nos besamos antes de disponernos a dormir. A veces, el beso conduce a algo más, pero por lo general es sólo un gesto amoroso para darnos las buenas noches. Tanteamos a oscuras buscándonos y nos besamos.

—Buenas noches.

—Buenas noches.

Empecé a darme la vuelta, pero Henry me retuvo la mano y me atrajo hacia sí, hacia su pecho, tan fuerte y ancho que no resulta cómodo para dormir, como ocurre con una almohada demasiado alta.

—Cariño —dije.

Pero él llevó las manos a mis caderas y me puso encima de él.

—Pensaba que...

Bueno... eso estaba mejor. Me estiré y me opuse cómoda.

—¿Qué pensabas?

Deslizó las manos por dentro del pijama hasta mis nalgas.

—Pensaba que querías seducirme.

—Quizá, pero estoy un poco cansada.

—¿Sí?

—La verdad es que no —le dije rodeándole el cuello.

Hicimos el amor. Y resultó bien. Siempre resulta bien, aunque no llegué al orgasmo. No creo que Henry lo notase. Lo deseaba, pero tenía la cabeza en otra parte. Sólo podía pensar: Esta vez va a funcionar. Esta vez sí. Esta vez seguro.

9

Isabel

Anoche me besó Kirby. Si llega a sacar una pistola y dispararme no me hubiese sorprendido tanto. Creía que era homosexual.

Lo había creído así durante meses y ahora comprendo que mi asunción tenía muy poca base, prácticamente ninguna. No sabía que hubiese salido nunca con una mujer ni hablaba de ninguna. Eso por una parte. Y es actor, por lo que trabaja a salto de mata. Eso por la otra. La verdad es que me resulta muy embarazoso. De verdad. Porque detesto los estereotipos. Kirby tiene pinta de monje, un talante contemplativo. Es un hombre apacible y muy gentil, que siempre prefiere escucharme que hablar de sí mismo.

Bien pensado, ¿por qué tuve que imaginar otra cosa?

Regresamos a casa después de salir de ver una obra en el Church Basement Theater de la calle Diecisiete, una obra experimental de un dramaturgo local en la que Kirby representaba a un empleado mudo de un peaje. Yo no había entendido ni medio y, con sumo tacto y deferencia, él trataba de explicarme la obra. Acababa de empezar a caer la primera nevada invernal y nos detuvimos para contemplar los densos copos que cruzaban el halo de una farola. Nunca nos habíamos tocado, salvo las manos. Pero me pareció natural ladear la cabeza, descansarla en su hombro y decir: «¿A que es precioso?»

Podríamos haber pasado por actores en una escena de una película. Porque él me miró a los ojos y me dijo: «Precioso.» Luego me tocó la cara con sus enguantados dedos.

Me besó en la mejilla. Todo lo que pude hacer fue mirarlo, súbitamente cohibida, tratando de explicarme algo tan inesperado para mí. Pero... ¿no eras gay?, pensé. Y entonces me besó en la boca y comprendí que no lo era. Fue como si alguien a quien creías conocer hubiese estado siempre disfrazado. Exactamente igual, como si descubrieses que una amiga era en realidad un hombre.

Se echó ligeramente hacia atrás y me sonrió. Pero fui incapaz de corresponderle. Me había quedado sin habla. Estaba estupefacta. Mi silencio no tardó en resultarle embarazoso.

—Lo siento. Lo siento, Isabel.

—No pasa nada —dije de manera automática, sin pensar lo que decía.

Seguimos caminando y volvió a sus explicaciones sobre la obra, aunque ahora resultaba bastante embarazoso. Y no supe hacer nada para suavizar la situación. Estaba demasiado ocupada para revisar todo lo que había pensado de él hasta entonces.

Vivimos en el mismo edificio, en pleno centro del ruidoso barrio de Adams-Morgan. Su apartamento está en la tercera planta y el mío en la segunda. No es un vecino ruidoso. Pero como las paredes y los suelos son de papel lo oigo con una claridad un tanto inquietante. Por ejemplo, casi siempre sé en qué estancia se encuentra y deduzco lo que está haciendo. Y me atravería a decir que también él puede oírme. La primera vez que hablamos fue cuando me telefoneó para pedirme que subiese el volumen de mi cadena para que pudiese oír *Appassionata* sin aplicar el oído al suelo. Su voz profunda y cultivada me intrigó pese a que, en un primer momento, pensé que su petición era puro sarcasmo y que en realidad le molestaba la música. Otra deducción falsa.

Cuando nos conocimos en persona su aspecto no confirmó ni desmintió la equivocada impresión que, poco a poco, me formé de que era homosexual. Es un hombre alto, delgado como un palo, casi completamente calvo. Podríamos decir que tiene unos ojos penetrantes, por la fijeza con que suele mirar, de no tenerlos de un castaño tan claro. Tiene la nariz fina y los labios suaves (muy suaves, como he tenido ocasión de comprobar). Da la impresión de persona desnutrida pero en realidad es muy fuerte. Lo sé porque me ha ayudado muchas veces a cambiar los muebles de sitio y por las reparaciones caseras que me ha hecho en honor a nuestra amistad. Lo que nos acercó —nuestra común pasión por la música— es lo que sigue cimentando nuestra amistad. Nos gusta ir juntos a los conciertos y ahora nos asombra no habernos conocido antes o, por lo menos, reparado el uno en el otro, porque invariablemente ocupábamos las localidades más baratas en el Kennedy Center, el DAR, el Lisner y el Baird Auditorium.

Anoche, tras nuestro embarazoso camino a casa bajo la nieve, Kirby me acompañó hasta la puerta, como hace siempre para despedirnos. Pero, claro, de un modo distinto esta vez.

—¿Quieres entrar? —le pregunté.

—No, gracias. Es ya tarde.

Estuve a punto de dejarlo marchar pero no pude. Aquello no podía quedar así. Fingir que no había sucedido nada sería insultante para él y una cobardía por mi parte. Por otro lado, ¿no estaríamos dándole demasiada importancia? ¿Y si su beso no fue más que un impulso, un gesto de amistad, y nada más? Pero no, fue algo más para él, estaba segura.

—Mi vida está cambiando, Kirby. Yo estoy cambiando, muy deprisa actualmente. A duras penas consigo aclararme yo. En estos momentos estoy desbordada. No es el momento más oportuno para iniciar una relación sentimental. Soy demasiado egoísta; estoy demasiado preocupada por mí misma para ser justa con los demás. Adoro tu amistad, y prefiero dejar las cosas como están. Te tengo mucho cariño. Entiéndelo, por favor.

Y le dije más, aunque no recuerdo qué. Él me escuchó con atención, inclinado hacia mí. He conocido a muy pocas personas que sepan escuchar tanto como él.

Cuando hube terminado mi pequeño discurso, me sentí cohibida e insatisfecha, como si me faltase algo.

—Mira, Isabel, por nada del mundo querría contrariarte. No creí que fuese a sorprenderte tanto. La verdad es que hacía mucho tiempo que deseaba besarte.

—Pues no lo había notado —dije algo ruborizada.

Arqueó las cejas como si eso lo sorprendiese. Al margen de cómo acabasen las cosas entre nosotros, nunca podré decirle lo que había pensado de él. Porque la verdad es que me resulta inconcebible que hasta ayer mismo creyese que era homosexual.

Metió la mano izquierda en el bolsillo del abrigo y se miró los pies.

—Bueno, piénsalo un poco más. Deja que se te pase la sorpresa. Y luego... —dijo haciendo un ademán esperanzado y mirándome con ojos entornados.

—Puedes estar seguro que esta noche pensaré en ello.

—Pues ya seremos dos.

Un buen mutis. Musitó «buenas noches» y se alejó. Supo dar la talla, probablemente por las tablas que le daba el teatro. En este sentido era la antítesis de Gary, que no podía ser más inoportuno. Aunque claro, es la antítesis de Gary en muchos otros aspectos.

Cumplí mi palabra y pensé en él por la noche. Quizá haya llegado para mí el momento de vincularme a alguien. Hace cuatro años que me divorcié de Gary y no ha habido nadie en mi vida desde Richard Smith Pene, «el hombre del gráfico apellido», como lo llama Emma. Trato de no pensar en él, porque me trae demasiados malos recuerdos. Un año y medio después de mi divorcio, tres meses después de empezar mis relaciones con Richard —que era profesor de la facultad— noté el bulto en uno de mis pechos. O, mejor dicho, lo notó Richard mientras me sobaba en el cine.

—¿Qué es esto? —musitó mientras veíamos una escena turbadora de *El imperio de los sentidos*.

Comprendí enseguida lo que era. Al instante supe lo que ocurriría desde aquel momento hasta mi muerte. Por suerte sólo acerté a medias. Pero fue suficiente para Richard Smith Pene. Estuvo a mi lado hasta que me operaron pero luego me dijo que «no creía que lo nuestro fuese a parar a ninguna parte». No me enfurecí (esas reacciones se las dejo a Emma). ¿Qué haría yo sin ella? Le tengo subrogada mi parcela inquina a los hombres.

Pero lo de Richard hace dos años que acabó y desde entonces no ha habido nadie. No lo he echado en falta. Me gusta vivir sola. Adoro mi atestado apartamento. Lo he pintado de color melocotón, blanco y verde mar. He hecho arrancar las raídas moquetas y he dejado el suelo de tablas desnudo. En mi casa de Chevy Chase tenía demasiados muebles. Y se lo agradezco a Gary. Tengo mi biblioteca, mi mecedora, un viejo sofá, varias lámparas de pie antiguas, y para mis amigos unos enormes cojines para que se sienten donde quieran cuando vienen a visitarme. Tengo vajilla y cubertería suficiente para servir a ocho personas, el número perfecto. Tengo vecinos antipáticos, vecinos apacibles y vecinos excéntricos. La conserje, la señora Skazafava, apenas habla inglés. Dice Lee que vivo como una hippie, y supongo que tiene razón (aunque, claro, no me tocó vivir aquella época cuando era joven). Según Ramakrisna, nuestras vidas se mueven en ciclos en un orden no prescrito. Y yo estoy pasando por un ciclo que otras vivieron hace treinta años. Da igual. Lo que vale es el camino que se recorre.

Por la tarde, sentada frente a mi escritorio, estaba sumida en una ensoñación, acariciando a *Gracia* y mirando por la ventana, en lugar de estudiar para mi examen sobre las familias en peligro, y oí abrir y cerrar la puerta del apartamento de Kirby. La oigo continuamente y, de manera inconsciente, sin querer, me entero de sus movimientos. Enseguida oí pisadas en mi rellano y que llamaban a la puerta.

Gracia dejó de ladrar en cuanto abrí y vio a Kirby. Iba «de uniforme»: pantalones de piel artificial y un jersey muy holgado. Llevaba algo en la mano.

—Mira lo que he comprado —me dijo tendiéndome un compact de Beethoven, el *Concierto Triple*—. ¿Quieres que lo escuchemos?

De modo que preparé té y nos sentamos a escuchar el concierto. Fue como en nuestros mejores momentos. Aunque no. Al terminar el concierto, renuncié a entrar en una conversación superficial y le hice una pregunta directa. Sin la menor ironía.

—¿Has estado casado?

—Sí.

—Vaya —traté de disimular mi sorpresa jugueteando con el colador de la tetera—. Nunca me lo habías comentado.

—Estuve casado diecinueve años. Y tenía un hijo y una hija —me dijo mientras removía el azúcar y bebía un sorbo—. Se mataron los tres hace once años en un accidente de automóvil. Julie tenía doce años y Tyler ocho.

—Lo siento.

¿Por qué ha de sonar esta expresión siempre tan débil, tan descorazonadoramente inadecuada? Querría encontrar otras palabras, pero acaso no existan.

—Gracias —dijo él como si lo dijese en serio. Y así acabó el pequeño protocolo del pésame.

—Once años —dijo tras una pausa—. Se hacen muy largos viviendo solo. Al principio lo encajé bien. Pero ya no —añadió mirándome con franqueza.

Me levanté, fui a sacar el compact de la cadena y lo volví a meter en el estuche. Pasé un dedo por mi archivador de compacts buscando algo adecuado para acompañar lo que pensaba decir a continuación. Pero no encontré nada.

—Kirby... —dije recostándome en el alfeizar—. Ya sabes que tuve cáncer de mama.

Kirby lo sabía. Se lo había contado hacía meses. No es algo que yo mantenga en secreto, pero tampoco voy pregonándolo por ahí. A Kirby se lo había dicho, aunque limitándome al hecho en sí, sin entrar en detalles.

—Supuse que pensarías que simplemente me extirparon el tumor y que luego me reconstruyeron el pecho. Pero no. No tengo nada —dije—. Llevo una prótesis en el sostén. Eso es todo.

Salvo los equipos médicos nadie me ha visto desnuda desde entonces. Últimamente he empezado a asimilar la idea de que nadie me verá nunca. De modo que he dejado de imaginarme manteniendo una conversación tan embarazosa con un amante potencial.

Kirby se levantó del suelo y se quedó de pie frente a mí. Yo crucé los brazos. Me miró con expresión severa.

—Eso no me importa en absoluto.

—Bueno —dije. Le creía.

—Me estoy enamorando de ti, Isabel.

Me aparté de él, sorprendida. Eso no me lo creía. Además, yo no quería enamorarme de nadie. Ya me había enamorado. Y ahora soy demasiado vieja y egoísta. Quiero concentrarme en mí, no en alguien que se *esté enamorando de mí*.

—Oh, Kirby, ojalá no me lo hubieses dicho.

Se dio la vuelta. Fue un alivio notar que no se sentía herido ni enfadado, ni violento. Parecía pensativo.

—Pues entonces yo también preferiría no haberlo dicho.

Me sonrió, sacó algo del bolsillo y me lo tendió. Era una anilla pero parecía un anillo. Yo retrocedí aterrada.

—He traído unas cuantas para probarlas —dijo quedamente.

—¿Cómo?

—El grifo de la cocina sigue goteando, ¿verdad?

Yo asentí con cara de estúpida.

—Veré si puedo arreglártelo. —Salió de la salita, fue a la cocina y empezó a trabajar.

Yo me dejé caer al suelo. *Gracia* se aupó de donde estaba, junto al radiador, y vino a echarse a mi lado. *Gracia* quiere mucho a Kirby, me dije, acariciándole su suave morro gris. Fue el único pensamiento coherente que cruzó por mi mente.

El martes me haría mi último reconocimiento médico semestral. Después, suponiendo que todo estuviese bien, sólo tendría que visitar a mi cirujano oncólogo una vez al año. Otra hito en mi historia de cáncer de mama. Mientras acariciaba a *Gracia* y volvía a aclararme tomé una decisión. Si todo estaba bien, si no se extendía, si no había más bultos ni tumores (y estaba segura de que no los habría) entonces pensaría seriamente acerca de empezar una relación con Kirby. Lo pensaría (nada más). No me presionaría, no me fijaría un plazo. Simplemente reflexionaría sobre ello.

Mientras tanto, era agradable estar allí sentada con *Gracia* y escuchar los ruidos de un hombre que trataba de repararme una avería en la cocina. Eran ruidos misteriosos y masculinos, reconfortantes. Me hacían sentir una verdadera mujer. Lo digo porque hacía tiempo que no me sentía así.

10

Rudy

Curtis opina que yo no debería trabajar porque no necesitamos el dinero. Dice que una cosa es que haga una labor de voluntariado que me ocupe algunas horas (aunque olvidándome del Teléfono de la Esperanza), porque ayuda a los demás y a mí me satisface. Pero que un verdadero empleo remunerado que me obligase a trabajar todo el día me resultaría demasiado estresante.

No sé si tiene razón. Puede que sí.

Pero fijaos en Lee, toda una licenciada, directora de una guardería estatal. Trabaja en lo que siempre quiso trabajar y para ella ha sido sólo cuestión de ir paso a paso. Pero yo no me imagino asumiendo tanta responsabilidad, ni con las ideas tan claras. Y lo de Isabel tampoco está nada mal: volver a los estudios a los cincuenta años para conseguir una licenciatura que le permite hacer lo que quiere. ¿Cómo averiguaron lo que querían hacer en realidad? Incluso Emma lo sabe, aunque no lo comente con nadie.

Emma tiene tanto miedo como yo. Pero su temor procede de su orgullo, porque no quiere quedar en ridículo. El mío procede de ser consciente de mi incompetencia.

Traté de explicárselo anoche mientras regresábamos a casa después de salir del cine. Pero no pude. Curtis es el único que realmente lo entiende. Y Emma y yo casi terminamos discutiendo. Detuve el coche frente a su casa, lamentando no habernos tomado unas copas en lugar de helado, porque así hubiese estado más en forma para discutir.

Emma me fulminó con la mirada, con una mano en la manecilla de la puerta y la otra apagando el cigarrillo en el cenicero. Cuando hace mal tiempo lleva un gorro negro de punto calado hasta las cejas, y su melena pelirroja asoma por los lados como una llamarada.

—Mira, Rudy, tú eres una artista. Tienes muchísimo talento y podrías ser lo que quisieras. Pero es como si algo te atenazase. Estás como atascada y no acierto a comprenderlo.

Quizá fuese cobardía, incompetencia, inercia. Me sentía a la defensiva, pero no quise replicar recordándole a Emma sus propios temores. La hubiese herido.

—Hago cosas, Emma. A lo mejor me seleccionan para un premio de fotografía en Corcoran. Y quieren que dé clases de cerámica en la Free School el año que viene.

—¿Otra vez clases de cerámica? Pero si ya no haces nada.

Otro tema espinoso. Emma culpó a Curtis de que yo hubiese vendido el torno de alfarero. Lo tenía en el sótano, y es cierto que su equipo de gimnasia había empezado a invadirlo todo. Pero esa no fue realmente la razón de que vendiese el torno. Me absorbía mucho tiempo y Curtis me dijo, y coincidí con él, que si no me iba a dedicar en serio no merecía la pena que le dedicase tiempo.

—Aunque ahora no haga nada puedo enseñar a los principiantes —le dije a Emma—. De modo que hago algo, aunque no siempre te lo comente.

—Ya lo sé —dijo casi a modo de excusa, porque notó que había herido mis sentimientos—. Siento haberte hablado como si fuese tu madre; es decir, no como tu madre sino como una madre normal.

—No, claro, como mi madre no —dije riendo.

Ella rió también y enseguida volvimos al tono amigable. Pero al decirme que entrase un momento en su casa rehusé. Pese a que en el último momento suavizamos las cosas, Emma estaba un tanto agresiva y temí que volviese a la carga si me quedaba.

Al despedirnos me dio una palmadita en el hombro (no es muy efusiva). Aguardé hasta que hubo subido las escaleras del porche bajo la lluvia. Cuando hubo entrado encendió y apagó repetidamente la luz del porche (nuestra señal para indicar que estamos a salvo, que no nos hemos topado con ningún violador apostado entre las plantas). Yo hice sonar el claxon y arranqué.

La lluvia se convirtió en aguanieve mientras regresaba a casa por Rock Creek. Me alegré de no haber redondeado la velada tomándonos unas copas. Y, al llegar a casa y ver que en la planta baja estaban todas las luces encendidas, aún me alegré más.

Menos mal que estoy sobria, me dije al dar la vuelta a la manzana en busca de un hueco para aparcar. Curtis había regresado de Atlanta un día antes de lo previsto, y yo debía haber estado en casa. Odia llegar y encontrarse con la casa vacía.

Pensé en el consejo de Eric acerca del sentimiento de culpabilidad injustificado (que me preguntase qué era exactamente lo que había hecho mal, porque la respuesta sería casi siempre nada). Quizá tenga razón pero nunca me siento inocente. Siempre tengo la sensación, sobre todo en relación a Curtis, de que podría y debería hacer más y hacerlo mejor.

—¿Curtis?

Tenía las luces encendidas pero no estaba en la planta baja. De modo que subí quitándome el abrigo. Pero Curtis no estaba en el dormitorio ni en el cuarto de baño.

—¿Curtis?

Oí ruido en su despacho, que estaba a oscuras. Entré pero no se dio la vuelta. Estaba recostado en el respaldo de la silla frente al ordenador, mirando al monitor, que estaba apagado.

—¿Curtis?

No se había quitado el traje. Le toqué el hombro. Como no se movió, deslicé la mano por su nuca y palpé sus músculos. Estaba tenso.

—¿Qué haces aquí solo y a oscuras?

Tiene un remolino en la nuca. Lo detesta. Le pide a su carísimo peluquero de Capitol Hill que se lo disimule cada dos semanas pero enseguida vuelve a formársele. Antes jugueteaba con su remolino pero ya no me deja. Le molesta.

—¿Dónde has estado? —me preguntó con su premioso acento sureño.

—Creía que no regresabas hasta mañana.

Guardó silencio como para invitarme a que contestase concretamente a la pregunta.

—He ido al cine.

—¿Sola?

—No; con Emma, que quería ver una película francesa; una

historia de amor. A ella le ha gustado pero a mí me ha parecido una bobada —dije aunque no era del todo cierto—. Quizá porque no daba tiempo a leer los subtítulos —añadí como para indicar que no me lo había pasado demasiado bien.

Introduje los dedos bajo el cuello de su chaqueta y empecé a darle un suave masaje. Olía su colonia, todavía fresca después de su largo día y la espuma con aroma a almizcle que se pone en el pelo. Agachó un poco la cabeza y noté que empezaba a relajarse.

—¿Qué tal en Atlanta? —pregunté. No debí haberlo mencionado, porque aún no estaba del todo relajado.

—Un desastre.

¿Por qué me sentí responsable? Lo que hubiese ocurrido en Atlanta no tenía nada que ver conmigo, pero su respuesta me sonó como una acusación

—¿Qué ha ocurrido? —insistí.

—Morris.

—¡Oh, no! —exclamé a la vez que le oprimía los hombros como para acelerar su relajación. Porque Morris es el enemigo de Curtis. Ocupa un puesto inferior y quiere quitarle el suyo. Siempre trata de dejarlo en evidencia delante del congresista.

—¿Qué ha hecho esta vez?

Silencio.

—¿Eh? ¿Qué ha hecho está vez Morris?

—¿Y a ti qué más te da?

Sus palabras no hicieron sino intensificar mi sentimiento de culpabilidad.

—Sabes perfectamente que sí me importa.

Tuve la certeza de que me reprochaba algo, pero no sabía qué ni me atreví a preguntarlo.

Pasó un minuto largo y comprendí que no iba a decírmelo. Ese era el peor castigo: no contármelo, como si no se percatase de que así se castigaba él también.

Lo rodeé con los brazos y apoyé la mejilla en su cabeza.

—Cariño... —le susurré para confortarlo.

Se levantó de pronto. Mis manos colgaron como si fueran de trapo al echarme hacia atrás. Y, sin mirarme siquiera, salió del despacho.

Curtis y yo observamos un ritual. Aquello formaba parte de él; se le pasaría. Su actitud no significaba pasar de mí. Nadie comprende que Curtis me necesita a mí tanto como yo a él. Y a veces más. Pero él es el fuerte. Me sentiría perdida sin él. Eric dice que no, pero se equivoca.

Luego, le llevé una copa de coñac a la cama.

—No me apetece —rehusó.

Bebí un sorbo. Pensaba ponerme el camisón que más le gusta, uno negro cortito, de seda muy suave.

—¿Cansado?

Se encogió de hombros y esbozó una sonrisa.

—Trabajas demasiado —dije a la vez que dejaba la copa en la mesilla de noche. Luego me dejó quitarle el reloj y dejarlo al lado de la copa.

Le caía un mechón sobre la frente, dándole un aspecto aniñado. Pensé en nuestros primeros tiempos, en Durham, cuando empezamos a vivir juntos. Fue la época más feliz de mi vida. La época en que me he sentido más segura. Estaba muy enamorado de mí por entonces.

—Morris es un perfecto imbécil —dije—. Nunca le he soportado.

Curtis emitió un gruñido.

—Y dentro de cuatro días tendrá una horrible calva —añadí.

Curtis dejó escapar un extraño ruido, entre risa y resoplido. Alargué la mano hacia él y me sonrió de un modo que significaba que empezaba a perdonarme.

—Lo voy a dejar —dijo tirando de la cinta negra del delantero de mi camisón—. Iré a trabajar con Teeter y Jack.

—¿Cómo?

Siguió tirando de las cintas y tuve que sujetarle la mano para que no me las acabase de sacar (es una lata tener que volver a pasarlas).

—¿Vas a dejar tu trabajo?

—Lo he decidido esta noche.

—Pero...

—Son unos imbéciles, Rudy. Ya no los aguanto más. Ni tengo por qué.

—Claro. Harás muy bien en marcharte. Te tienen fastidiado desde hace años.

¡Qué sorpresa! Casi no daba crédito a lo que acababa de oír. Pero lo cierto era que no era feliz con su trabajo. Había demasiadas puñaladas traperas en la oficina del congresista Wingert, demasiada hipocresía. Teeter Reese y Jack Birmigham eran ex compañeros de la facultad de derecho y amigos de Curtis. Se habían establecido por su cuenta con un bufete y se estaban forrando, según Curtis. Puede que fuese perfecto para él trabajar con ellos. Curtis no soportaba que lo mandasen. Ser socio de sus amigos en el bufete sería otra cosa. Aparte de que podía ser un trampolín para acceder a un cargo político, la verdadera ambición de Curtis, tan importante como su cargo actual.

Empezó a bajarme el camisón por los hombros y a acariciarme.

—Y a Wingert que le den por el culo. —Me dirigió una sonrisa radiante y añadió—: Y a Morris que le den también. Que se den los dos.

Su vulgaridad me sorprendió, porque Curtis rara vez dice tacos. Me atrajo hacia sí. Lo dejé que me tocase porque era obvio que lo necesitaba. Pero dejó de acariciarme al notar que yo estaba pasiva. Entonces optó por la ternura.

La ternura me puede y Curtis me conoce. Sabe que hago lo que quiera si se pone tierno. Me limpió las lágrimas con los dedos.

—Así, Rudy —dijo separándome los muslos con las rodillas. Deseé que me penetrase. Nunca pierde el control. Es de los que sabe dominarse y consigue excitarme mucho. Empecé a jadear para excitarlo yo a mi vez, a llamarlo cariño.

—Oh, oh...

Lo deseaba mucho. Hundió su cara en mi melena y de pronto se detuvo.

—¡Mierda!

Me quedé paralizada, sorprendida por el tono desabrido de su voz.

—¿Qué pasa?

Apretó los labios todavía húmedos por haberme besado.

—¿Qué ocurre? Te lo voy a decir: ocurre que hueles como un cenicero.

—Lo siento —dije—. Lo siento. Creí haberlo dejado pero, como Emma fuma como una chimenea, he vuelto a picar, y he fumado en el coche. Lo siento.

Noté que no se trataba sólo de que hubiese fumado.

—No me hagas esto —le susurré. Le toqué el muslo con el dedo pero él se apartó de mal talante—. Por favor, Curtis...

No iba a ceder aunque se lo implorase de rodillas. Me resulta más fácil enfurecerme conmigo misma que con él. Pero a veces consigue que me enfade en serio con él.

Me levanté y me tomé un analgésico para el dolor de cabeza y un tranquilizante. Dormir profundamente es el único remedio contra este tipo de dolor. Es lamentable que no sepa dejar que se me pase de manera natural. Pero no sé.

Por la mañana me llamó mi madre por teléfono. No hablaba con ella desde hacía tres meses. Supongo que parecerá mucho tiempo, pero no es inhabitual entre nosotras. Tenía una voz horrible y maldije al pensar que debía de haber vuelto a beber.

—¿Rudelle? Cuánto me alegro de oírte. ¿Cómo estás, cariño?

—Bien, mamá. ¿Te ocurre algo?

—August está ingresado.

—Oh, no... ¿Qué le ocurre? —Oí un fuerte ruido que me ensordeció y tuve que apartar un poco el auricular—: ¿Sigues ahí, mamá?

—Es que se me ha caído —dijo echándose a llorar.

Salí al pasillo con el teléfono. Me senté en el suelo, sobre mi alfombra de color malva.

—No llores, mamá. ¿Qué le ocurre a August?

Mi padrastro había cumplido los ochenta en septiembre. Es dieciséis años mayor que mi madre.

—Tuvo un infarto anoche. Llamé a Allen pero no podía venir. Oh, Rudelle, si tu pudieses...

—Mamá...

—No he bebido. Ya no bebo.

Puede que fuese verdad o puede que no.

—¿Un infarto has dicho?

—Bueno... una crisis cardíaca, han dicho. No sé. No entiendo.

—Pero entonces se repondrá, ¿no?

—Lo mandan para casa hoy mismo.

—Entonces quiere decir que no es grave —dije.

Me sentó fatal que dijese haber llamado primero a Allen, que es un alcohólico, divorciado dos veces, drogadicto y sin empleo, y mi madre va y lo llama primero a él. A mí me iba a dar el infarto.

—¿Puedes venir? Hace mucho que no nos vemos, Rudelle.

—Me temo que no voy a poder.

—Podrías venir por Navidad. Esto está precioso por esas fechas. ¿Te acuerdas de lo bonito que es esto en Navidades? Estuviste con Curtis, pero ya hace mucho.

—No podemos. Curtis ha de trabajar —dije, probablemente sin mentir—. Bueno, mamá, he de dejarte ahora. Te llamaré luego.

—Rudelle...

—Tengo una llamada en espera. He de dejarte. Luego te llamo.

Nada más colgar me pregunté si seguiría siendo tan hermosa como antes. Hacía casi cinco años que no la veía, desde mi boda. Cuando hablo con mis amigos nunca me refiero a ella como mi madre, ni la llamo mamá sino Felicia. Y así es como la llaman ellos. «¿Qué tal están Felicia y el playboy?», me pregunta a veces Emma. Se refiere a un playboy ochentón, claro.

August es suizo. Mi madre lo conoció en Ginebra un año antes de que mi padre se suicidase. Eran amantes. Estoy casi segura.

De vez en cuando a mi madre la da la vena de querer verme. Me llama y me dice que hace mucho que no nos vemos, que sería maravilloso volvernos a ver porque me echa mucho de menos. Pero yo soy incapaz de decirle lo mismo y de organizar una visita. Eric me lo reprocha. Cree que si tengo problemas con mi madre debería resolverlos. Pero soy incapaz de tomar ninguna iniciativa en este sentido.

Tengo una imagen mental de mi aspecto en aquellos momentos, hecha un ovillo en el suelo del pasillo. Eric me enseñó a visualizarme cuando temo marearme. Y a veces funciona. Me induce a hacer algo que disipa la sensación de mareo.

Me levanté y fui al cuarto de baño. Pero, nada más encender la luz, no pude dar un paso más. Me quedé como petrificada junto a las baldosas. Traté de sobreponerme pero no pude. Apagué la luz, retrocedí hacia el pasillo, fui al dormitorio y me senté en el borde de la cama.

Seguía con el teléfono en la mano. Pulsé el número 2 de la memoria. La recepcionista de la oficina de Wingert me dijo que Curtis estaba reunido y que si quería dejar un mensaje.

—No, gracias —dije con una voz que me era desconocida. Desconecté y marqué otro número.

Oír la voz de Emma a través de su contestador automático me tranquilizó un poco. Al hablarle al contestador mi voz me sonó casi normal.

—Hola, soy yo. Creía que estarías en casa. Supongo que estás en el trabajo. No es nada importante —dije, casi susurrante porque acababan de saltárseme las lágrimas.

Rudy, Rudy. Rudelle. Odio ese nombre. Es un nombre germánico que significa «famosa». Nací en Alemania. A mis padres les gustaba más Europa que América. Me hice llamar Rudi desde niña. Y fui Rudi O'Neill hasta que mi madre se casó con August y tuve que adoptar su apellido: Lacretelle. Rudelle Lacretelle. En la facultad utilicé el apellido de mi madre, Surratt, y cambié Rudi por Rudy. Rudy Surratt. Me gustaba. Me sentía cómoda con ese nombre. Pero al casarme Curtis me pidió que utilizase su apellido. De modo que ahora soy Rudy Lloyd. A Emma le encanta mi nombre.

Me levanté de la cama y marqué otro número. Respondió el contestador automático de Eric, que se puso a media grabación.

—¿Podría verte hoy? —le pregunté.

—¿Ha ocurrido algo, Rudy?

—No, pero me gustaría verte, Eric. En realidad sí ha ocurrido algo, pero no sé de qué se trata.

—¿Te parece bien venir a las cuatro?

—Gracias, Eric, muchas gracias.

—Los dos primeros años posteriores a la muerte de mi padre fueron los peores. Vivimos en Austria, en un pueblo turístico, no sé por qué. ¿No te lo había contado nunca? Mi hermano vivía con nosotros porque lo habían suspendido en la escuela preparatoria en Rhode Island. Y Claire y yo íbamos a un colegio de monjas del pueblo. August estaba casi siempre en casa pero aún no se había casado con mi madre. Vivíamos en un hotel. Eso ya te lo había contado, ¿no?

—Da igual.

—Ya conoces esa parte. La de mi madre. Lo del día que la encontré...

—Cuéntamelo otra vez.

—De acuerdo, te lo cuento. Era en verano. Yo tenía doce años y Claire catorce. Allen, mi hermano, salía todos los días, no sé adónde. A pasear, nos decía. Mi madre no conseguía que se quedase en casa. Pero no podía hacer nada. No hacía más que beber y dormir y, cuando tomaba no sé qué pastillas, era muy cariñosa, muy dulce. Yo la quería mucho, Eric. Nunca he sentido tanto dolor por nadie desde aquel verano. Creo que desde entonces he estado como embotada.

Hice una pausa y cerré los ojos. Eric permaneció en silencio aguardando a que prosiguiese. Volvía a representárseme la escena, en blanco y negro salvo por la sangre.

—La encontramos mi hermana y yo; muerta, nos pareció; desnuda en las baldosas blancas, con la bañera llena de agua ensangrentada. Corre, ve a pedir auxilio, le grité a mi hermana. Pero tenía que haberlo notado por su cara, semisonriente y obnubilada, como si se estuviese adormilada. Y salió de casa tal cual. La encontró no sé quién y la trajo a casa al día siguiente. Que iba en bicicleta, nos dijeron.

—Rudy... —dijo Eric.

—Ya lo he superado. No te lo había contado antes, ¿verdad? Que estuve junto a mi madre yo sola durante horas. Estaba casi tan blanca como las baldosas del cuarto de baño. Y fría, parecía de goma. Creí que si la dejaba se moriría. Tenía un hematoma en la cara, pues se había caído. Pero la sangre, gotas como monedas, era sangre menstrual. Porque utilizó píldoras y no una cuchilla. Pastillas y vodka. ¿Es que no lo sabía? ¡Cómo iba a saber quién la encontraría! Sus hijas, sus niñas. Oh, mamá. Yo la abrazaba, pensando que habíamos invertido los papeles; mi niña agonizaba y yo no podía hacer nada.

Se me quebraba la voz. Eric me tomó las manos y me las apretó hasta que dejé de sollozar.

—Estoy bien —le dije—. Estoy bien. De verdad.

Cuando me hube tranquilizado, le conté lo de la llamada de mi madre de aquella mañana.

—Y así es como me ha ocurrido. Es curioso. Pasan años y crees haberlo superado. Pero no. ¿Es que no se supera nunca?

—No lo creo.

—Me lo temía —dije.

—Pero no tiene por qué ser siempre tan doloroso.

—¿Y cómo se consigue? Dudo que sea con el paso del tiempo, porque han pasado treinta años. Treinta años, Eric...

—¿Y?

Le sonreí como para que creyese que bromeaba.

—¿Es que jamás conseguiré sobreponerme?

No contaba con que me contestase porque es la clase de pregunta que suele ignorar. Pero estaba claro que lo había asustado. Por una vez, cuando me tomó las manos y me las apretó, su cara no reflejaba serenidad.

—Creo que ya lo has conseguido —me dijo muy serio—. No te vería si no lo creyese.

—¿No me verías? —exclamé frotándome los brazos. Porque me había quedado helada.

—Quiero decir que no seguiría con tu tratamiento si no creyese que ibas a superarlo.

Pero la verdad es que estoy peor ahora que cuando empezamos. Eric quiere que probemos con la terapia matrimonial. Le he dicho que eso es imposible, pero finge oír llover. No lo entiende. Curtis no me acompañaría nunca a la consulta. Aunque me estuviese muriendo y pudiese salvarme la vida no iría a la consulta de un psicólogo.

—Bueno, he de irme —dije, aunque faltaban diez minutos para que terminase la sesión—. Curtis me ha dicho que quizá llegue esta noche temprano a casa y le gusta encontrarme allí.

Eric guardó silencio. Apretó los labios y nos despedimos.

11

Emma

«Esto no es cosa de mujeres.» Llegué a decirlo, y con la boca grande. Aunque, desde luego, tuve mis razones. Pelar gambas le puede a cualquiera, y pasarse veinticinco minutos inclinada sobre el fregadero, sin más compañía que la radio, podría llevar a Patricia Ireland, o a quienquiera que sea en estos tiempos, a darse a la bebida. Sin embargo, soy feminista. Forma parte de mi identidad, de mi personalidad, encaja en el talante de una irlandesa, agnóstica y demócrata trasnochada. Una solterona. Teóricamente estoy por encima de creer que la excesiva dedicación a pelar gambas, manzanas y guisantes sólo merece la pena si los hombres van a venir a cenar.

Ah, pero adoro a mis *gueeerrls*. Estaba pensando en escocés, porque acababa de escuchar la entrevista que le habían hecho en la NPR a un tal Lonnie Mac no-sé-qué, que ha escrito una novela «de iniciación a la experiencia», con muchas pretensiones, y lo tratan como si fuese la encarnación del Segundo Advenimiento. Pero no es envidia, no. En absoluto. Apagué la radio con el canto de la mano y empecé a pelar otro montón de gambas.

La verdad es que me tomo tantas molestias cuando me toca cocinar para el grupo como cuando vienen a casa matrimonios amigos. Y muchísimas más molestias que por los hombres en general, que pueden darse por satisfechos con que les prepare el café por la mañana antes de empujarlos a que se larguen cuanto antes por la puerta (educadamente, eso sí, porque soy educada). Pero me encanta cocinar para mis *gueeerrls*. Tres de nosotras rivalizamos para ser la mejor segunda chef (porque para la primera no hay nada que hacer, puesto que Isabel es innacesible a nuestro talento culinario), y las gambas al curry con guisantes y manzanas es un plato de los difíciles. Además he hecho un pastel. Lo he hecho yo de verdad. Incluso he escrito encima con nata: «2º Aniversario de las Cuatro Gracias.» Ese es el tiempo que llevamos, dos años hará este mes, desde que Isabel se notó el bulto en el pecho. Dicen que una no empieza a tranquilizarse hasta que han transcurrido cinco años. Pero, pese a ello, sigue siendo un buen aniversario y lo celebramos de verdad.

Las siete y cuarto. Rudy se retrasaba. Le había pedido que viniese a las siete, porque soy tonta. Conociéndola tenía que haberle dicho que viniese a las seis y media.

Terminé de pelar las gambas y me eché jabón en las manos, preguntándome por qué hay tantas personas incapaces de quitarse el olor a pescado de las manos sin pensar en Susan Sarandon. ¿No serviría de idea para algo...? Hay que ver cómo penetra en nuestra vida cotidiana la iconografía cinematográfica americana. Algún promotor listillo podría interesarse si soy capaz de echarle bastante sarcasmo. Es mi especialidad. Debe de haber centenares de ejemplos —imborrables conexiones psíquicas entre, pongamos, silbar y Lauren Bacall; los triciclos y los extraterrestres. Pregunta: ¿Por qué se siente una sexy cuando ve a un tipazo en un sembrado? Respuesta: Harrison Ford, en *Witness*. De acuerdo, triste ejemplo, pero con todo, debe de haber centenares.

—Stinks —me dije.

Demasiado obvio. No cunde. Y una vez dicho, dicho está. Y ese es precisamente el problema del noventa por ciento de mis ideas para las novelas. Pese a ello garabateé «Sarandon/limones/culto» en la hoja fijada a la puerta del frigorífico con un imán. Porque nunca se sabe.

Sonó el timbre de la puerta. Encendí la luz del porche y vi a Rudy con el resplandor. Estaba muy atractiva con su largo echarpe negro —el mismo en que envolvió a *Gracia* hace ocho años en el bulevar MacArthur—. Aún sigo con ganas de comprarme uno. Su expresión era abstraída antes de verme a través del cristal de la ventana. Entonces me dirigió una sonrisa radiante y alegre. Abrí la puerta y entraron Rudy, una ráfaga de viento helado, cashemere, perfume y... ¿gasolina?

—No te lo vas a creer. Me he quedado sin gasolina en plena calle Dieciséis y nadie se ha parado, nadie me ha ayudado. He tenido que ir hasta Euclid para volver con una lata.

—¡Pues vaya broma! —exclamé. La excusa era de las mejores. Rudy es de una impuntualidad crónica y no le da la menor importancia. Ni se molesta en excusarse.

—Pero es algo que nunca he entendido —dije con cierta timidez—. ¿Cómo es posible quedarse sin gasolina? ¿Es que no miras a ver cómo estás de gasolina cuando arrancas?

Rudy ignoró la pregunta y se echó a reír.

—¡Estás preciosa! —exclamó—. Has ido al peluquero, ¿verdad?

No soy muy efusiva o, por lo menos, eso me dicen ellas. Pero la abracé, aunque temiendo aplastar lo que llevase en la bolsa de papel que llevaba.

—Sí —dije—. Ya me tocaba. No me lo han dejado demasiado corto, ¿verdad? Ve a ver mi nuevo armario ropero. Es un regalo de Navidad. Y ven a la cocina, que tomaremos algo.

Saqué copas, abrí una botella de vino y llené un cuenco con cacahuetes mientras Rudy merodeaba por el apartamento, buscando cosas nuevas desde la última vez que estuvo en casa.

—Lo has colgado —exclamó señalando el «colage de cocina» que me había hecho para Navidad—. Es un buen sitio ahí junto a la puerta.

—Me encanta.

Lo dije sinceramente. Me parece una obra maestra: un montaje de piezas de batería de cocina estilo años cincuenta que forman una cara, con cucharillas por ojos y una mano de mortero por nariz. No sé cómo describirlo. Hay que verlo para apreciarlo. Pero créanme, no se puede evitar reír al verlo. Rudy podría ganarse la vida perfectamente haciendo estas cosas.

—No puedo evitar que me guste tanto ser de verdad dueña de una casa —le dije pasándole una copa de merlot, que es el que más le gusta—. Me llena de una repelente satisfacción pequeñoburguesa.

He vivido en barrios mejores (Georgetown, Foggy Bottom, Woddley Park) pero no eran apartamentos de propiedad, o sea que no cuentan. Mi caserón del centro de la ciudad, de principios de siglo, no es una maravilla, especialmente por fuera, y el barrio es de los que llaman «conflictivos», con lo que quieren decir que no hay que ser tan imbécil como para salir por la noche sin un rottweiler bien entrenado. Pero es mío.

—Por los Sloan —brindé.

—Por los Sloan.

Bebimos a la salud de los antiguos propietarios, que restauraron la casa cuando estaba a punto de venirse abajo y luego se marcharon, al quedar la esposa embarazada y decidir criar a su hijo en una zona residencial.

—Su psicosis me vino de perlas. Incluso empiezan a gustarme las rejas de las ventanas.

—Claro —dijo Rudy—. El hierro forjado es precioso. Todo consiste en separar la forma de la función.

—Y en no ponerse histérica.

—Ah, amiga... Tú elegiste vivir en nuestra preciosa e histórica capital de la nación.

—A veces hay que arriesgarse.

Volvimos a brindar.

—Bueno —dije sentándome en la rinconera y haciéndole sitio a Rudy—. ¿Cómo fue con Greenburg? —pregunté. A veces se adivina cuando ha ido a ver a su psicólogo, porque tiene los ojos hinchados y enrojecidos. Pero aquella noche no—. ¿No te tocaba hoy ir a su consulta?

—Sí —repuso Rudy, y sacó dos Winston de un paquete y me ofreció uno—. Ha ido bien. Hemos hablado de mi padre. Y eso siempre provoca tensión. Según Eric no importa pensar que pudo no haberse suicidado.

—¿Que pudo no haberse suicidado? Pero lo hizo, ¿no? Eso es lo que siempre me has contado. ¿Lo hizo o no lo hizo?

—Sólo digo que cabe la posibilidad de que no lo hiciese. Nadie lo sabe. Para mi familia está claro que lo hizo, pero también es posible que simplemente se emborrachase y cayese del barco.

No sólo era su familia la que creía que se había suicidado. También lo creíamos en el grupo. Nos lo había contado hacía años, y lo tengo tan vivo en la memoria como la escena de un vídeo casero. Sucedió en el lago de Como, hace treinta años, cuando Rudy tenía once. Puedo ver el cielo azul, el velero blanco y la suave luz marfileña de la anochecida. El padre de Rudy, Allen Aubrey O'Neill, lleva unos pantalones blancos holgados y un jersey blanco también. Va descalzo y fuma Camel. Se parece a Joseph Cotten. Apura el vodka que le queda en una petaca con funda de piel. Se sujeta al candelero y se aúpa. Las gaviotas planean y se lanzan en picado. Escucha durante unos momentos sus ásperos gritos y aspira por última vez la brisa. Luego salta y se zambulle en el frío azul del lago.

Ahí termina el vídeo. No lo veo chapotear ni boquear, ni tampoco hundirse; ni trato de imaginar su pánico ni sus espeluznantes últimos pensamientos. Simplemente, el apuesto y aristocrático padre de Rudy se ha quitado de en medio.

—Es posible, claro —dije quedamente—. Bebía mucho, ¿no?

—Oh, Dios...

—Sí. De modo que... ¿por qué no? —exclamé—. Tienes razón en que pudo caer por la borda. En cuyo caso todo cambiaría. Oh, Rudy —añadí empezando a hacerme una idea de lo que eso podría significar para ella—. O sea que no se suicidó. O, por lo menos, es posible que no se suicidase. Y sería una buena noticia, porque si sólo fue que se emborrachó y no...

—Es verdad que bebía. Pero también que era un maníaco depresivo. No significa que no estuviese loco, Emma.

—Ya lo sé. Pero aun así...

—Es sólo algo que da que pensar. Eso es todo.

—Sí.

—No es lo importante.

—De acuerdo —dije. Y opté por el humor para aparcar el tema—. Apuesto a que Greenburg consigue publicar más artículos en las revistas especializadas gracias a tu familia que al resto de sus pacientes.

Rudy sonrió y echó la cabeza hacia atrás para exhalar el humo hacia el techo.

—Bueno —dijo con una tímida sonrisa—. Creía estar prepada para confiar en una cosa así, pero parece que no. Por lo menos no soy capaz de verbalizarlo ante los demás.

—Yo no soy *los demás*.

Rudy tiene unos bonitos ojos grises, como solían decir en los libros sobre amas de llaves inglesas. Reparé en su tierna mirada.

—No, desde luego. —Dejó la copa en la mesa y añadió—: En fin... Ojalá sea cierto que cogió una cogorza, cayó al lago y se ahogó. Porque así sólo tendría que preocuparme por mi predisposición genética al alcohol, la depresión, la drogadicción y la esquizofrenia paranoide. Pero no al suicidio.

No mencionamos a su madre y nos echamos a reír, no porque nos hiciese gracia sino porque era parte de nuestro repertorio terapéutico, y tan vital para nuestra relación como las palabras de ánimo, o más. Con aquello agotamos el tema de la muerte del padre de Rudy. Zanjado.

Nos servimos más vino y pensé que debía levantarme y empezar a pelar cebollas. Porque Lee, Isabel y la nueva (Sharon) llegarían de un momento a otro. Pero estaba demasiado a gusto allí sentada en la cocina con Rudy, fumando, bebiendo y hablando de la vida; y, como dice un anuncio de cerveza, era *probablemente lo mejor del mundo.*

—Yo he tenido un día horrible —dije en tono animoso. Y le conté que estaba atascada con un artículo para el *Washingtonian*, que no tenía pinta de poder terminar antes del lunes, que era la fecha tope.

Rudy me animó y me dijo que quería estudiar paisajismo. Eran dos años, y el curso empezaba en primavera. El título podía abrirle la puerta de algún taller de arquitectura, o permitirle establecerse por su cuenta con una empresa de jardinería. Estaba entusiasmada con el proyecto, aunque luego dijo que no era más que una idea, que lo más probable era que no lo hiciese porque dos años era mucho tiempo.

—Ah, pero podría ser estupendo. Porque a ti eso te gusta mucho. Y lo harías fenomenal. ¿Paisajismo? Te encanta trabajar en el jardín y te encanta dibujar. Es perfecto para ti.

—No sé, no sé... Dudo que tenga tiempo. Hay que dedicarle todo el día y muy a fondo. Dudo que...

Rudy cruzó los tobillos y dejó deslizar su estilizada figura por el respaldo de la rinconera. Lo que de verdad hubiese sido perfecto para Rudy era ser modelo.

—Lo más probable es que no me decida —añadió—. Ni siquiera lo hemos hablado.

El plural se refería a Curtis, claro. Pero ya había aprendido a morderme la lengua para no hacer ningún comentario que pudiera enojarla.

—¿Qué tal está Curtis, por cierto? —dije en mi tono más desenfadado.

—Bien —contestó mirando la brasa del cigarrillo—. Me ha dicho que te salude.

No faltaba más. Curtis me adora. ¡No te digo!

—Salúdalo tú también de mi parte —correspondí con fingida amabilidad. Luego me levanté dispuesta a pelar cebollas.

Ya hacía mucho tiempo que aprendí que, por lo que al tema de su esposo se refiere, el único modo de conservar la amistad con Rudy es sonreír, mentir y morderse la lengua. Odio esta especie de acuerdo tácito. Detesto la hipocresía y la falta de franqueza, pero me atengo al acuerdo como si de un voto sagrado se tratase. ¿Qué alternativa tengo? Lo hago por Rudy. Pero no lo haría por nadie más.

La oí levantarse de la rinconera.

—Bueno, Emma, cuéntame. ¿Qué novedades hay en el frente Draco?

Me quedé de piedra. De no ser porque mi cuchillo no tiene filo me habría rebanado un dedo. Tuve que bajar la cabeza para que Rudy no viese que me había ruborizado. ¡Jo! Esto es más serio de lo que pensaba. Y en lo que tampoco había caído era en que ansiaba hablar de él.

Pese a todo, no perdí la compostura.

—Poca cosa. Volvimos a tomar café juntos el viernes. O el jueves. No, el viernes. En la misma tasca del otro día, frente a su estudio. Hablar y nada más.

—Hablar.

—Sí, de todo un poco. Su hijo, mi trabajo, su pintura.

—Su esposa.

—No, en absoluto.

Ya hace tres meses que lo conocí. Tres meses. Una tortura. Estoy acostumbrada a que los hombres me atormenten, pero no así. Nos llamamos por teléfono y decimos algo así como «He tenido que hacer una gestión por tu barrio. ¿Quieres que tomemos café?», si soy yo quien lo llama, o «Acabo de aprender a hacer litografías. ¿Quieres verlas?», si es él quien me llama. Y como a ninguno de los dos nos gusta demasiado el café, y yo ni siquiera estoy muy segura de saber qué es una litografía, no es exagerado decir que no son más que subterfugios, aunque inocentes, insoportablemente inocentes. Es como una agonía.

Rudy se inclinó con los codos en la repisa. Su Acqua di Gió añadía un toque de distinción al olor a cebolla.

—Bueno, ¿qué ocurre? Anda, ponme al corriente.

—*Nada*. Nada ha cambiado; sólo que nos vemos de vez en cuando y charlamos. Somos amigos. Eso es todo.

Dejé el cuchillo a un lado y vi que me miraba a los ojos.

—Oh, Rudy —exclamé—. Voy a volverme loca.

Ella me sonrió con expresión solidaria.

—Pobre Emma —dijo.

—No puedo soportarlo. Ni siquiera hemos hecho manitas. Pero estoy colada, del todo, y creo que él también, aunque dudo que me lo diga nunca. Y nada puede cambiar. Nada podrá cambiar nunca.

—¡Madre mía, cómo estás! —exclamó Rudy con cara de preocupación. Al rodearme la cintura con el brazo sentí el estúpido impulso de echarme a llorar y me aparté.

—Estoy bien —mentí.

No sabía si desahogarme del todo (aunque la verdad es que no había nada que decir) o reservármelo. Lo que en realidad prefería era conseguir olvidarme de él y comentárselo después a Rudy; decir: «No te lo vas a creer pero estaba coladísima por el tal Mick. ¿Te acuerdas de él?»

—Si te hace sufrir quizá sería mejor que dejases de verlo —dijo Rudy.

—No me hace sufrir. Por lo menos no siempre —dije porque era cierto que el sufrimiento alternaba con la euforia—. Sé que he de dejar de verlo. Pero Lee da una fiesta e invita a Mick y a la encantadora Sally. Ya van dos veces que los invita...

—Pues has de contarle a Lee quién es Mick.

—No puedo hacerlo. Es demasiado tarde. He aguardado demasiado. De modo que aunque trate de no verlo, he de verlo. Creo que voy a perder la cabeza. Y él es...

Llamaron a la puerta.

—Mierda —dijimos al unísono.

—No importa. Estoy bien, de verdad. Ya te lo acabaré de contar luego. Escucha —dije retrocediendo hacia el vestíbulo—, no digas nada, ni su nombre ni nada, ya sabes...

Rudy puso cara de sentirse insultada. Eso me provocó una risa nerviosa y volver a ruborizarme.

—No importa... Estoy como una cabra, Rudy. Oh, Dios mío.

El caos preside los primeros veinte minutos de toda reunión de mujeres, mientras se abrazan, se besan, se sirven vino y tratan de encontrar una tabla de cocina, un cuchillo, se disputan el fregadero, se enteran de las novedades que cuenta cada una —todo al mismo tiempo y todo, salvo en el caso de Lee, en cocinas del tamaño de un cuarto de baño grande.

—Te has hecho un peinado precioso, Emma.

—Este queso es buenísimo. ¿Es brie?

—¿Puedo ducharme? Vengo de clase de ballet.

—Isabel, pon el arroz en el microondas, ¿quieres? Necesito todos los fogones. Y que nadie me hable mientras preparo las gambas, necesito cinco minutos de sosiego y concentración.

—Bah... No me ducho.

—Es muy mandona cuando cocina.

Todo esto me encanta. Cocinar algo apetitoso para mis amigas, escuchar sus bromas y reír con ellas; preguntarles qué tal están, aportar alguna «bomba» de mi cosecha de vez en cuando. Es cuando mejor lo paso. Vino, queso y nuestras charlas. Si pudiese incluir el sexo en todo esto lo tendría todo.

Sonó el teléfono.

—¿Puede responder alguien? —dije, porque estaba en el momento crítico de la preparación de la salsa de crema de leche y mostaza, que es muy delicada.

Se puso Lee.

—¿Sí?... Ah, hola, Sharon. No; soy Lee. ¿No? Pues sí que lo siento.

—Lo sabía —musitó Rudy.

—No me cayó demasiado bien —dije. Lee me miró con cara de pocos amigos y se llevó el teléfono al salón—. No. Primero se depila las cejas y luego se las pinta. ¡No te digo!

—Pero le suelen durar más de dos reuniones. Todo un récord.

Lee regresó junto a nosotras con cara de circunstancias.

—Otra que muerde el polvo —dijo sentándose en un taburete—. ¿Qué les hacemos? —añadió con fingido abatimiento. Rudy y yo nos echamos a reír—. Lo digo en serio. Es la tercera en... ¿cuánto tiempo?

—Unos dos años.

—Bueno, ya sabía yo que no iba a durar.

—Y yo —me secundó Rudy.

—¿Te ha dicho por qué no va a venir? —preguntó Isabel.

—Porque no tiene tiempo.

—Ya.

—Ah, ya —dijo Rudy—. ¿Y qué más ha dicho?

—Nada. Sólo que esperaba que tratásemos los temas más a fondo.

—¿Temas? Por favor... —exclamé con desdén—. Las mujeres en el trabajo. El posfeminismo en una época de preliberación. Darle autenticidad a la vida. Hacer compatible el trabajo y la familia en un...

—¿No le has dicho que ya hace años que dejamos de tratar temas sistemáticamente? —interrumpió Isabel.

—Sí, pero...

—Temas —dijo Rudy—. Hablar de temas concretos es lo que hacen las personas cuando no se conocen bien.

—Hablar de temas concretos es lo que les gusta a los hombres —dije.

Lee meneó la cabeza y nos miró con cara de decepción.

—Supongo que ha de ser difícil para cualquiera integrarse en un grupo como el nuestro —dijo Isabel.

Sharon había sido uno de los descubrimientos de Lee, e Isabel no quería que se sintiese mal.

—Formamos un grupo muy sólido —prosiguió Isabel—. Es inevitable que toda recién llegada se sienta como una extraña, por mejor que la acojamos.

—Pues... no veo por qué —dije, pese a ser consciente de que Isabel tenía razón. En realidad quería que siguiésemos comentándolo—. No creo que sea porque somos aburridas, ¿verdad? —añadí mirando a Rudy—. ¿Os acordáis de la calva? De aquella especie de *punky* de mediana edad. ¿Cómo se llamaba?

—Moira, y era simpática —dijo Rudy a la defensiva, porque fue ella quien la invitó a formar parte del grupo.

—No he dicho que no lo fuese. He dicho que era calva, como una bola de billar.

—¿Cuánto hace que formamos el grupo? —preguntó Isabel para atajarme.

Cada cuatro o cinco reuniones siempre hay alguien que lo

pregunta. Lee sabe la respuesta y todas reaccionamos con expresión de incredulidad.

—En junio hará diez años —contestó Lee.

—¡Diez años!

—¡Dios mío!

—¡Quién iba a decirlo!

—¡Por nosotras! —dijo Rudy levantando su copa.

—Por nosotras —brindamos todas.

Mientras bebíamos pensé dos cosas: ¡Qué afortunadas somos! Y ojalá dure siempre.

—Bueno... mañana le harán a Henry el tercer análisis de esperma —dijo Lee—. Hasta ahora no ha resultado nada... consistente. A ver si esta vez sí.

—¿Que su esperma no es consistente? Ah, pues si no es consistente no me gusta —dije riendo.

—Me refiero a los resultados. Después del primero dijeron que tenía pocos espermatozoides; y después del segundo que era normal. La morfología resultó normal en el segundo, pero anormal en el primero. Y en ambas pruebas la motilidad fue del grado II, que significa lenta y sinuosa.

—¿A qué se refieren con la morfología? —preguntó Rudy.

—A la forma de los espermatozoides. Si el espermatozoide es demasiado irregular, podría no encajar en el acrosoma, que es el paquete de enzimas de un extremo que lo ayuda a penetrar por la capa del óvulo.

—Vale, que estoy comiendo —dije por alegrar el tema. Las batallas de Lee contra la infertilidad hace ya dos años que duran, casi la mitad del tiempo que lleva casada, y empiezan a obsesionarla.

Estoy tan acostumbrada a que ella sea la alegre, la equilibrada y la competente del grupo que se me hace cuesta arriba verla porfiar y perder siempre. Hay personas que se salen siempre con la suya de un modo casi insultante, y una no puede evitar cierto cosquilleo de satisfacción cuando algo se les tuerce. Por lo menos eso me pasa a mí. Pero no con Lee. Tiene un trabajo fabuloso, mucho dinero, un cielo de esposo que la adora. Hace casi diez años que la conozco y en mi opinión merece todo lo que tiene. No me gusta verla decepcionada. Nunca. Es más, me duele.

Hace un par de reuniones, durante sus «quince minutos» nos

dijo con lágrimas en los ojos lo mucho que anhelaba tener un hijo. Eso es todo, pero no pude soportarlo. Tuve que levantarme e irme a la cocina. No podía mirarla.

—Bueno... Por lo menos después del análisis de mañana sabréis algo más —dijo Isabel—. Lo peor es siempre la incertidumbre.

—Desde luego —asintió Lee, y se echó el pelo hacia atrás con los dedos. Un cambio de tema a cargo del lenguaje corporal.

Lee apenas llega al metro sesenta, es menuda y delicada, pero nada frágil. Juega a golf y tenis, nada, baila —actividades físicas de la clase alta— y lo hace todo bien. Una noche, después de haberme pasado un poco con los gin-tonics la desafié a que echásemos un pulso. Y me aplastó el puño contra la mesa casi sin enterarme.

—Bueno, yo ya estoy —dijo ella risueña—. Ahora te toca a ti, Rudy.

—¿Eso es todo? ¿Que el trabajo te va bien, que tus padres te atosigan y que a Henry le hacen un análisis de esperma mañana?

—Pues sí, eso es todo —repuso Lee sonriente—. O sea que así tienes veinte minutos y estoy segura de que los utilizarás.

Rudy se echó a reír.

—De acuerdo. Veréis, últimamente —dijo Rudy inclinándose hacia Lee y tocándole la mano— Curtis y yo hemos estado pensando...

—¿Qué?

—Pues que hemos decidido que quizá haya llegado el momento de que vayamos por un hijo.

Rudy lo dijo mirando a Lee pero no a mí. Me uní a las sorprendidas exclamaciones de buenos deseos, pero por dentro me quedé helada. Mientras no tuviesen hijos, la inevitable ruptura de su matrimonio sólo haría daño a dos personas, y a mí sólo me importaba una de ellas. Oh, no, un hijo no. Desde el otro lado de la mesa Isabel me dirigió una velada mirada. Estaba pensando lo mismo que yo. Su opinión sobre Curtis Lloyd es más suave y gentil que la mía, pero cuando la presiono convenimos en lo esencial: es un imbécil.

—Le he dado muchas vueltas antes de decidirme a decíroslo —le estaba diciendo Rudy a Lee—, pero me ha parecido peor ocultártelo, como si no te creyese capaz de digerirlo...

—¡Qué va! Me alegro de que me lo hayas dicho. Y me alegro muchísimo por ti, Rudy.

—Pero luego me he dicho: ¿Y si me quedo encinta? ¿Cómo voy a ocultárselo entonces?

Se echaron a reír y empezaron a bromear diciendo que podía dar al niño en adopción a una familia gitana para que lo criase en secreto. No estaba segura de si Lee fingía o no. Pero si alguien en su situación podía alegrarse de que Rudy pudiese tener un hijo era Lee. Por otro lado, Lee es humana y el momento no parecía muy oportuno. Si Rudy se queda encinta es inevitable que a Lee le duela pensar que ella no pueda.

Me levanté por más pan y cuando regresé Rudy estaba hablando de su proyecto de estudiar paisajismo. Yo no abrí la boca y dejé que Lee e Isabel la animasen a hacerlo. Pero creo que no lo va a hacer. El año pasado se entusiasmó con un trabajo de asesoría de una sociedad dedicada a la compra de obras de arte, para una de las grandes empresas de la ciudad, no sé si era una inmobiliaria o una empresa de gestión de franquicias. No lo recuerdo. Sería un milagro que lo consiguiera porque abandonó la carrera de bellas artes cuando lo único que le faltaba para acabar era su tesis de licenciatura. Pero era bueno verla interesarse por todo, y por eso la animamos a que lo hiciese. Al final ni siquiera lo intentó. No llegó a enviar el currículum. Oh, Rudy, ¿por qué no?, le preguntamos. Porque la habría obligado a viajar mucho. ¿Y bien? Pues que Curtis no quería.

No puedo soportar a ese retorcido paranoico.

Cuando me tocó hablar les conté una historia bastante divertida acerca de una cita a ciegas que tuve en Nochevieja (que, créanme, no fue en absoluto divertida mientras la tuve). Lee rió de tan buena gana que tuvo que sacar unos kleenex para limpiarse las lágrimas.

—Oh, Emma, eso no tiene precio —exclamó—, ¿dónde encuentras a esos hombres?

—Soy como un imán de ligues. Se me pegan como soldaduras de plomo. No sabéis la suerte que tenéis vosotras. En fin... ya he contado lo mío. Ahora le toca a Isabel. No tengo más que contar, salvo que he de entregar el lunes mi colaboración al *Washingtonian*. Así que ya está. Vamos, Isabel...

—Un momento. No tan deprisa —me atajó Lee—. ¿Y lo de ese casado? ¿No hay novedades?

Hace un par de semanas, en un momento tonto, cometí el

error de hablarle de Mick a Lee e Isabel. Pero no mencioné su nombre ni les di detalles que pudiesen identificarlo. Sólo les dije que veía de vez en cuando a un hombre casado, y que no teníamos relaciones pero que estaba empezando a volverme loca por él. Esto trivializa mis sentimientos pero supuse que el grupo me conoce lo bastante bien para descifrar mis códigos autodefensivos. El caso es que me sinceré, no pude evitar desahogarme. Pero no me aportó ningún alivio ni satisfacción ya que no podía entrar en detalles escabrosos. Lee va a clase de ballet con Sally y Henry está intimando con Mick. De modo que se ha formado un buen lío, o mejor dicho me lo he formado yo. De modo que les dije que «era alguien de mi trabajo», algo que hay que reconocer es en cierto modo verdad.

—O sea que no —dije—, nada nuevo en el caso del hombre casado.

—¿Has dejado de verlo?

—Me lo encuentro de vez en cuando. Y sólo hablamos.

—¿Significa que aún sigues interesada por él?

—Mira... Es algo imposible —dije sonriente. Me encogí de hombros y jugueteé con los cubiertos.

Lee captó el trasfondo.

—De acuerdo —dijo—. Porque últimamente no hablabas de él. Pero estás bien, ¿no, Emma?

—Claro que sí. Estoy perfectamente. Si no hablo de él es porque no hay nada que decir.

—De acuerdo.

—De acuerdo —dije riendo. Rudy me dirigió una mirada adusta pero la ignoré—. Y bueno, Isabel, ¿qué tal te van las clases?

—Estupendamente. Me han puesto un notable en el examen final sobre problemática familiar.

Vivas y palmadas en la mesa. Isabel terminará por acabar la carrera de ciencias sociales.

—Aparte de esto...

Aguardamos expectantes, pero Isabel se limitó a menear la cabeza y sonreír. Parecía especialmente sosegada aquella noche. Lo noté. La miré con mayor detenimiento. Cada vez me da la impresión de estar más joven y bonita. Durante la época en la que le estuvieron aplicando quimioterapia se le cayó bastante el pelo, pero ya lo tenía muy canoso. Sin embargo, al volver a crecer le ha salido más suave y lozano, como el de una jovencita. Y le queda bien, no resulta incongruente o demasiado juvenil, porque en su sereno rostro apenas hay arrugas. No obstante, no da la impresión de placidez sino de serenidad. Su natural sosiego me recuerda más al de los santos medievales que a los estudiantes de ciencias sociales. Pero lo cierto es que no me recuerda a nadie. Porque Isabel es única.

—¿De verdad no tienes nada nuevo que contar? —la urgió Lee.

—Pues no. Apenas nada.

—¿Y tu vecino? ¿Y no tenías que ir al médico?

—He pensado en Gary —dijo Isabel—. O, más exactamente he estado pensando en la infidelidad y el perdón. En la infidelidad sexual, en lo distinta que es en los hombres y en las mujeres. Para nosotras es imperdonable. Para ellos... no significa nada.

—No para todos los hombres —la corrigió Lee.

—No.

Lo dijo con tal suavidad, y le tocó el brazo a Lee con tal delicadeza que, al reparar en el enorme afecto que se tenían, sentí celos.

—Es verdad. No para todos los hombres —reconoció apoyando el mentón en las manos entrelazadas—. He pensado en Gary últimamente —repitió— y os contaré algo acerca de su última novia.

—¿Te refieres a Betty Cunnilefski? —preguntamos con una risita, como siempre que salía a colación el nombre de Betty.

—No. Betty fue la primera. O por lo menos la primera de que me enteré. Hubo otras.

—¿Otras? ¿En plural, Isabel? —exclamé mirando a Rudy, que parecía tan sorprendida como yo. Lee guardó silencio porque ya debía de saberlo.

—¿Y por qué no nos lo has contado antes? —exclamó Rudy leyéndome el pensamiento.

—Es que... —repuso Isabel encogiéndose de hombros con expresión de impotencia—. Porque no os lo quería decir... hasta ahora.

—¿Te resultaba embarazoso? —teorizó Rudy.

—No... O quizá sí. En parte. No es fácil reconocer haber querido a un hombre que te ha sido infiel durante los veintidós años que has vivido con él.

—Sí, pero...

—Creo que he tenido que aguardar a ser capaz de perdonarlo para podéroslo contar.

—¿Perdonarlo? ¿Perdonar a ese cabrón? Mira, Isabel, ya se pasó con aquella zorra cunnilingual. ¿Por cuántas más habrás de perdonarlo?

Yo despotricaba interiormente contra Gary pero también estaba furiosa con Isabel, por habernos ocultado aquel pequeño detalle acerca de su vida. Y ella lo notó. Alargó la mano hacia mí desde el otro lado de la mesa.

—Era un asunto demasiado desagradable. No habría servido de nada contarlo antes. Sólo me habría producido más amargura.

—¡Vamos, mujer!

—¿De verdad no te das cuenta de que no me habría ayudado en nada? Habría acentuado mi rencor.

—Ya. Has esperado hasta conseguir el equilibrio; el equilibrio cósmico. No hace falta que digas más.

Isabel me dirigió una mirada comprensiva.

—No te enfades. Cada cosa tiene su momento. Y aún no había llegado el momento adecuado para contároslo todo acerca de Gary y de mí. Ahora es distinto.

—Muy bien —dije sonriente. No iba a enfadarme con ella y opté por no replicarle que para contárselo a Lee sí que le había parecido que era el momento, hacía mucho tiempo. Pero decírselo así habría sido tanto como reconocer unos celos infantiles, una de mis fallas de carácter que prefiero no poner demasiado en evidencia.

Rudy intervino para romper la embarazosa pausa que se produjo.

—¿Y qué tal esa última zorrita, Isabel?

—Se llamaba Norma y no era precisamente una zorrita. Era contable, otra de las conquistas de Gary en la oficina. Después de lo de Betty siempre notaba cuándo estaba acostándose con otra.

No pude callarme.

—¡Por Dios, Isabel! ¿A cuántas se ha tirado?

¿Gary Kurtz? Me parecía inimaginable. Es de esa clase de tipos achaparrados de mediana edad, barbudo, una especie de Papá Noel pero sin la cordialidad que aquel irradia. Un chupatintas que trabaja en un organismo del Departamento de Comercio, realizando una tarea tan gris que ni siquiera recuerdo lo que es.

—No lo sé —contestó Isabel, y me miró con las cejas arqueadas y una expresión severa, poco habitual en ella—. Sólo sé que la última no iba a dejarlo. De modo que fui a verla.

Todas ahogamos una exclamación de sorpresa.

—¿En serio?

—¿Fuiste a verla?

—Busqué su número de teléfono en la guía: Norma Stottlemeyer. Vive en un apartamento en Colesville Road.

—¿Y cómo sabías su apellido?

—Me lo dijo Gary. Nunca negó nada. Eso debo reconocérselo. Nunca me mintió.

—Pues a mí eso me parece aún peor —dijo Lee visiblemente indignada.

—Un sábado por la mañana, aprovechando que él estaba en casa le dije que iba a Safeway. Y fui en el coche hasta Silver Spring, uno de esos bloques ajardinados que hay junto a la carretera en Colesville. Muchos niños jugando en el parque, juguetes de plástico por todas partes. Me horroricé al pensar que podía destrozar su familia. Pero tenía preparada una excusa por si me abría la puerta un hombre, o un niño: que recaudaba fondos para la leucemia.

—Buena excusa.

—No del todo. Porque no tenías nada que te identificase —señaló Lee, siempre práctica.

—Bueno, el caso es que fue ella quien abrió la puerta. Llevaba un albornoz rosa de toalla. Pero ya antes de entrar comprendí que vivía sola. No sé... enseguida me dio esa impresión.

—¿Qué edad tiene?

—Veintitantos; menos de treinta.

—¡Menuda cabrona! ¿Qué aspecto tenía?

—Era temprano y la pillé desprevenida. Aún no se había arreglado.

Rudy y yo meneamos la cabeza y nos miramos con expresión de incredulidad. La buenaza de Isabel tenía la delicadeza de justificar el aspecto de la zorra que se estaba tirando a su marido.

—O sea ¿que es fea? —dije.

—No, fea no. Pero no estaba muy atractiva. No me pareció nada sexy ni interesante. Muy corriente. Cuando le dije quién era se quedó blanca. Creí que iba a desmayarse.

—O sea que no lo sabía, ¿no?

—Sí, sabía que él estaba casado, pero fue la sorpresa de verme lo que la desconcertó. Retrocedió un poco como para invitarme a entrar y enseguida comprendí que nuestra conversación no iba a degenerar en ningún drama. No estaba agresiva.

—Astuta, la muy cerda.

—Su apartamento parecía amueblado y decorado con trastos de segunda mano. Esa fue la impresión que me dio. Seguro que te habría inspirado para escribir algo divertido, Emma —dijo Isabel, y lo interpreté como un cumplido—. Me hizo pasar hasta la cocina, no al salón. Se oía música procedente del apartamento contiguo. En la repisa tenía un bol con sopa, por la mitad. O sea que había desayunado sopa. Alubias y beicon. —Sonrió de medio lado, con una mueca entre amarga y pensativa, y prosiguió—: Tenía uno de esos soportes de especias de seis frascos encima de la cocina; frasquitos etiquetados. Compraba especias, las echaba en los frasquitos y les ponía etiquetas: canela, pimienta, ajo en polvo, etc. Sólo tenía seis.

Isabel nos miró entre compadecida y perpleja. Pero no sé qué le parecía más patético, el hecho de que Norma etiquetase las especias o que sólo utilizase seis.

—Y en la puerta del frigorífico había unos gatitos esmaltados e imantados. Tenían música. Al retroceder y tocar la puerta se le cayó un gato y se puso a cantar: «Eres el sol de mi vida.»

—Me estás matando, Isabel —dije muerta de impaciencia.

—Ve al grano —la apremió Rudy.

—Como vi que ella no iba a abordar el tema le dije que quería ver qué clase de persona era; o sea, la pura verdad, porque a eso exactamente había ido, a verla, a tratar de entender qué era lo que Gary encontraba tan atractivo. Pero ella lo interpretó como un reproche y rompió a llorar.

—Ay, Dios.

—¿Y tú qué hiciste?

—Pues llorar también. En serio. Nos dimos la espalda, nos llevamos las manos a la cara y lloramos a moco tendido. Yo me limpié las lágrimas con un pañuelo y ella con una servilleta de papel.

—¡Qué cuadro! —exclamó Rudy, que tuvo que dominarse para no reír.

—Y a partir de ese momento perdí interés en la visita. Resultaba una enemiga tan digna de lástima que no podía odiarla. Pero por primera vez sentí desdén hacia Gary. Sólo un intenso desdén.

—Gary es un cerdo —dije.

—Norma dejó de llorar y dijo que lo sentía, que lo sentía mucho y que dejaría de verlo. Le pregunté si estaba enamorada de él y me contestó que sí. —Esbozó una sonrisa y añadió—: Pero no creo que sea verdad. Y también creo que ella se percató de ello en ese momento. Le dije que no me importaba que lo siguiese viendo o que dejase de verlo, porque yo lo iba a dejar. Y que quizá ella debería hacer lo mismo.

—Muy bueno —dije dando una palmada.

—Después volví a casa y le dije a Gary que habíamos terminado. Mi único error fue que...

—Dejarlo en lugar de echarlo —se adelantó Lee a terminar la frase que adivinaba. Y todas asentimos.

Aquel gesto tan digno le costó a Isabel quedarse sin la casa en el acuerdo de divorcio al que llegaron. El cerdo de Gary sigue viviendo allí, con el lujo propio de las urbanizaciones de la zona; sigue cortando el césped, mientras Isabel ha de resignarse a vivir en un exiguo apartamento de un solo dormitorio en una sórdida calle de Adams-Morgan.

Isabel contrajo cáncer de mama dos años después de dejar a Gary, que demostró la clase de persona que es intentando dejarla sin su póliza de la Seguridad Social. Isabel interpuso recurso y lo ganó, pero era una batalla que pudo ahorrarse en un momento de su vida tan doloroso para ella. Creo que más que por sus excesos de mujeriego detesto a Gary por haberle hecho aquello.

—La verdad es que no sé por qué os lo he contado —dijo Isabel meneando la cabeza—. Porque lo cierto es que hacía siglos que no pensaba en Norma.

—Es una triste historia —dijo Rudy.

—Todo empezó cuando has comentado que últimamente has estado pensando en el tema de la infidelidad —le recordó Lee.

—Sí, pero sin ninguna razón en especial.

¿Fueron figuraciones mías, impulsadas por el sentimiento de culpabilidad, o realmente me miró entonces Isabel? ¿Fue una escrutadora mirada para ver si había captado yo el mensaje? Porque también yo había pensado mucho últimamente sobre la infidelidad. No sé si sería capaz de cometer adulterio. Pero si había trata-do de insinuarme algo, lo hizo con suma inteligencia. Me convie-ne tener en cuenta que si llego a mantener relaciones con Mick Draco no me diferenciaré de las Norma Stottlemeyer de este mundo más que en los muebles de segunda mano.

Isabel apoyó los antebrazos en la mesa y se inclinó hacia adelante.

—La verdad es que... lo dicho: no sé por qué os lo he contado —dijo con tono suave pero firme—. En el fondo lo que quería que supieseis es que le he perdonado. —Hice un ademán desde-ñoso pero Isabel me atajó con otro y prosiguió—: No, escuchad, que es importante. Nadie sabe por qué hace un hombre lo que hace...

—Pero Isabel... hay normas que...

Repitió el mismo ademán, aunque ahora con mayor energía. Y me callé.

—Nadie sabe por qué determinada persona actúa como ac-túa. Por lo menos no sabe todas las razones, ni todo lo que la ha impulsado a ello, ni de qué armas dispone en su interior para combatir la tentación. Nunca podemos saberlo. Todo lo que pre-tendo deciros es que la vida es demasiado corta. Muy corta, y no puedo malgastar la mía con el resentimiento. Perdonar no implica debilidad, ni tampoco que una carece de criterio moral. Buda de-cía que desear vengarse es como escupirle al viento, que te devuel-ve el escupitajo.

Isabel separó las manos en actitud beatífica. Parecía un ángel iluminado por el resplandor de las velas que olían a vainilla.

—Creo que es cierto que todos somos uno —dijo sonriendo con timidez, consciente de lo grandilocuente que podía sonarle aquello a alguien pongamos como yo—. Pensar sólo a título indi-vidual es un espejismo. Si perdono a Gary me perdono a mí mis-ma.

—Pero olvidas el pequeño detalle de que no hiciste nada que tengas que perdonarte —tercié, más que nada por romper el silen-cio. La triste sonrisa de Isabel venía a decir que yo no acababa de entenderlo, pero que eso no disminuía en nada el cariño que me te-nía.

Me levanté a hacer café. Reduje la luz para servir el postre (un pastel con velitas que había hecho Isabel). Una pequeña obra de arte. Y cantamos: «Porque es una chica excelente, porque es una chica excelente...» Y ella sopló las velas.

—Tenía que haber traído la filmadora —se lamentó Lee—. Estoy muy orgullosa de ti —añadió mirando a Isabel y besándola en ambas mejillas.

—Y yo también —dijo Rudy inclinándose para abrazarla—. Me alegro mucho de que al fin decidas hacer algo por ti. Estoy segura de que en adelante todo te irá mejor.

—Claro que sí —dije—. La segunda mitad de tu vida será maravillosa.

—¡Por la segunda mitad de la vida de Isabel! —dijo Lee, e hicimos un brindis de lo menos ortodoxo, con tazas de café, copas de agua y de vino.

No creí que Isabel pudiese decir nada, tan abrumada estaba. Y casi me hizo llorar. El azul de sus ojos brillaba.

—¡Por nosotras! —dijo sin embargo.

—¡Por nosotras! —la secundé—. ¡Y por que vivamos eternamente! —añadí con mi brindis favorito.

Rudy se quedó cuando Lee e Isabel se marcharon. Fui a ponerme el abrigo y salimos al porche a fumar y contemplar la Luna. En mi barrio una tercera parte son negros, otro tercio son blancos y el resto hispanos. Y me gusta que así sea. Refleja la realidad. Aunque a veces resulta demasiado real, como cuando las sirenas de los coches patrulla y las radios de la policía te despiertan a las cuatro de la madrugada; lees que han robado en la casa de la esquina o te topas con un camello frente a la tienda de comestibles. Con todo, me gusta la mezcla de razas y clases sociales. Además casi todos somos respetuosos con la ley y no tratamos más que de salir adelante. Aquella noche fue apacible, con una tranquilidad realzada por la luz opalina que fluía de las ventanas de mis vecinos. No salía nadie más que a pasear al perro.

—Isabel estaba muy tranquila, ¿no crees? Salvo cuando ha contado lo de Norma —me dijo Rudy.

—No me he fijado.

—¿De verdad crees, Emma, que a Lee no le importa que Curtis y yo busquemos un hijo?

—Supongo que ha de ser duro para ella no poder tener hijos —dije con todo el tacto que pude—. Aunque quizá no sea aún consciente de ello. Creo que a ella y a Henry les espera una temporada difícil.

Rudy suspiró y yo seguí con la mirada mi aliento condensado en el aire como plateados jirones.

—De modo que buscáis un hijo, ¿no? Pensé que Curtis no estaba por la labor.

Me dirigió esa mirada tan festiva y maliciosa que utilizamos ambas cuando hablamos de él.

—No lo estaba, pero lo he convencido. En el nuevo trabajo de que te hablé ganará más del doble. Y eso sólo para empezar. Ya están casi de acuerdo para firmar.

—Con dos socios, ¿no? O sea que tendrá bufete propio. Perfecto.

—Sí. De modo que el dinero no será problema.

—¿Y era por el dinero por lo que no quería?

—Prácticamente. ¡No sabes la ilusión que me hace, Emma! No he querido exteriorizarlo para no herir a Lee. Pero ¿te imaginas? ¡Ser madre!

—¿Y qué opina Greenburg? —pregunté saliéndome por la tangente.

Aspiró nerviosamente el humo del cigarrillo y tiró la ceniza por la barandilla del porche.

—No me lo dirá. Se limita a preguntarme lo que opino yo —dijo risueña—. Probablemente no lo ve bien.

—Bueno, pero no puedes condicionar tu vida a lo que opine tu psicólogo —dije, aunque a veces pienso que no sería tan mala idea.

Siempre trato de sonsacarle, de un modo un tanto sinuoso, qué opina Greenburg de Curtis. Pero Rudy nunca me lo dice. De modo que o bien ella sabe esquivarme muy bien o Greenburg la sabe esquivar muy bien a ella. Aunque no estoy demasiado segura de querer que Greenburg la desilusione acerca de Curtis. A veces creo que debe de seguir la misma táctica que yo, que se traduce en no hablar mal de Curtis para no herir a Rudy.

—Por supuesto que no. Ni puede una posponer tener un hijo hasta estar en perfecta salud mental. ¡Me habré muerto cuando esté cuerda!

—Bueno, pues espero que sea niña y se parezca a ti, no a Curtis —bromeé.

Ella se rodeó los hombros con las manos, riendo. Le brillaban los ojos con expresión esperanzada. Y entonces comprendí lo mucho que deseaba un hijo.

—Dentro de nueve meses podría ser madre, Emma —dijo mirando la luna. Se estremeció de frío.

—Ojalá —repuse sinceramente—. De verdad, y creo que será maravilloso.

—Gracias. Significa mucho para mí que te alegres. Bueno, ya es tarde. He de irme.

Me abrazó con fuerza y yo le devolví el abrazo con menos vigor. Se le había olvidado preguntarme por Mick. Y estoy tan afectada por este asunto que no me sentí con ánimo de sacar el tema.

—¿De verdad te has de marchar ya? Sólo son las once.

Una indirecta directísima: Anda, quédate un rato más y pregúntame por ese hombre que me tiene tan obsesionada.

—No, de verdad, he de irme. A Curtis no le gusta que conduzca de noche —dijo empezando a bajar las escaleras del porche.

—¿Quieres que lo llame y le diga que vas de camino?

—No hace falta. Llevo el móvil —dijo dando una palmadita en el bolso—. Gracias por la cena. Ha estado todo estupendo. ¿Quieres que vayamos al cine el lunes?

Estoy segura de que se me iluminó la cara.

—Claro. Te llamaré el domingo por la noche.

—De acuerdo. Buenas noches, Emma —dijo lanzándome un beso al aire.

Rudy había aparcado media manzana más arriba, pensé, al verla saltar la franja de hierba entre la acera y el bordillo con la pericia de un washingtoniano experto en cacas de perro. Despreocupación, ensimismamiento, negligencia, espera una de las amistades corrientes, pero no de tu mejor amiga. De tu mejor amiga esperas la perfección. Quieres que te lea el pensamiento.

Aparcar en mi calle es una pesadilla. El coche que estaba detrás del Wrangler de color caqui de Rudy la había encajonado. Tuvo que maniobrar atrás y adelante por lo menos diez veces hasta conseguir sacar el morro. Al arrancar, le pasó rozando un coche a toda velocidad, total, para ir a detenerse a menos de veinte metros casi enfrente de casa. Se me encogió el corazón y empecé a correr hacia mi puerta cuando reparé en el coche, un Volvo *station wagon*, y en quién bajaba del coche: Lee.

Rudy y yo la abordamos casi a la vez.

—¿Qué ha ocurrido? ¿Dónde está Isabel? ¿Qué ha pasado?
Estaba llorando, sin habla. Tuve que zarandearla.

—La he acompañado a casa... y me lo ha dicho, aunque me ha
pedido que no lo diga.

—¿Qué?

—El cáncer.

—¡Oh, Dios mío!

Lee tragó saliva. Le temblaba la mano.

—Se le ha reproducido. El médico está casi seguro. Pero le
han de hacer otro escáner.

Lee se desmoronó. Rudy la abrazó. Yo las rodeé a ambas con
los brazos. Y nos quedamos allí en la calle, como si se nos escapara
la vida.

Se acercó un coche e hizo sonar el claxon.

—Vamos —dije yendo hacia el coche de Lee, que lo había dejado
en marcha—. Conduce tú, Rudy.

—¿Adónde? ¿A casa de Isabel?

—¿Adónde si no?

—Pero... es que me ha pedido que no os lo dijera —dijo Lee
llorosa—. ¡Se supone que no os lo he dicho! —gritó.

Yo la miré con fijeza.

—De acuerdo —dijo ella, algo más rehecha—. Vamos.

12

Isabel

Recuerdo buena parte de mi juventud de un modo borroso, con grandes lagunas, como si periódicamente hubiese contraído amnesia, igual que se contrae el sarampión y la varicela en la infancia. Pero la noche en que me desilusioné de mis padres la tengo tan viva en la memoria como si hubiese sido ayer. Yo tenía ocho años. Lo recuerdo porque lo marqué en mi memoria como la página de un libro con una señal, consciente de que algo importante había ocurrido. Tengo ocho años, pensé. Acabo de comprender algo de papá y mamá.

Fue en Marshalltown, Iowa, al anochecer de un día de invierno. Recuerdo las llamas de los quinqués que siseaban en el salón y el olor de un radiador; el sonido de la página de un libro al volverla y luego la seca y forzada tos de mi madre. Bajé con sigilo por la escalera y me detuve a mirar a mis padres apoyada en la barandilla. En nuestra pequeña casa no había sitio para un despacho y mi padre escribía sermones en el salón, sentado en su sillón Morris, utilizando los anchos brazos a modo de escritorio, con su cuaderno de notas a un lado y la Biblia en el otro. Estaba sentado con los pies apoyados en un taburete, con un codo apoyado en una rodilla y la frente en el carpo de la mano. Lentamente, sin interrumpirse, redactaba el seco e inefablemente aburrido sermón que pronunciaría en un frío monólogo el domingo siguiente en la capilla de la Iglesia Evangélica Luterana de la Concordia.

Al otro lado de la trenzada alfombra azul de forma ovalada, junto a una lámpara de pie de bronce a la luz de una bombilla de

60 vatios, mi madre daba cabezadas con una gruesa tela en el regazo —quizá una cortina o alguna de las fúnebres vestiduras de mi padre—. Fruncía ligeramente el ceño a cada puntada y se le relajaba un poco la frente al tirar del hilo hacia arriba. No sonaba música, no había televisión ni radio. Ni conversación. Mis padres estaban uno frente al otro pero de perfil, tan mudos e inmóviles como estatuas.

En aquel momento comprendí —aunque naturalmente sin saber la palabra— el significado del ensimismamiento. Y la futilidad de esperar que algo pudiese cambiar, por lo menos allí, en aquella estancia. Reinaba el silencio, un silencio saturado. No podía haber la menor comunicación entre ellos, entre nosotros. Mi padre hablaba más los domingos en la capilla que durante el resto de la semana en casa. Y esto es lo que comprendí y lo que me salvaría: Algo malo ocurre. Las demás personas no son así.

Pasmada, acabé de bajar la escalera, me acerqué a mi madre y me quedé de pie junto a su silla. Me hizo un gesto, no sé si asintió con la cabeza o se encogió de hombros, pero ni alzó la vista para mirarme ni me habló. Llevaba un jersey de lana color tostado, una blusa tono mostaza, calcetines blancos hasta la rodilla y pantuflas. Tenía cincuenta y tres años. Me recosté en su dura y tensa espalda, observando sus cambios de expresión, pensando en lo gris que tenía su pelo ondulado. Al arrimar mi brazo al suyo me miró sobresaltada.

—¿Qué pasa? —me preguntó, y me tocó la frente con la mano, fría y huesuda, para ver si tenía fiebre.

No supe qué contestarle. Podía haberle dicho que no me encontraba bien, como había hecho otras veces. Yo era una niña inteligente, que no dudaba en fingirme enferma para que me prestasen atención, aunque lo cierto es que también era algo hipocondríaca.

Pero aquella noche fue distinto. Aquella noche me hice mayor.

—Nada —dije, y me alejé.

Mi padre no dejó de escribir ni levantó la vista. Y en aquel momento me decepcionaron, perdí toda esperanza.

Qué lúgubre suena esto. Pobrecita de mí. De hecho, no fue tan duro. Fue mucho mejor desilusionarse claramente, creo, que ansiar y anhelar y albergar falsas esperanzas de una proximidad que nunca se produciría. Mis padres no eran monstruos. Nunca los he odiado. Años después, cuando mi padre agonizaba, lo velamos con mi madre y mi hermana junto a su cama del hospital, tan inexpresivo y mudo como siempre. «Te quiero, papá», le dije una vez (sólo una vez).

En aquel momento aún estaba consciente. Me miró con sus pálidos ojos azules y parpadeó. Se humedeció los labios con la lengua y creí que iba a decir algo. Pero no. Sólo asintió levemente con la cabeza. Y pensé que quizá creyó que con eso bastaba para que lo entendiese. Puede que durante todos aquellos años lo hubiese dado por sentado y creyese innecesario verbalizarlo. Quizá.

Mi hermana es igual que ellos. Apenas la conozco. Como me lleva dieciocho años es más una tía que una hermana, como un pariente al que rara vez veo. Le escribo alegres notas de agradecimiento cuando se acuerda de mi cumpleaños y me envía una felicitación. Aunque últimamente sé más a menudo de ella. A veces me pregunta si creo que deberíamos ingresar a mamá en una residencia. Yo creo que sí. Porque nuestra madre tiene noventa y cuatro años y ya se le va la cabeza. Es extraño: mi madre nunca se volcó en mí, no me dio más que lo esencial, nada de efusivos abrazos, bromas, risas ni conversación. Sin embargo, ahora que prácticamente no está, la echo mucho de menos. Y a mi padre también. Es extraño.

¿Por qué no crecí yo distante y fría, asustada y posesiva, buscando a un hombre tras otro hasta dar con el engañoso abrazo de la aceptación? Quizá sólo en los manuales de autoayuda o en los *reality shows* se diga que es el destino que aguarda a todo niño o niña que crece solitario. La vida real es mucho más complicada. O mucho más sencilla. Pero una cosa sí sé: el amor o la búsqueda del amor es más fuerte que la falta de atención, la indiferencia o el rechazo. Yo lo he buscado en otros lugares, no en casa de mis padres, y lo he encontrado. A veces.

Al final, las Gracias no vinieron a verme aquella noche, cuando Lee regresó a toda prisa a casa de Emma y les dijo a ella y Rudy lo que le acababa de decir que no les dijese. Al llegar a mi calle y aparcar frente a casa se quedaron en el coche discutiendo qué hacer. Optaron por una operación de «reconocimiento», rodear con el coche hasta la parte de atrás y ver si tenía las luces encendidas. Si estaban encendidas, bajarían del coche, llamarían a la puerta y me pedirían entrar.

Pero las luces no estaban encendidas. Siguieron discutiendo y optaron por volver a casa de Emma. Aunque, en realidad, se quedaron dentro del coche de Lee frente a su puerta y estuvieron hablando de mí durante más de una hora. Hicieron bien porque hablar de mí aquella noche tenía que ser más agradable que hablar conmigo.

—Ninguna queríamos bajar del coche —explicó Lee después—. No queríamos *aterrizar*. No queríamos entrar, sentarnos, tomar café y mirarnos. De modo que nos quedamos en el coche mirando por el parabrisas. Como si estuviésemos en un autocine.

Emma se sintió herida porque se lo conté a Lee pero no a ella. Pero, naturalmente, no me lo dijo. Me lo dijo Rudy. Emma todavía imagina que si oculta sus debilidades nadie notará que las tiene. Pero no había más remedio. No pude hacer más que lo que hice. La noticia era demasiado reciente. Y yo estaba demasiado afectada. No tenía que haber ido a casa de Emma aquella noche, pero en el último momento me dije que no podía dejar de ir. Comprendí que allí encontraría calor, porque estaba helada por dentro.

—Metástasis, estoy casi seguro —dijo el doctor Glass—. No sabe cuánto lo siento.

Fue duro oír lo siguiente. Oí que decían «cuarta fase» y oía que decían «ósea» y pensé en el leve dolor de cadera que yo creía una simple distensión muscular. Luego me quedé con la mente en blanco, helada, gélida, paralizada por el pánico. Recuerdo haber salido de la consulta del doctor Glass pero no haber entrado en el ascensor ni salido del edificio. Recuerdo que unos obreros trabajaban con martillos pilones en la calle. El estruendo era tan ensordecedor que me sacó de mi ensimismamiento y reparé en que estaba lloviendo. La parada del autobús quedaba a varias manzanas de distancia. ¿Y si tomase un taxi?, me dije. ¿Para qué? ¿Para ir a casa? ¿Qué sentido tenía? ¿Qué sentido tenía ya nada? Me quedé en la acera mirando a los viandantes ir y venir por el paso de peatones, atenta a que cambiase la luz del semáforo. Una mujer chocó conmigo. «Oh, perdón», se excusó esbozando una sonrisa, y yo la miré como alelada. ¡Qué más da!, exclamé para mí al apartarme. ¿Qué puede importarme que me empuje, que se excuse, comprarme un chaquetón muy cálido, un buen maletín, leer el periódico o ir al oftalmólogo para que me recete gafas nuevas, o reunirme con mis amigas para cenar, o dormir lo suficiente o soñar con unas vacaciones, o conocer a un hombre o tomarme las vitaminas o comprarle un ramo a la florista de la esquina? Nada importa ya. Lo sé. ¿Por qué no lo sabe usted?

Ya estaba psicológicamente hundida desde la última vez que me dijeron que tenía cáncer. Pero me había acostumbrado. Una lluvia gélida empapaba las hombreras de mi gabardina. Me sobresaltó tanto como los martillos pilones. La realidad cotidiana me obligaba a moverme. Podía ir a casa, calentarme y tratar de digerirlo. Mientras una no está muerta está viva. Levanté la mano. De inmediato frenó un taxi y me puse los zapatos perdidos. Le indiqué al taxista la dirección y me llevó a casa.

Desde entonces, he sobrevivido a base de vivir el momento. Le doy la comida al perro, abro el correo, quito las migas de la repisa de la cocina. Contrariamente a lo que creí, mi vida no se detuvo en la consulta del doctor Glass. Sigo adelante y el futuro me parece tan misterioso como siempre. Bueno, no. Eso no es del todo cierto. Lo único positivo que he sacado de mi situación es esto: por lo menos se ha acabado la incertidumbre. Parece que Isabel Thorlefsen Kurtz morirá de cáncer de mama, no en accidente de automóvil, ni de vieja, plácidamente dormida en la cama, ni de sida ni de infarto, ni tiroteada en un supermercado. Ya se acabó darle vueltas. Al fin lo sé. Y algo es algo.

Tenía que estar abierta a la verdad, no fingir ni disimular, prescindir de la ironía y la pasividad. Pero la aceptación es la muerte —perdón por el sarcasmo— en la famosa lista de los cinco estadios. Primero viene la negación, pero esa fase parece que la he superado. Supongo que debido a la anterior experiencia. Haber tenido cáncer antes me ha endurecido, por lo menos en cierta medida. ¿Qué diferencia hay entre una esperanza y una falsa esperanza? ¿Quién puede decir cuál es el «mejor modo» de morir? ¿Cómo voy a saberlo yo? ¿Cómo va a saberlo nadie? Oh, ya veo que está justo empezando. Pronto estaré muy familiarizada con estas y todas las preguntas sin respuesta.

Pero tengo cosas que hacer, decisiones que tomar. He de mantener la cabeza clara y no ofuscarme. Para eso voy a tener tiempo de sobras. No estoy preparada para encajar la conmiseración de quienes me quieren (esto es lo que Emma no podía entender). Pero se lo haré entender, aunque todavía no. Aún no puedo.

He de aferrarme un poco más de tiempo a mi normalidad, a mí misma. Por eso no he llamado a nadie. Debo poner mi casa en orden. Es crucial mantenerse activa, hacer planes, seguir con mi vida igual que antes, como si todavía tuviese significado. Y debo admitir que en mi fuero interno algo insiste en que cabe la posibilidad de que salga de esta; una voz queda pero firme que dice: «Sólo tienes cincuenta años, no vas a morir. No puede haberse terminado.»

Los dos últimos años han sido los mejores de mi vida, y no los hubiese vivido de no haber enfermado. De modo que inevitablemente debo preguntarme si mereció la pena. ¿Ha sido justo? Aparentemente ya lo tenía todo. La vida es para vivirla, no para complacerse en el pasado. Me han sido concedidos dos espléndidos años de mortificante incertidumbre y de inesperada satisfacción. ¿Compensa? Le temo a esa pregunta.

Todo conspira contra mí, todas las cosas que amo. Preparo un té indio y lo bebo con miel de azafrán y saboreo el almizcleño y ahumado sabor como nunca. Si me tomo un whisky me sirvo un dedito y lo bebo a pequeños sorbos, paladeándolo. Luego dejo que su vigoroso sabor varonil descienda por mi garganta. Anoche cayeron poco más de dos centímetros de nieve. Abrí la ventana, hice un montoncito y lo dejé fundir en la palma de la mano. La probé con la punta de la lengua. Tenía un sabor metálico, a tierra, a... Un sabor delicioso. No me sacio con nada. La música... Pero cuando pongo la sonata de Beethoven que siempre me hace llorar al llegar el adagio, me desmorono.

Gracia sospecha algo. Me observa. La sorprendo a menudo mirándome con sus grandes ojos marrones. Me mira con fijeza y preocupación. Es un amor de perrita. Debe de tener ya diez años y quizá me sobreviva. No contaba con eso.

Pequeñas cosas. La idea de perderlas las hace mucho más queridas. Es fácil olvidar en momentos como estos que la vida también entraña crueldad, indiferencia, brutalidad, perversión, intolerancia, miseria, codicia, venalidad, locura y corrupción. Pero sólo pienso en los aspectos amables. En las cosas sencillas. En la luna en cuarto creciente, en el sabor de una naranja. El olor de las páginas de un nuevo libro. Si me detengo a escuchar puedo oír a Kirby moviéndose en su dormitorio que está justo encima del mío. ¿Podía haber sido mi amante? Escucho las voces de mis amigas que me llaman y me dejan mensajes: «Isabel, oh Dios, no sé qué decir»; «Isabel, por favor, llámame. Te quiero». Sé que no puedo mantenerme alejada de ellas mucho tiempo. He de decírselo a mi hijo, a mi madre, a mi hermana. Oh, es como si el mundo se me viniese encima, como si todas las piezas de mi corazón se abalanzasen sobre mí a la vez. Si no tengo cuidado, el amor me aplastará y me dejará lisa como un papel de fumar.

El martes me harán un escáner de huesos. Es una pura formalidad, porque Glass ya lo sabe. Y el miércoles habré de ir de nuevo a su consulta. Ha prometido decírmelo todo. Me llevaré un cuaderno y anotaré cuanto me diga. He de estar atenta y no perder la concentración. Le llevaré una lista de preguntas. O quizá no.

Lo que sí haré es pedirle a Lee que me acompañe.

13

Lee

Al principio creí que yo era la única que no podía soportar al doctor Glass, pero resultó que todas lo detestábamos. Aunque, salvo Emma, todas nos mostrásemos educadas.

—Mire usted, no entiendo nada de lo que dice —dijo Emma inclinándose, y alargando el cuello como si porfiase con una traílla que tirase de ella hacia atrás—. Verá, usted es médico pero nosotras no. ¿Le importaría utilizar palabras comprensibles?

Nunca la había oído tan crispada. Normalmente me hubiese resultado muy embarazoso, entre otras cosas porque creo que se gana muy poco mostrándonos belicosos. Pero yo también estaba furiosa y, a su manera, Emma expresaba lo que todas sentíamos.

Detrás de la mesa del doctor Glass la pared estaba llena de diplomas enmarcados. Tenía un despacho regio, mucho personal y colaboraba con prestigiosos hospitales. Pero carecía del don de infundir confianza y trasmitir la sensación de que, quienes acudían a la consulta temerosos de oír lo peor, le importaban por lo menos un poco. Es posible que sí le importasen, pero nadie lo hubiese dicho, a juzgar por la inexpresividad de sus ojos y su esbozada sonrisa, y menos aun de sus palabras, casi inaudibles. Movía los labios como un ventrílocuo (o sea que apenas los movía). Teníamos que inclinarnos para oírlo, yo con el cuaderno pegado al pecho (como encargada oficial de tomar notas) y alargar el cuello para captar su rápida farfulla.

—Digo que no existe curación quirúrgica para un cáncer que ya se ha extendido más allá de su lugar de origen. Con todo, toda paciente con metástasis de mama en fase cuatro tiene varias opciones de tratamiento, aunque algunas pueden no ser indicadas en un caso concreto, y a veces en ninguno. En este caso, tenemos...

—En el caso de *Isabel* —lo atajó Emma—; la paciente se llama Isabel.

—Emma... —dijo Isabel, que estaba blanca como la cera pero serena, más serena que nosotras.

Incluso cuando el doctor Glass mencionó que había metástasis en la columna vertebral y la pelvis, en ambos fémures y las costillas, Isabel siguió con las manos entrelazadas en el regazo. Lo miraba con fijeza, sin apenas parpadear. A mí me temblaban tanto los dedos que casi no podía tomar notas. Era sólo la manera de expresarse que tenía el médico lo que me hacía tan difícil transcribir sus palabras. Era como si mi mente funcionase de manera intermitente. Me producía una sensación extrañísima, como si el miedo provocara un cortocircuito en mi cerebro.

Por lo menos no lloré. Pero Rudy sí. Para que Isabel no lo viese se levantó y fue hacia la ventana, figiendo mirar el tráfico de Reservoir Road. Pero la vi sacar el pañuelo del bolsillo y pasárselo por los ojos. ¡No se te ocurra desmoronarte!, sentí el impulso de gritarle. No nos hubiese faltado más que eso. El mal talante de Emma actuó como elemento de distracción. Podíamos centrarnos en él en lugar de en las horribles y desoladoras explicaciones que el doctor Glass iba desgranando.

—En el caso de Isabel —dijo entornando los ojos tras sus bifocales—, en el que tenemos carcinomatosis alejada del origen, con una paciente en situación de menopausia, con un estatus de positivo estrógeno pero negativo de progesterona, así como un antecedente de quimioterapia, digo que las modalidades de tratamiento disponibles se han reducido y son algo limitadas.

—¿Y qué hay del trasplante de médula ósea? —preguntó Emma sujetándose a los brazos del sillón como si fuese a saltar—. Eso podría curarla, ¿no?

El doctor Glass unió las yemas de los dedos y frunció los labios.

—Tendríamos que considerar muchos factores antes de poder recomendar un ABMT/BCT...

Emma desentrelazó las piernas y golpeó la alfombra con el tacón.

—... a un trasplante de médula ósea me refiero —aclaró Glass—. Por lo pronto, yo no descartaría una terapia antiestrógena, aunque el hecho de que ya haya probado el tamoxifen, con resultados obviamente negativos, no me permite albergar muchas esperanzas. El último recurso es la quimioterapia. Y no hay modo de saber si responderá usted mejor a una ADQ...

—Ya. A altas dosis de quimioterapia se refiere, ¿verdad? —lo interrumpí—. Lo he leído en Internet.

—Exacto —confirmó Glass sonriente. Pero la sorpresa que reflejaba su voz resultaba insultante. Me dieron ganas de imitar a Emma, que chascó la lengua con expresión desdeñosa.

—Todavía es pronto para estar seguros, pero quizá más adelante podría usted optar por la quimioterapia de inducción, un preludio para aquellos pacientes que quieren intentar el trasplante de médula ósea. No se trata propiamente de una terapia, pero a veces ayuda a determinar si un cáncer responderá a los fármacos utilizados en la quimioterapia de altas dosis. Por otro lado, el hecho de responder a la terapia de inducción no significa que la quimioterapia en altas dosis combinada con el trasplante de médula vaya a ser más eficaz que la quimioterapia estándar. Significa, simplemente, que el cáncer es sensible a la quimioterapia. Por otra parte, tampoco implica que vaya usted a vivir más tiempo o que vaya a tener una mejor calidad de vida con altas dosis que con dosis estándar.

—En definitiva, que no significa nada, ¿no es así?

—Significa exactamente lo que he dicho que significa.

El doctor Glass y Emma se fulminaron con la mirada. Él se dominaba mejor pero Emma parecía una bruja, una auténtica furia. Habría jurado que en ese momento Emma tenía el pelo erizado como una gata furiosa. Incluso Rudy desvió la mirada, muy violentada por la hostilidad que se palpaba en la consulta.

Isabel optó por romper el embarazoso silencio y se levantó.

—Lo llamaré. Sobre lo de la terapia hormonal y para concretar lo de las pruebas. Eso que ha dicho usted... la terapia de inducción y...

Isabel se encogió de hombros como para indicar que el nombre era lo de menos. Y todos, incluso Glass y especialmente Emma, nos sentimos crueles y violentos. Porque durante unos minutos nos comportamos como si el problema del que allí tratábamos fuese un conflicto de personalidad, en lugar de la vida de una persona. De la vida de Isabel.

Bajamos en el ascensor sumidas en un extraño y cohibido silencio, hasta que Rudy preguntó adónde íbamos a almorzar. Decidimos ir a Sergei's, en Georgetown, porque estaba cerca y podíamos ir a pie. Parecíamos incapaces de mirarnos pese a que estábamos hacinadas en el ascensor, hombro con hombro, como si participásemos en una manifestación. Isabel me había pedido *a mí* que la acompañase a ver al doctor Glass, no a Rudy ni a Emma. Pero no sé cómo se enteraron e insistieron en ir con nosotras. Me molestó mucho porque pensé que demostraban muy poca sensibilidad. Pero ahora... oh, Dios... ahora no quiero ni pensar lo que habría hecho yo sin ellas.

Elegimos una mesa de un compartimiento con mampara en el restaurante, y yo fui a llamar a mi oficina para decirle a mi secretaria que llegaría bastante más tarde de lo que había pensado. Al volver a la mesa, Rudy estaba pidiendo unas copas.

—Un whisky doble con hielo —dijo como un hombre, como mi padre.

Isabel y yo pedimos té helado. Isabel fue a protestar porque no pidiésemos alcohol pero Emma la atajó.

—Yo beberé contigo —dijo—. Cerveza. Lo que sea.

Cuando trajeron las bebidas no brindamos. Es algo que siempre hacemos, por lo menos en la primera ronda. Pero en esta ocasión nos limitamos a beber un sorbo sin apenas mirarnos. Todo lo que se me ocurría decir se me antojaba demasiado superficial o lúgubre. De modo que no abrí la boca.

—¿Son figuraciones mías o ese medicucho es un memo redomado? —dijo al fin Emma.

Sus palabras sirvieron para que todas empezásemos a hablar. La verdad era que el doctor Glass había estado odioso, pero no me atreví a decirlo por si acaso Isabel seguía confiando en él, que al fin y al cabo era su oncólogo desde hacía dos años.

—Recurrí a él porque me dijeron que era bueno —dijo Isabel—, y luego no he tenido ninguna razón para cambiar de médico. Creí estar curada. Pero siempre me ha parecido una persona muy arrogante.

—¿Arrogante? ¡Ese tío es un témpano! —exclamó Emma—. Me ha caído mal nada más verlo. ¿Os habéis fijado en qué cara ha puesto al abrirnos la puerta? El muy cabrón sonreía con un sarcasmo repugnante.

Emma lo decía porque no había querido que entrásemos todas a su despacho. «Sólo una —dijo con fingida sonrisa—, ¿no les parece?» añadió viniendo a decir que era una bobada, una chiquillada querer entrar todas. Pero a nosotras no nos lo parecía. Y aunque en parte el médico tuviese razón, opté por replicar del modo más firme «Creemos que es importante que todas oigamos lo que tenga usted que decirle, doctor. Estamos aquí en calidad de familia subrrogada de Isabel.» El doctor Glass rió y separó las manos con gesto de impotencia, queriendo decir que era absurdo. Pero nosotros lo miramos con firmeza y no tuvo más remedio que ceder. Y, ciertamente, Emma tenía razón. Nos sostuvo la puerta con talante sarcástico.

Pedimos el almuerzo. Estamos comiendo, pensé. Como siempre, como si nada horrible hubiese sucedido. Isabel había pedido ensalada de mariscos. Podíamos hablar de unas cosas pero no de otras. Por ejemplo, no podíamos decir: «¿Cómo te encuentras hoy? ¿Cómo te ha sentado que te dijese todas esas cosas sobre el cáncer? ¿Tienes miedo?»

No parecía que pudiésemos hacer más que estar juntas, seguir unidas, como siempre.

Fue Emma quien hizo la primera pregunta personal.

—¿Se lo has dicho ya a Terry o a tu madre?

—Todavía no. He preferido esperar a estar segura —contestó Isabel; dejó el tenedor en la mesa y se recostó en el respaldo. Ya se lo había comido casi todo—. Mi madre no lo entendería y probablemente no se lo diré. No tiene objeto.

Su madre acababa de ingresar en una residencia y padecía Alzheimer.

—Pero a mi hermana tendré que decírselo —prosiguió Isabel—. Y a Terry. Oh, Dios —musitó cerrando los ojos.

El rostro de Rudy se congestionó, y se llevó las manos a la boca. Emma desvió la mirada.

—Puedo llamar a Terry, si quieres —dije.

Isabel alargó la mano y me frotó el brazo, vigorosamente, sonriéndome sin separar los labios.

—Gracias. Lo llamaré yo esta noche. Es mejor —dijo apretándome el codo—. Gracias —musitó, casi llorosa pero sin llegar a verter una lágrima. No lloró en todo el día.

—Puedo investigar en Internet —propuse—. Ya lo he hecho a

veces en el trabajo. Asombra la cantidad de información que se puede obtener fácilmente.

—Sí, Kirby ya lo está haciendo.

—¿Te refieres a tu vecino?

—Sí.

—Un momento... ¿Lo sabe Kirby?

No pude creérmelo. Isabel se lo había dicho a Kirby y en cambio no le había dicho aún nada a Terry. Increíble.

Le volvió un poco el color a las mejillas. Jugueteó con la cucharilla del té.

—No os lo había dicho antes porque no he tenido ocasión.

—¿Decirnos qué?

—Kirby... —empezó alzando la vista y echándose a reír—. Kirby está enamorado de mí. Eso dice.

—¿Cómo?

—¡Pero si es gay!

—Nos dijiste que era gay.

—Sí, es verdad. Pero por lo visto me equivoqué.

—¡No te digo! —exclamó Emma riendo y recostándose en el respaldo..

—¿Y tú? —preguntó Rudy risueña—. ¿Te gusta?

Isabel se limitó a encogerse de hombros.

—¿Y os...?

—¿Que si nos acostamos? No —se adelantó Isabel a contestar a la pregunta que adivinó.

—Pero no lo descartas, ¿eh? —dijo Emma dejando de reír.

Por unos momentos el rostro de Isabel se había animado pero volvía a estar abatido.

—Quizá. Aún no lo he decidido —dijo meneando la cabeza—. En cualquier caso es un amigo, un buen amigo.

Un buen amigo. La primera noticia. Y le decía lo de su enfermedad antes de decírselo a su hijo. Y a mí me lo había dicho antes, y eso era...

Aunque quizá no fuese cierto. Quizá se lo hubiese dicho a Kirby antes que a mí.

Detesto los celos. No sirven más que para hacerse daño. Me hacen sentir fatal.

Al cabo de un rato empezamos a hablar de otras cosas, de cosas corrientes. Me pregunto si las demás estarían tan sorprendidas como yo de que fuésemos capaces de hablar con normalidad. Y así va a ser en adelante, comprendí. Ocurriese lo que ocurriese, Isabel intentaría hacernos las cosas lo más llevaderas posible.

Durante el café, Isabel preguntó por Henry.

—¿Qué tal ha resultado el análisis de esperma, Lee? ¿Tenéis ya los resultados?

—Sí. Ayer llamó la enfermera. Ya han terminado el conteo.

—¿Qué conteo?

—¿De qué va la cosa?

Yo me había sentido culpable por ser feliz, por tener un cosquilleo de satisfacción pese al drama de mi mejor amiga. Pero ahora los expectantes rostros de las Gracias y el entusiasmo, el *entusiasmo* de Isabel, lo borró todo.

—No os lo vais a creer: lo que le ocurre a Henry es que tiene *demasiados* espermatozoides.

Se quedaron boquiabiertas y luego rieron a carcajadas. Me lo figuraba.

—No os podéis imaginar qué alivio ha sentido. Lo normal es tener entre veinte y doscientos millones por milímetro, y Henry tiene mil millones.

—¡Vamos!

—¿Mil millones?

—Es un caso raro.

—¡Vaya tío! —exclamó Emma—. Dile que estoy impresionada.

—¿Y ahora qué?

—Pues que probablemente no podré quedarme encinta de un modo normal. Es un problema de *motilidad* (así lo dice el informe). Tiene tantos espermatozoides que se entorpecen y no pueden moverse. De modo que tendremos que recurrir a la inseminación artificial.

—¿Con donante?

—No, pueden utilizar los espermatozoides de Henry.

—¡Entonces es maravilloso, Lee!

—No sabes cuánto me alegro.

—Según la enfermera, dentro de seis meses podría estar embarazada.

Isabel se inclinó hacia mí y me besó. Esa era la noticia que me mantenía animada. ¿Cómo podía perder la esperanza acerca de Isabel si acababa de ocurrirme algo tan maravilloso?

—Es formidable —dijo Emma—. Hace cincuenta años no hubiese habido nada que hacer. Hay que dar gracias a Dios por los milagros de la medicina moderna.

Reparé en que iba a alzar la copa pero se detuvo.

Se hizo un tímido silencio. Emma había tenido el impulso de brindar por los milagros de la medicina moderna. Y enseguida había caído en que quien de verdad necesitaba un milagro era Isabel.

—De acuerdo —dije apartando mi plato a un lado—. ¿Cómo nos organizamos? ¿Cómo vamos a afrontarlo? Yo volveré a indagar en Internet. Kirby también. Es estupendo, porque así seremos dos (lo digo en serio). Como parece que lo primero que has de decidir es si someterte o no a una terapia hormonal por ahí empezaré. Y tenemos aún mucho tiempo para optar por el trasplante de médula y la quimioterapia a altas dosis o la normal, si es que optas por ello. Mi padre conoce a uno de los principales oncólogos de Sloan-Kettering. Jugaban juntos al golf. De modo que puedo llamarlo y que nos recomiende a alguien, preferiblemente de por aquí. Necesitarás por lo menos contrastar la opinión del doctor Glass con la de otros dos médicos, ¿no crees? ¿Qué te cubre la mutua? ¿Has comprobado si incluye cirugía experimental además de la corriente?

Emma se echó a reír.

—¿Qué? —exclamó Isabel también risueña.

Incluso a Rudy le pareció divertido.

—¿Se puede saber de qué os reís?

—De nada —dijo Isabel rodeándome con el brazo.

—¿Qué os pasa? ¿Os parece que quiero dirigiros?

—No.

—Al contrario. Eres formidable.

—Desde luego que sí —dijo Rudy.

—Es que... alguien ha de organizar esto, ¿no? Y supongo que el factor tiempo es esencial. Estáis de acuerdo en eso, ¿no?

Dejaron de sonreír.

—Tienes razón —repuso Isabel al ver que no lo hacían las demás.

14

Rudy

—Lo superará, Emma. Tiene un aspecto estupendo. Está preciosa.

—Es verdad. Nunca ha tenido tan buen aspecto.

—¿Por qué ha tenido que ocurrir? ¿Cómo ha podido recaer así?

—No lo sé —dijo Emma meneando la cabeza.

Nos habíamos quedado a solas. Isabel y Lee habían salido de Sergei's hacia las tres, pero Emma y yo ni siquiera hicimos ademán de levantarnos. Se daba por sentado que íbamos a quedarnos. Como en los viejos tiempos.

—¿Quieren más café? —preguntó la camarera.

—No; tomaré otro whisky —dije—. Pero no doble como antes.

Emma arqueó las cejas y me miró.

—Bueno, dilo ya. He de tomarme otra cerveza, ¿no?

De modo que empezamos a beber. A veces el alcohol me ayuda, me sienta realmente bien. No siempre. Pero a veces... no sé cómo explicarlo. El caso es que muy de vez en cuando sé que tomarme unas copas va a sentarme bien.

En aquella ocasión me infundió el valor necesario para decir lo que pensaba.

—Estoy muy asustada. Es en lo único que puedo pensar —dije—. Oh, Emma, ¿y si muere? ¿Y si Isabel muere?

Emma se levantó de su banqueta y vino a sentarse en la mía.

—Yo también estoy asustada. No dejo de pensar.

—Es que no puedo creerlo. La semana pasada estaba perfectamente y esta semana puede estar agonizando. ¿Cómo es posible?

—No se está muriendo. Muchas personas lo superan, tienen remisiones durante años, durante décadas; se curan. Lo leemos continuamente.

—Sí, eso es verdad.

Emma trazó líneas verticales a través de la condensación de vapor de su copa de cerveza.

—Mi padre murió de cáncer —dijo.

—Pero tú eras muy pequeña, ¿no? No debiste darte ni cuenta.

—Tenía ocho años y mis padres ya estaban divorciados. No recuerdo nada, sólo que murió de cáncer de hígado.

—Odio el cáncer.

—Porque es lento y sabes que vas a morir con demasiada antelación. Dios mío, preferiría que me atropellase un autobús. Cualquier cosa menos eso.

Yo dejé de hacer trizas mi servilleta y me miré las manos. ¿Y si fuésemos nosotras quienes estuviésemos muriéndonos? Mi piel, mis dedos, las venas azuladas de mis muñecas... ¿Cómo podría dejar de ser yo? Ser algo y luego no ser nada. Dejar de ser.

—No va a morir —dije—. Es demasiado joven —añadí, aunque en realidad quise decir soy demasiado joven.

—¿Tienes un cigarrillo? —pidió Emma.

—Lo he dejado —repuse.

—Ah, pues estupendo. Lo dejaremos las dos...

—Compraremos.

—De acuerdo —dijo.

Se levantó y fue a comprar un paquete de Winston.

—¿Sabes que esta noche tengo una cita? —dijo al volver a la mesa a la vez que exhalaba un anillo de humo hacia el techo.

Había vuelto a sentarse en su banqueta y quería cambiar de tema, de talante. Por mí. Siempre es muy considerada conmigo.

—¿Y con quién es la cita?

—Con Brad. Con el mismo.

—Creía que lo habías dejado.

—Y lo dejamos, pero hemos vuelto. Creo que por pura inercia. Pero esta noche pienso decirle que se ha acabado definitivamente.

—¿Qué te ha hecho?

—Nada.

Sonreímos, quizá al reparar en que habíamos tenido conversaciones similares sobre diferentes hombres miles de veces.

—¿Qué es lo que no te gusta de él?

—Nada —dijo Emma, que podría haber escrito un libro sobre todo lo que no le gustaba de los hombres con quienes había salido. Me miró mientras rascaba con la uña la etiqueta de la botella de Sam Adams.

Ella llevaba aquel día un peinado alto para que se vieran los pendientes esmaltados que le regalé por su cumpleaños. Emma cree que tiene la piel demasiado pálida, las caderas demasiado anchas, que su pelo es demasiado rojizo o demasiado cobrizo o yo qué sé. No acabo de entenderlo. Porque a mí no me parece que nada de eso sea cierto. Antes me preocupaba lo equivocada que estaba acerca de su aspecto, pero ya me he acostumbrado. Emma es así. Además, tengo la teoría de que el hecho de que una persona no esté satisfecha consigo misma la hace más amable y tolerante. La induce a ser más sociable y solidaria.

—¿Estás enamorada?

—¿Que si estoy enamorada? —dijo sonriente, simulando creer que me refería a Brad. Hizo pelotitas con las tiras de la etiqueta y las dejó en el cenicero—. ¿Cómo voy a estar enamorada si apenas lo veo?

—¿Y por qué no dejas de verlo definitivamente?

—Por lo pronto, porque me está ayudando a escribir un artículo sobre el mundillo artístico de Washington.

—¿Otro artículo?

—Este es distinto. Es un encargo. No ha sido idea mía —contestó a la defensiva—. Al jefe de redacción de *Capital* le gustó el artículo que escribí para el periódico y me sugirió que hiciese algo para ellos, sobre la situación del mundillo del arte en Washington.

—¿Y sabes tú algo sobre el mundillo artístico de Washington?

—No —repuso echándose a reír—. Por eso se ha ofrecido Mick a ayudarme.

—¿Y no te hace sufrir, Emma? ¿No crees que sería mejor que...?

—Somos amigos, Rudy.

—Ya. Pero... amigos *secretos*.

Me arrepentí de decirle eso. Se puso lívida. Encendió un cigarrillo sin mirarme y guardó silencio.

Pensé en la noche que zanjamos nuestra disputa sobre Curtis. Me llamó a las dos de la madrugada y fui a su casa. La encontré sentada en el sofá del salón de su viejo apartamento de Foggy Bottom, llorando a lágrima viva y maldiciendo a Peter Dickenson, a quien acababa de echar de casa. Había estado con él más tiempo y más en serio que con cualquier otro hombre que yo le conociese. Incluso habían llegado a pensar en casarse.

Me asustó mucho aquella noche pero, en cierto modo, lo de ahora era peor. No fue como aquel dolor violento, aquella furia descorazonada, que nunca olvidaré. Lo de ahora era callado y casi imperceptible. La reconcomía, la destrozaba por dentro.

Pedimos otra ronda. Emma se animó y me animó. Me encanta el calorcillo adormecedor que siento cuando bebo. Empieza en sitios extraños, en las mejillas, en los tríceps, en los muslos... hasta que me inunda toda. No me extraña que la gente se acueste con cualquiera cuando se emborracha. Yo siento una relajación tan deliciosa, tal armonía, como si yo fuese todo el mundo y todo el mundo estuviese en mí. Ahora puedo controlarlo, pero cuando era más joven me habría tirado a cualquiera, literalmente a cualquiera, si llevaba unas copas encima.

Justo entonces, dos tipos que estaban en la barra se nos acercaron. Uno era bastante mono. En Sergei's se come bien y es un buen restaurante pero, a partir de media tarde, se convierte en un local de ligue. Emma torció el gesto. Tenían pinta de abogados y eran más jóvenes que nosotras. Me tocó la mano por debajo de la mesa.

—¿Qué tal si nos dejaseis tranquilas? No nos van los penes.

—¡Bueno, bueno! —exclamaron al unísono. Dieron media vuelta y volvieron a la barra.

Pedimos otra ronda.

—¿Nos colocamos? —dijo Emma.

—Oh, no.

—¿Por qué?

—Porque Curtis llega hoy. ¡Y había quedado en ir a recogerlo! ¡Oh, Dios mío!

—¿A qué hora? De todas maneras, no te preocupes. Puede ir a casa solo. Lo hace siempre...

—Es que quedé con él en ir a esperarlo al aeropuerto.

—¿Al aeropuerto? Ah, eso cambia —dije riendo—. ¿A qué hora?

—A las seis menos diez.

—¡Anda! Pues entonces lo tienes crudo, Rudy. Porque son las seis.

Me tapé los ojos con las manos como para verlo todo tan negro como estaba. Emma reía a carcajadas, de una manera contagiosa. Y me eché a reír también, pero mi risa sonó histérica.

—¿Con qué compañía volaba? —me preguntó.

—Con la Delta.

—Vale, pues espera aquí que voy a llamar para dejarle un mensaje. Llamaré a la National y ellos lo llamarán al busca. «Señor Curtis Lloyd, señor Curtis Lloyd, tenga la bondad de acudir a una de las cabinas gratuitas.»

—¿Y qué le dirás?

—Pues que estás cocida y no puedes conducir —dijo Emma, que debió de verme aterrorizada, porque me apretó la muñeca—. Es broma. ¿Qué quieres que le diga?

—Dile que... estoy con Isabel.

—Buena idea. Además, tampoco es tan complicado. Puede tomar el metro hasta Eastern Market y luego ir a pie hasta casa, ¿no?

—Tomará un taxi.

—Claro, por supuesto, no faltaba más —ironizó imitando la voz de Curtis—. No te preocupes, Rudy, que esto lo arreglo yo.

Al volver de hacer la llamada, Emma me miró con cara de preocupación, aunque risueña y cohibida.

—La has jodido.

—¿Por qué?

—He tenido que dejar un mensaje —repuso volviendo a sentarse a mi lado.

—¿Y qué?

—Ahora el sistema funciona de otra manera. Con buzón de voz. De modo que sabrá que he sido yo quien ha llamado. Lo digo porque no oirá a la operadora de la central de buscas sino a mí, con un mensaje de tu parte. O sea que sabrá que he llamado yo y no tú. Tenía que haber colgado.

—¿Y qué has dicho?

—He dicho que estábamos en Sergei´s consolando a Isabel;

que pensabas ir a recogerlo, pero que Isabel estaba hecha polvo y no hemos querido dejarla sola.

—Oh, Emma —exclamé. Porque así no era sólo una mentira; eran tres.

—Ya lo sé. Pero cuando he caído ya lo había dicho.

Me eché a reír, pero sabía que iba a tener problemas aunque Curtis creyese lo que Emma había dicho.

Se acercó la camarera a preguntarnos si queríamos otra ronda. Nos miramos. Y de pronto me sentí exultante.

—¡Qué puñeta! —exclamamos al unísono—. ¡Vamos allá!

Nos sentíamos como en los viejos tiempos, cuando acabábamos de trasladarnos a vivir a Washington y salíamos a cenar y de copas, y charlábamos durante horas. Podíamos empezar a la hora del almuerzo y seguir hasta después de cenar. Antes de casarnos, claro.

—Eh, Rudy. No le tienes miedo, ¿verdad? —dijo Emma, que debía de estar ya muy borracha. Porque sobria nunca me hubiese hecho aquella pregunta.

Y también yo debía de estar cocida, porque no me importó. Ni le mentí.

—A veces sí, pero no es culpa suya —repuse.

—¿Por qué dices que no es culpa suya?

—Porque me asusta cualquier cosa.

—¿Por ejemplo?

Me encogí de hombros.

—¿Te ha pegado alguna vez? —me preguntó.

—¡No, por Dios!

—Perdona. No sé por qué lo pregunto.

—Pues no. Nunca me ha levantado la mano.

—Vale.

—Pues eso: vale.

Pero le mentí. Me había pegado una vez; sólo una vez y hacía ya mucho tiempo. No había vuelto a pensar en ello.

—¿De qué tienes miedo entonces? —insistió Emma.

—De todo.

—A ver, hazme una lista.

—Pues... que deje de quererme, que no lleguemos a tener hijos, que si los tenemos le destroce la vida —contesté apoyando el mentón en las manos y mirando mi copa—, que termine por volverme loca y me suicide o haga cualquier barbaridad, que muera Isabel, que no sepa encauzar mi vida, que termine como mi madre, que mi hermano acabe matándose con las drogas...

—¡Caray, Rudy! —exclamó Emma rodeándome con el brazo—. No sigas.

Le hice caso y dejé de pensar en todo lo que temía.

—Y eso es sólo lo que temo de cintura para arriba —dije.

Nos echamos a reír como locas, con unos lagrimones como garbanzos—. Oh, Emma, que estamos llamando la atención... —añadí sonándome con una servilleta.

—Deben de creer que somos lesbianas.

Nos recostamos en el respaldo mirando en derredor sonrientes, abstraídas. Miramos a la gente y empezamos a picar cacahuetes de las bandejitas que servían con las copas.

—Tendríamos que irnos ya —dijo Emma.

—Sí. No olvides tu cita.

—¡Mierda! Pues sí que la he olvidado. Será mejor que lo llame para cancelarla. —Se levantó algo tambaleante.

—¿La vas a cancelar?

—Pues claro. Con esta cogorza lo más probable es que le atice o le haga proposiciones. Prefiero cancelarla —dijo alejándose hacia los teléfonos.

Aguardé, sin pensar en nada concreto. Me sentía bien. Entonces volvió a acercarse uno de los abogados.

—Eh, ¿la ha dejado sola su amiga?

—No —repuse—, ha ido a llamar por teléfono.

—¿Ah sí? ¿Cómo se llama?

—Rudy.

—Yo Simon, ¿qué tal?

Simon tenía una sonrisa afable y era altísimo. Llevaba una corbata amarilla. Estaba claro que era abogado.

—No eres lesbi, ¿verdad? —Me dirigió una mirada amistosa, sin hostilidad ni timidez.

—No, pero estoy casada —repuse.

—Lástima.

Se sentó en el lado de Emma y entrelazó las manos sobre el regazo. Me gustó la falta de agresividad de su lenguaje corporal. Pero enseguida desvió la mirada y arqueó las cejas. Una señal. Su amigo se levantó del taburete de la barra, recogió el cambio, los cigarrillos y las copas y vino hacia la mesa. Emma me va a matar, pensé, mientras Simon me preguntaba si trabajaba cerca.

Y entonces ocurrieron tres cosas simultáneamente. El amigo de Simon se sentó a mi lado, Emma volvió con otras dos copas y el ceño fruncido, y vi a Curtis al mismo tiempo que él me veía a mí.

Debía de haber venido directamente desde el aeropuerto, porque llevaba su chaleco Hartman con una chaqueta al hombro. Se me acercó lentamente, mirándome con sus grandes ojos oscuros, visiblemente herido y pensativo. Traté de levantarme, pero el amigo de Simon era grandullón y como no sabía qué ocurría no se movió.

—Hola, Curtis —lo saludó Emma con tono jovial. Dejó las copas en la mesa y se interpuso entre él y yo a modo de escudo—. ¡Qué agradable sorpresa! Ya veo que has recibido mi mensaje. Estupendo. ¿Te sientas? Lástima que no hayas visto a Isabel. Estos chicos... —Se mordió el labio y añadió en tono normal—: ¿Quiénes son estos?

—Curtis, por favor, no... —dije. Su tensa y violenta sonrisa me paralizaba.

—¿Vamos a casa?

Lo dijo en tono educado, razonable. Tras el dolor que reflejaba su rostro, alentaba una especie de resignado entusiasmo. Te he pillado, debía de estar pensando.

El amigo de Simon se levantó al fin y yo también, lentamente, recogiendo el abrigo, los guantes y el bolso.

—No la dejes conducir —le advirtió Emma.

—¡No tienes que decirme lo que he de hacer con mi esposa! —le espetó Curtis.

El descarnado odio que se profesaban me afectó pero no me sorprendió. ¿Crees que a Curtis le cae de verdad bien Emma?, me había preguntado Eric en cierta ocasión.

Emma se me acercó y me tocó el brazo.

—¿Estás bien?

—Sí, mujer, claro —dije. Traté de reír para distender la embarazosa situación. Ella parecía muy excitada pero titubeante. Le llameaban los ojos.

—Eh... ¿por qué no nos sentamos todos y nos calmamos?

—dijo inesperadamente. Comprendí que temía por mí. Curtis seguía de pie. Quise decirle a Emma que no tenía nada que temer de él sino *por* él.

—No; nos vamos —contesté abrazándola—. Llámame. Y no conduzcas, ¿de acuerdo?

Emma asintió con la cabeza. Curtis ni siquiera la miró al acercárseme y posar su mano en mi espalda, haciéndome caminar por delante de él.

Al salir a la calle me quedé unos momentos con la mente en blanco. No recordaba dónde había aparcado. Fui en dirección a Wisconsin Avenue, pero entonces recordé que lo había dejado en la calle K.

—Ah, no, es por ahí —dije como si tal cosa.

Curtis se giró conmigo sin decir palabra. Pero notó que estaba bebida. Y yo noté que lo notaba. Se puso él al volante.

—Lo siento, siento no haberte ido a recoger al aeropuerto —le dije acurrucándome en el asiento, aterida de frío porque la calefacción del jeep aún no se había calentado.

Pero no me dijo palabra. Puso la radio.

Su hermoso rostro se veía con toda nitidez recortado en el resplandor de la luz de las ventanas al pasar. Nunca envejecería. Moriría con aquella boca infantil. Por un momento intenté no amarlo (como si de un experimento se tratase), pero me horrorizó comprobar que lo conseguí. Desvié la mirada hacia más allá de las farolas, hacia el gélido y desierto paseo. La calefacción empezó a funcionar, pero no acabé de entrar en calor.

Ya en casa me senté en el borde de la cama y lo observé mientras deshacía el equipaje. Los calcetines y los calzoncillos al cesto de la ropa sucia; la camisa al montón para la tintorería; los zapatos al zapatero y el traje al galán de noche. Tiene un perchero eléctrico para corbatas que las mueve de una en una de un lado a otro para que elija. Se lo regalé como una broma, pero le encanta.

Volví a intentarlo.

—Escucha... lo siento. Aquellos tipos del bar... no había nada...

Silencio.

—Y sí estábamos con Isabel antes, pero ya se había marchado; antes de que llegases tú.

Lo cierto era que se marchó cuatro horas antes. Me vi en el espejo de la cómoda. Tenía los ojos enrojecidos y se me había corrido el maquillaje. Hecha un cromo estaba. Además tenía aspecto de borracha, que es como estaba. Ya empezaba a notar los efectos de la resaca.

—¿Qué tal por Atlanta?

—Fatal —me contestó yendo hacia el cuarto de baño. No cerró la puerta.

—¿Qué ha ocurrido?

—Pensaba contártelo esta noche; que saldríamos y hablaríamos.

El sentimiento de culpabilidad hace que te sientas como si te hubiese caído encima una montaña de escombros y te enterrase viva.

—Aún podemos salir. Me visto enseguida. No son más que las ocho.

—Sería incapaz de probar bocado ahora —me dijo.

Salió del cuarto de baño con el pijama, azul marino con pintitas blancas, y el albornoz de toalla a cuadros escoceses. Parecía un modelo de Brooks Brothers, rubio y rubicundo, saludable y educado. Me sorprendió que se sentase a mi lado en la cama.

—Lo siento —repetí porque si lo hago, si lo reitero, suele apaciguarse—. Ha sido culpa mía. He bebido demasiado y se me ha pasado la hora. Y Emma ha puesto la excusa de que aún estábamos con Isabel, que ya hacía mucho que se había marchado. Oh, Curtis, pobre Isabel, ha sido horrible oír lo que el médico le ha dicho en la consulta...

—O sea que Emma me ha mentido, ¿no?

—¿Mentirte? Bueno, no exactamente...

—Mira, Rudy, ya sé cuánto la aprecias, pero no creo que Emma sea tan buena amiga como crees.

—Oh, no...

—Escucha —me dijo amablemente.

Me tocó y yo me recosté en él, relajada y aliviada. Me había perdonado. Se me había venido el mundo encima al verlo en Sergei's.

Ladeé la cabeza para besar su cuello, que olía a limpio, y le rodeé la cintura con los brazos, pero como vi que seguía rígido me aparté.

—No me gusta que la veas demasiado.

—¿Te refieres a Emma? —pregunté mirándolo con cara de estúpida.

—Mira cómo estás por su culpa —dijo tocando mi manchada mejilla con desagrado. Hasta yo notaba que me olía la ropa a tabaco, hasta el pelo—. Ya sé que hace muchos años que sois amigas. Y no pretendo que dejes de verla.

—¿Dejar de verla?

—No. Pero creo que sería mejor que no la vieses fuera del grupo —dijo mirándome a los ojos y posando ambas manos en mis mejillas—. Por tu propio bien, Rudy. En cierto modo, me sorprende que Greenburg no te lo haya aconsejado aún.

Me daba vueltas la cabeza. Tomé sus manos entre las mías.

—A Eric le cae bien Emma. Nunca me diría algo así.

Suspiró y se apartó. Yo traté de retenerle las manos.

—No te enfades. No...

—Ya veo que no vas a hacerme caso. Pero te lo digo por tu propio bien —dijo levantándose y yendo hacia la puerta.

—¿Dejar de ver a Emma? ¡Es mi mejor amiga!

—Es decir... que no.

—No me hagas esto, Curtis. *Por favor* —dije con la sensación de que iba a dar un portazo. Sentí un escalofrío. Se iba a marchar, y se iba a llevar su amor con él. Se lo iba a llevar todo—. Por favor —supliqué—. Por favor, Curtis.

—¿Sí o no?

Por mi bien, pensé. Pero era cruel.

—No, no puedo. Lo siento. Emma es mi mejor amiga, ¡por Dios, Curtis!

Pero ya se había dado la vuelta.

Lo oí bajar las escaleras con sus zapatillas de piel. Iría a la cocina, tostaría pan en la tostadora y se haría un sándwich de queso, con margarina baja en calorías en una rebanada y nada en la otra. Se lo comería en la cocina acompañado de un vaso de leche desnatada mientras hojeaba los últimos números de *Time*, *U.S. News* y *Money*.

Yo fui al cuarto de baño y me tomé tres píldoras para dormir. No quise tomar más porque había bebido demasiado whisky. Con tres bastaría. Una vez en la cama me tapé hasta la cabeza. Quería sumirme en las tinieblas. Necesitaba meditar para aclararlo todo. Me tocaría un tiempo de penitencia y sólo Curtis sabía cuánto iba a durar. Dependía de él.

Me adentré en un sueño acerca de Dios. Estaba sentado en un

sillón dorado, rodeado de ángeles de vagos rostros que lo adoraban. Miró el reloj, un Rolex como el de Curtis.

—Ha llegado tarde —dijo muy triste—. Lo siento, pero ha llegado tarde.

Y empezó a derramar lágrimas de rectitud. Alzó la mano, tiró de la cadenilla de una lámpara Tifanny y se hizo la noche sobre el mundo.

15

Emma

En marzo terminé tres engorrosas tareas en mi lista principal de cosas que hacer. Por orden creciente de dificultad: rompí con Brad de una vez por todas, conduje hasta Virginia para ver a mi madre y presenté mi dimisión en el periódico. En realidad, las dos últimas están empatadas por lo que al grado de dificultad se refiere.

Bromeaba. Mi madre no es tan mala. Cuando hubo dejado de reconvenirme por lo imbécil que había sido al dejar mi trabajo, casi estuvo amable conmigo. Creo haber descubierto el secreto de los buenos modales que empleamos: vernos sólo dos veces al año.

Lo más horrible de la visita fue percatarme de lo mucho que empiezo a parecerme a mi madre, que se llama Kathleen. O que ella empieza a parecerse a mí. Da que pensar. Nos pareceríamos más si me quedase allí una semana, bebiendo, fumando, lanzando invectivas y tirándome todo bicho viviente. Y preocupándome. En eso la convierte a una tener sesenta y cinco años, supongo, porque el único pasatiempo de esa lista en la que mi madre se complace es en el último. Pero, en eso, es toda una superclase internacional.

Me parece que soy demasiado dura con ella. Es la costumbre. Pero me estoy haciendo demasiado vieja para reaccionar a sus torpes manipulaciones y maquinaciones como la taciturna e insoportable adolescente que fui. El caso es que he vencido. Vencí hace mucho. Me marché de Danville, Virgina; no me casé; no fui a la universidad estatal para convertirme en «profesora» y «hacer algo de provecho» por si, como le ocurrió a ella, mi esposo me abandonaba. Y, además, supe forjarme esa encantadora personalidad de sabihonda sólo por hacerle la puñeta.

Dejar mi trabajo resultó más duro de lo que supuse. Debido al dinero. Me había acostumbrado a tener un poco. Había empezado a comprar cosas que veía en los escaparates de las tiendas —pasas por delante, te detienes, miras, entras y compras—. «Quiero esto», «Me compraré aquello». Eso es lo que significa ser mayor, creo, desenfundando mi Visa Oro y mi Master Card de platino. Le envié a mi madre un vídeo por Navidad. Pensaba comprarme un coche nuevo en primavera, un deportivo, acaso un Miata. Y les dejaba unas propinas filantrópicas a las camareras.

Pero había algo que me escocía más que la pobreza: mi excusa para no escribir una novela, lo que consideraba mi mayor anhelo: «No tengo tiempo.» Daba igual que eso fuese cierto o no; trabajar para el periódico, escribir artículos y cuentos que nadie compraba dejaba exhausta mi capacidad de escritora al cabo del día. De modo que tendría que prescindir de algo. Opté por dejar mi empleo de jornada completa, que me ocupaba en el periódico desde las nueve de la mañana hasta las cinco de la tarde, seguir con los artículos para pagar la hipoteca y renunciar a seguir escribiendo cuentos. A ver si ahora averiguo si tengo madera.

Digo esto refocilándome, muerta de risa. Como si no hubiese estado dándome largas desde que nací para no averiguarlo. ¿Sería posible? ¿Sería posible que estuviese madurando?

No, por desgracia. La razón es más timorata y no me deja en muy buen lugar. Es Isabel. A lo largo de los años me ha enseñado muchas cosas, pero esta es una que no he querido realmente aprender, no de ella y no de esa manera. Se trata de la lección de lo corta que es la vida y de lo estúpido que es malgastarla.

Trato de entender por qué le ha sucedido a ella y por qué no a Rudy, a Lee o a mí. ¿Por qué a Isabel? Es la mejor de nosotras, la que tiene el corazón más grande. Ella cree en todo y yo no creo en nada. Debe de ser el azar lo que se ha ensañado con ella, ¿no? Isabel dice que no, que no existe el azar sino que todo ocurre por alguna razón. ¿Qué razón?

«Es posible que yo pueda soportarlo y tú no», me había dicho. Pero me parece un sinsentido.

Isabel prescindió de aquel memo de médico y se puso en manos de otro oncólogo. Se llama Searle. Empezó a aplicarle una terapia a base de antiestrógenos, de un fármaco llamado Megace que la hizo engordar y tener sofocos, pero que por lo demás resultó ineficaz. Ahora está probando con dos nuevos fármacos, Armidex y otra cosa que no recuerdo cómo se llama, y todas hemos cruzado los dedos. A ver qué tal. No se lo pierdan: al principio, Isabel quiso prescindir de la medicina oficial y confiar en la autocuración. *Autocuración*, o sea, a base de lavativas de espigas de trigo y café, saunas indias, acupuntura e hipnosis. Visualización dirigida y una biorretroacción de dos pares de narices.

Pero no abrí la boca. Me mordí la lengua y no dije una palabra. Rudy y Lee consiguieron disuadirla y, por lo visto, también Kirby, el presunto gay que resultó un ladrón de corazones. (Perdón, esto es una salida de tono. Me excuso ante Kirby, a quien todavía ni siquiera conozco. Según Isabel no hay entre ellos más que amistad. Puede. Pero no sé por qué, no me gusta. ¿Y si la razón fuesen los celos y que soy una persona posesiva?)

No puedo soportar que le esté sucediendo esto a Isabel. Cuando hablo con ella nunca sé qué decirle. Me siento cohibida y estúpida, porque eso que hay entre nosotras y de lo que ninguna de las dos quiere hablar de ninguna manera se ha agigantado de tal modo que no podemos superarlo. De modo que he optado por espaciar las llamadas y pasan días enteros sin que ni siquiera piense en ella. Y eso es lo peor: poder olvidarme de mi amiga más verdadera y más amable, cuya vida se ha convertido en una auténtica pesadilla.

No, no es verdad. Sería *mi vida* la que se convertiría en una pesadilla si estuviese yo en la piel de Isabel. Aunque ¿quién sabe? Pero da la impresión de sobrellevarlo con la misma entereza que ha sobrellevado las duras pruebas a que la ha sometido la vida. En cuanto a Gary... no la ha llamado, ni siquiera le ha enviado una postal para desearle que se reponga. Terry tenía la intención de ir a visitarla; de tomar un avión y venir desde Montreal para pasar con ella un fin de semana largo, pero Isabel le ha dicho que no venga. Es un buen chico. Siempre me ha caído bien. Ojalá tuviese quince años más.

¡Madre mía! No hay nada como que un ser querido tenga un problema grave para que una se encierre en sí misma. La enfermedad de Isabel nos afecta a todas. Me afecta a mí. ¿Cómo cambiará mi vida si su enfermedad se agrava en lugar de mejorar? ¿Cómo voy a vivir sin ella si muere? Ah, ¡el sentimiento de culpabilidad!

Creo que fueron los judíos quienes cargaron de por vida con el sentimiento de culpabilidad y no nosotros, los ex católicos agnósticos. Pero Lee es judía y es la persona más libre de culpa y menos neurótica que he conocido jamás. Es irritable pero no neurótica. La situación de Isabel está haciendo a Lee más eficiente y organizada. Y más mandona también.

Aún no se ha quedado embarazada, por cierto. Pero está muy animada. Últimamente, en lugar de llamar, me envía mensajes por correo electrónico. Creo que es más eficiente.

Para: Emma (DeWitt@Dotcom.com)
De: L.P. Patterson (LeePatt@Dotcom.com)
Asunto: Círculo Curativo
Emma:
Sólo un recordatorio acerca del miércoles de 9.00 a 9.30. Se lo he mencionado dos veces a Rudy, pero si hablas con ella desde ahora hasta entonces, ¿querrías volver a recordárselo? Ya sabes cómo es.
Ánimo. Lee

El miércoles realizaremos nuestro segundo «círculo curativo» para Isabel. A una hora predeterminada, todas —no sólo las Gracias sino sus otras amistades y parientes de todo el país, aparte de aquellos conocidos que lo deseen— dejarán de hacer lo que estén haciendo y meditarán sobre Isabel y su recuperación. Unos rezarán, otros imaginarán que a las células cancerosas les ocurren todo tipo de catástrofes, otros le enviarán «luz blanca», sea lo que sea lo que eso signifique. Rudy mira con fijeza la llama de una vela y entona invocaciones. «¿Qué clase de invocaciones»?, le pregunté fascinada. «Cosas. Es algo personal», me contestó.

Pues bueno. Se lo pregunté sólo para orientarme, porque soy una calamidad para estas cosas. Nunca me había importado demasiado ser tan ignorante en todo lo relativo a la *New Age*, porque la verdad es que soy la viva imagen de la Vieja Era. Pero ahora, cuando quiero rezar, hacer invocaciones o enviar luz blanca y termino fantaseando acerca de Mick o de un pastel, o pienso en que he de pasar la ITV, tengo la sensación de dejar a Isabel en la estacada.

Para: Emma (DeWitt@Dotcom.com)
De: L.P. Patterson (LeePatt@Dotcom.com)
Asunto: Aniversario
Emma:

Está todo concretado. Podemos contar con el chalet de Cape Hatteras el segundo fin de semana de junio. Yo preferiría el tercero, como sabes, porque es la fecha exacta el 10º aniversario de las Cuatro Gracias. Pero ya lo tenían alquilado. Henry ha pensado bajar a última hora del domingo, cuando las demás se hayan marchado, y quedarnos tres días más. Hay sitio para otro matrimonio. ¿Te apetecería pasarlo con nosotros? Con o sin tu Romeo, como prefieras.

Hasta el viernes.

Lee

Para: Emma (DeWitt@Dotcom.com)
De: L.P. Patterson (LeePatt@Dotcom.com)
Asunto: Viernes noche
Emma:

Vendrás a mi fiesta, ¿no? (Te lo pregunto porque no acusaste recibo de mi invitación.) Suponiendo que vengas, podrías hacerme un pequeño favor. Henry y yo tenemos hora mañana con el médico a las 15.30 (es la cuarta tentativa y esta vez creo que será la definitiva). De modo que puede que no lleguemos a casa a tiempo para recoger la mousse de salmón en Fresh Fields. Como te va de camino, ¿podrías recogerla tú? Muchas gracias. Ya está pagada. Sólo tienes que pedirla. Otras cosa: ¿Sabes quién vendrá a la fiesta *con otra persona*?

Pues, piensa, piensa, que tengo mucha prisa.

Lee

¡Ja! Tenía que ser Jenny, la suegra de Lee. *¡Y con otra persona!* Sería digno de ver. Me encanta observar al liberal superego de Lee luchar con su conservadora identidad.

Me dije que la única que tendría acceso de ansiedad en la fiesta de Lee iba a ser yo, tratando de comportarme con naturalidad delante de Mick y Sally, de *la famille* Draco al completo. Iba a ser una velada muy divertida.

No voy a negar que estaba pendiente de la puerta, pero no vi entrar a Mick. Cuando al fin lo vi estaba recostado en el arco del salón que daba al jardín, con una copa en la mano. El sol penetraba por las celosías e iluminaba a contraluz la mesa en la que se había instalado el bufé. También iluminaba a contraluz la estilizada silueta de Mick. Nos miramos. Esbocé una sonrisa pero se interpusieron varios invitados entre nosotros, un grupo que charlaba y que se abría para dejar pasar a Lee con su bandeja de canapés de cangrejo. Cuando tuvo el camino expedito vi que Mick se inclinaba a decirle algo al oído a su esposa.

Sally se muestra tímida en las fiestas. Necesita tomarse un par de copas antes de aventurarse a entrar en conversación.

¿Que cómo lo sé? Porque me lo dijo él. No sé en qué contexto, aunque supongo que sería un comentario de pasada, sin malicia. Nuestras conversaciones están exentas de malicia y el mugriento local de Murray's sigue siendo nuestro lugar de encuentro. No me ayuda a ponerme el abrigo, ni me toma del brazo para cruzar la calle. Salvo cuando nos rozamos las rodillas sin querer por debajo de la mesa, nunca nos tocamos. Pero estoy viviendo el más ardiente, aventurado e intenso amor de mi vida. Y creo que a él le ocurre lo mismo.

Lee se me acercó.

—Gracias por traer la mousse, Emma —me dijo—. Espero que no te haya creado ningún problema.

Estaba en plan de anfitriona con traje de noche largo y un pañuelo de seda; que se lo había comprado en Emanuel Ungaro, me había dicho en un mensaje por correo electrónico.

—No, qué va —dije—, me pillaba de camino. ¡Estás fantástica! Y la casa preciosa.

—Tú también estás estupenda. Ese conjunto es muy mono.

Creo que lo dijo sinceramente porque los sarcasmos eran más propios de mí que de Lee. La verdad es que yo no estaba segura de haber elegido bien: no llevaba blusa bajo la chaqueta corta de cóctel a juego con una falda que apenas me llegaba a la mitad del muslo. Enseñaba más de lo que era habitual en mí.

—Bueno... como es una fiesta... —dije a la defensiva—. ¿Dónde si no va a exhibir una chica sus encantos?

—¿En la playa? —sugirió Lee risueña—. Oh, Emma, había olvidado comentarte una cosa. No podemos hablar mucho ahora, pero...

—¿De qué se trata?

Miró hacia atrás y bajó la voz.

—¿Qué te parecería invitar a Sally a formar parte del grupo? —me preguntó—. Del nuestro —aclaró al ver que yo la miraba estupefacta—. ¿Te parece una buena idea?

Me quedé sin habla.

—Ya la has visto un par de veces. ¿Te cae bien? Yo creo que es muy agradable. Lista e interesante. Y lo bastante distinta del resto de nosotras para aportar algo nuevo al grupo.

La diversidad era importante para Lee. En cierta ocasión vetó a una compañera del periódico porque trabajaba en lo mismo que yo. «Tendríamos dos periodistas —me dijo—. Es... redundante. Queríamos variedad, ¿no?»

Sally aportaría variedad, eso estaba claro. Una madre joven, sureña, trabajadora. El problema de Sally, tal como yo lo había pensado más de una vez, es que no había nada anómalo en ella.

Recurrí a una excusa timorata pero lógica.

—¿No crees que no es el momento más oportuno para pensar en incorporar a otra? No sé... por Isabel. ¿Dónde está, por cierto?

—Ha dicho que llegará más tarde. No, no creo que...

—Hummm, ¡qué delicia! ¡Estás para comerte! —exclamó Henry dándome un abrazo de oso.

Lee frunció el ceño por verse interrumpida y distraídamente lo tomó del brazo y se inclinó hacia él. A partir un piñón estaban. Lo tenía en el bolsillo. Hacen tan buena pareja... son tan «poco liberales» o como se diga ahora.

—No veo por qué —me dijo Lee—. En cuanto den con el fármaco adecuado para Isabel, todo quedará atrás. Y entonces creo que sería bueno para ella. Además, ya conoce a Sally —añadió volviendo a bajar la voz—. Se lo he preguntado y me ha dicho que le cae bien.

—¿Que se lo has preguntado? ¿Le has preguntado a Isabel si...?

—No lo de que se incorpore al grupo; sólo si le caía bien. Y me ha dicho que sí.

—Ah —exclamé, aunque a Isabel le cae bien todo el mundo. En este aspecto es más o menos como Dios—. No sé, Lee. No tengo nada contra Sally. Es sólo que... no estoy muy segura de que sea un buen momento para invitar a nadie más.

—Bueno. No estoy de acuerdo. Pero si esa es tu opinión... Por supuesto, le preguntaré también a Rudy qué opina.

Hazlo, hazlo, pensé.

—Claro —dije asintiendo, convencida de que Rudy no me iba a dejar en la estacada—. Y a Isabel, por supuesto.

—Naturalmente.

Lee siguió cumpliendo con sus obligaciones de anfitriona. Henry se quedó a mi lado, hablando por los codos y contando sus estúpidos chistes verdes.

—Sabes, Emma —me dijo de pronto—, puede que esté equivocado, pero...

Hundió la puntera del zapato en la alfombra y me miró.

—¿Qué?

—Me parece que Lee no está siendo muy realista acerca de lo de Isabel. De su estado. No se lo digo porque no quiero desanimarla. Y a veces ocurren milagros —dijo inclinando la cabeza y rascándose la nuca—. ¿Qué opinas tú?

—Creo que todas estamos esforzándonos al máximo, cada una a su modo. Lee es optimista y lo afronta con optimismo —dije. Era un modo educado de decir que no quería aceptar la realidad—. Rudy está asustadísima, pero lo disimula.

—¿Y tú?

—Soy pesimista —le contesté abiertamente.

—Ya —asintió. Distendió el ceño y su expresión se suavizó—. Lo que me da miedo es que Lee se desmorone. Me refiero a si ocurre lo peor. No está preparada.

—Ya lo sé —dije, consciente de que si ocurría tampoco yo lo estaría—. Pero ella al menos podrá apoyarse en ti —añadí acercándome un poco más—. Y, bien, ardiente Superman, ¿qué tal va por el departamento de fertilidad últimamente?

Henry es tan majo que no sólo no le molesta que le hables del tema sino que le encanta. Yo siempre bromeo con él sobre el tema desde que Lee nos contó lo de su superproducción de esperma. Creo que lo alivia poder hablar de su problema con naturalidad, cosa que no podíamos hacer antes. ¿A que es ridículo? Era tabú cuando el problema podía estar en que tuviese pocos espermatozoides, y ahora que resulta que tiene demasiados, deja de ser tabú. Ridículo, ¿no?

Tras seguir bromeando un rato acerca de sus espermatozoides se puso serio.

—El momento es perfecto para nosotros, teniendo en cuenta cómo está el resto del panorama. Lee confía en que esta vez funcione. Y aunque no sea así tendremos otras dos oportunidades. Si se queda embarazada superará cualquier otra cosa. Si...

—Funcionará —lo atajé para que no siguiera especulando—. Porque, con esa potencia tuya, probablemente tendréis trillizos. Y todos chicos.

Rió a carcajadas y se sonrojó. Henry me encanta. Es como un oso grandote adormilado, tranquilo y torpón, en quien se puede confiar tanto como en el amanecer. Es bueno con Lee y le atempera esa «retención anal» como un buen sedante. Es como si Lee viviese con él por prescripción facultativa.

La fiesta se hizo más bulliciosa y más frívola. Aunque no mucho. Las fiestas de Lee nunca se desmadran. Lee invita casi siempre a todas sus compañeras de la escuela de preescolar y parvularios: mujeres despiertas, interesantes y de buen corazón cuyos maridos ganan más dinero que ellas. Departí con las que ya conocía de otras ocasiones y me presenté a otras dos. A las fiestas de Lee asisten muy pocos hombres solos, no sé por qué. Supongo que porque sus amigos son tan rectos y normales que nunca se divorcian.

Aquella noche yo no estaba predispuesta a la caza del soltero, desde luego. Aunque no lo mirase, sabía en todo momento dónde estaba Mick. Radar. Íbamos de un lado para otro, pero siempre nos manteníamos a conveniente distancia, separados por un nutrido grupo de personas. Yo de forma deliberada, y él... no lo sé. La verdad es que me complacía en un juego tan adictivo como doloroso. Ciertamente, sufría debido a mi enamoramiento sin esperanza, pero al mismo tiempo nunca me había sentido tan viva.

Como de costumbre, Rudy y Curtis llegaron tarde. Puede que sea un memo —la verdad es que memo rematado— pero es innegable que Curtis Lloyd es un hombre atractivo, aunque su atractivo sea el de esos achulados jóvenes nazis. Y en cuanto a Rudy, además de ser bonita tiene esa elegancia natural que hace que las demás mujeres a su lado se sientan apocadas, demasiado compuestas y corrientuchas. Mujeres como yo. Le hice una seña para ver si se despegaba de Curtis y venía a charlar conmigo. Pero qué va. Como si no lo supiera. Curtis no le quita ojo de encima en las fiestas. No sé si es porque no se fía de ella o porque no se fía de sí mismo. Probablemente se deba a ambas cosas.

Rudy y yo nos besamos en las mejillas pero Curtis y yo nos las compusimos para abrazarnos sin llegar a tocarnos.

—¿Dónde está Isabel? —preguntó Rudy tras un breve intercambio de frases superficiales.

—Aún no ha llegado. Dice Lee que llegará algo tarde.

—Estoy impaciente por conocer al tal Kirby.

—Y yo.

No puedo hablar con Rudy cuando Curtis está presente. Es como intentar hablar por teléfono a través del cristal mientras el funcionario de prisiones te observa. Sólo hay otra cosa peor: hablar con Curtis cuando Rudy no está presente.

Por eso me entraron ganas de estrangularla cuando me hizo cierto comentario.

—Ah, mira, ha venido Allison Wilkes. Hace siglos que no la veo. Enseguida vuelvo —me dijo alejándose.

De no haber tenido nadie que me importase especialmente, pude haberme dicho «Al fin sola», en un momento como aquel, pensando que quitarse de en medio cuanto antes lo más engorroso ayuda a disipar la tensión. Me reservo lo que de verdad pienso de Curtis —lo de aquel día en Sergei´s fue una excepción—. Rudy dice que no tiene miedo de él pero yo sí. Un poco. Porque es retorcido. De modo que me muestro educada, aséptica y deliberadamente gris con él, casi alelada a fuerza de dominarme. Es encomiable, ¿no creen? Porque lo que de verdad me gustaría es darle un guantazo. Todo sea por Rudy.

Con las manos vacías (Curtis no bebe en público por temor a perder el control) se puso un poco de puntillas para echarle un vistazo general a los invitados; para ver si alguien podía serle de alguna utilidad, estaba segura. Es un político nato, pero no le gusta la gente.

—Bueno, Emma —se animó a decirme—, me ha dicho Rudy que has dejado tu empleo.

—Sí.

—Y que estás decidida a escribir un libro. Una novela —dijo echándose a reír de un modo nada espontáneo.

—¿Te resulta divertido? —dije sonriente, limitando mi hostilidad a mi mirada.

No se molestó en contestarme. Mi enojo era desproporcionado, pero es que él tira siempre con bala y me acertó en la fibra sensible.

—¿Y tu nuevo empleo cómo va? —contraataqué—. Lo de pleitear parece que te cuadra, Curtis. Es de verdad... —añadí fingiendo buscar la palabra— una profesión... *noble*.

Se limitó a una sonrisa fingida. Mi dardo no había hecho diana. Pensé que nuestra escaramuza había terminado. Pero no.

—¿Y de qué trata tu libro?

Esa es la pregunta que más detesta un escritor. Me sorprendió que supiera que yo estaba escribiendo un libro.

—Está todavía en período de incubación —dije sin dejar de sonreír. El eufemismo me pareció adecuado—. Prefiero no hablar de ello.

Al otro lado del salón vi a Mick hablar con Henry. Reía con él, gesticulando mucho como suelen hacer los hombres. Su reciente amistad me sorprendía un poco. Porque son muy distintos.

—Dicen que siempre hay que escribir sobre lo que conozca uno mejor —me dijo Curtis.

—Sí, quizá. Hasta cierto punto.

—O sea que tu historia tratará probablemente... —Enarcó las cejas, frunció los labios con expresión pensativa y prosiguió—: De oscuros sueños de adulterio de una solterona promiscua... o algo así, ¿no?

Lo fulminé con la mirada. Él volvió a arquear sus rubias cejas con cara de inocente, esbozando una sonrisa. Me miró de arriba abajo deteniéndose desdeñosamente en las partes de mi cuerpo que enseñaba.

El sentimiento de culpabilidad y la ira son una mala combinación. Me sulfuré hasta las orejas. Detestaba a aquel tipo, odiaba aquella expresión ufana. Estaba segura de que si abría la boca lo iba a insultar.

—Bueno, me parece que voy a ir con mi esposa. Cuídate, Emma —dijo alejándose displicentemente con las manos en los bolsillos.

Fui al aseo sonriente e intercambiando algunas palabras con los que me cruzaba. Pero una vez dentro cerré la puerta, me apoyé con ambas manos en los bordes del lavabo y me miré al espejo. ¿Era aquel rostro demacrado el que había visto Curtis? No era de extrañar que estuviese tan ufano. No repliques a la provocación, me advertí, rebuscando en el bolso el lápiz de labios y la máscara de ojos. Curtis había querido herirme y que me sintiese traicionada por Rudy.

¿Cómo había podido Rudy revelarle mi secreto? Aunque la verdad es que no le pedí que no se lo dijera. No me pareció necesario. Creía que ella trataba mis confidencias como yo trataba las suyas, con el mayor respeto, como si fuese algo sagrado. «Solterona promiscua.» ¡Por favor! ¡A hacer puñetas! Su actitud no hace sino corroborar lo que siempre he pensado de él: que es un enfermo. Pero, oh Rudy, ¿cómo has podido contarle lo de Mick?

Llamaron a la puerta.

Mierda.

—Un momento.

Necesitaba cinco minutos, por el amor de Dios. Que tenía cara de haber llorado.

—Perdón.

Reconocí la voz jovial y amistosa de Sally Draco.

Perfecto.

Sonreí. Eché la cabeza hacia atrás y simulé una risa divertida. Tenía que ponerme la cara de fiesta. Me alisé la falda y tomé la decisión de tenérmelas con Rudy en otra ocasión, no aquella noche, no allí, con dos copas de más. Ya lo hicimos una vez y no se volverá a repetir.

Sally estaba recostada contra la pared del salón contigua al aseo. Se dio la vuelta al oír que se abría la puerta.

—Ah, eres tú, ¡hola! —exclamó.

La segunda copa debía de haber hecho efecto. Parecía alegrarse de verdad de verme. Tanto es así que si no llego a cruzar los brazos probablemente me hubiese abrazado. Habría sido una efusión excesiva, teniendo en cuenta que, hasta aquella noche, sólo nos habíamos visto una vez, en otra de las fiestas de Lee.

—¿Qué tal te va, Emma? —me preguntó—. Siempre pienso en llamarte, pero ya sabes lo que pasa...

—Claro —dije con voz queda—, trabajando y teniendo hijos, debes de estar muy ocupada. ¿Qué tal va el trabajo? —añadí, porque me pareció que le apetecía de verdad charlar, que no era sólo un intercambio amable de saludos.

—Digamos que no es mi ideal pero... —contestó poniendo los ojos en blanco.

—¿No?

No recordaba bien en qué había trabajado anteriormente. No sé si era pasante o asesora jurídica; algo que tenía que ver con las leyes. Nunca recuerdo en qué trabajan los demás. Pero... sí.

Cuando Mick la conoció trabajaba de pasante en un bufete; y ahora en el Departamento de Trabajo.

—Me parece que no salimos a más de uno por familia que haga lo que le gusta —dije.

Sonrió, pero creí notar una soterrada agresividad.

—Llevas un modelo despampanante, ¿de dónde es?

De modo que hablamos de trapitos mientras yo la observaba y le devolvía el cumplido, diciéndole que me encantaba el vestido corto de cóctel que llevaba. Era blanco y precioso, la verdad. Era una mujer atractiva, de eso no cabía duda, con un pelo rubio liso y sedoso. Lo llevaba corto y con un peinado que las mujeres admiraban más que los hombres. Sus ojos, muy separados, y los pómulos salientes le daban a su rostro un aire exótico. Tenía la boca grande, demasiado, y no la favorecía. Pero resultaba sensual; toda su cara era sensual y eclipsaba su cuerpo, nada exuberante.

—Me ha dicho Mick que casi has terminado tu artículo. Me alegra que haya podido ayudarte.

—Oh, sí, ha sido de gran ayuda. No hubiese podido escribirlo sin él.

—¿Cuándo saldrá?

—No sé. Puede que en junio. Cuando decidan programarlo.

—Estoy impaciente por leerlo —dijo ella dirigiéndome una franca mirada.

Dios sabe que he tratado de ser objetiva. Me he preguntado: ¿Me caería bien Sally de no existir Mick? Si la conociese en una fiesta y empezásemos a charlar, ¿me sentiría impulsada a intimar con ella? Y la respuesta sincera es que no, aunque por ninguna razón sólida. Me refiero a que no la veo en absoluto como una mala persona. Rebosa cordialidad, aunque también produce la sensación de no ser del todo sincera; y cuando más habla una con ella, menos auténtica parece la impresión inicial que da de gran seguridad en sí misma. Te observa detenidamente, expectante, como si anhelase algo. Tras sus grandes ojos percibo una gran carencia.

Nuestra conversación no se alargó mucho. Entró al aseo y yo me adentré en el salón, pensando en ella. ¿Por qué se había casado con Mick? No pueden ser más opuestos. Él es auténtico y ella no (y no creo decirlo porque soy parcial). Él rara vez habla de ella y cuando lo hace es siempre del modo más genérico y educado, que es lo propio de él. Resulta frustrante, pero me gusta su discreción, su caballerosidad.

Vi que Lee estaba en el centro del salón, con una bandeja de minikebabs de cordero. Miraba hacia la cocina con cara de circunstancias.

Ajá. Era Jenny, *con una persona*. Se notaba enseguida que eran amigas porque iban del bracete.

—¡Menuda pareja! —exclamé sin poder reprimirme.

Lee cerró los ojos un momento.

—Acompáñame, ¿quieres? —me dijo.

—Claro.

Incluso me adelanté unos pasos. Jenny me cae bien.

Henry estaba hablando con ella y con su amiga mientras sacaba unas miniquiches Lorraine del horno y las iba poniendo en una bandeja.

—¡Oh, Lee! —exclamó Jenny al vernos—. Lee y su amiga. Oh, mira, Phyllis, es Lee, mi encantadora nuera —añadió propinándole a Lee un tremendo abrazo que la levantó del suelo.

A mí me aplicó el mismo tratamiento, aunque comprendí que se había olvidado de mi nombre. No acaba de entender muy bien lo de las Cuatro Gracias, pero nos adora.

—Emma —dije recordándole amablemente mi nombre, y le tendí mi mano a aquella menuda cincuentona llamada Phyllis.

Jenny le hacía carantoñas. Phyllis me dirigió una chispeante mirada y me saludó.

El más claro síntoma de que Jenny pretendía no dar mala imagen era que se había puesto un vestido (por primera vez que yo sepa). Era un vestido bonito y le sentaba bien, pero resultaba tan incongruente en ella que me recordó a un travesti. Jenny mide 1,76 —metro ochenta con botas, le encanta decir— y es robusta. Se tiñe el pelo de color castaño oscuro y lleva un peinado alto, anticuado, estilo Pompadour. Salvo por su acento sureño me recuerda a Julia Child.

—Lee, esta es Phyllis Orr, mi amiga íntima —dijo con su fuerte deje de Carolina, como un Jesse Helms femenino. A su lado el acento de Henry resultaba de lo más académico.

—Bueno, ¿y qué tal estáis? Estoy encantada de veros —farfulló Lee como si no quisiera desentonar con la farfulla de Phyllis—. Bienvenidas. Las amigas de Jenny son... —Se dio una palmada en la frente al oírse y ver que Henry y yo nos mirábamos risueños. Luego añadió—: ¿Cómo os habéis conocido? Bueno, si no es indiscreción. Es curio...

—Phyllis regenta mi edificio de apartamentos —contestó Jenny como asombrada ante las sorpresas que depara la vida—. Intentaron entrar a robar en mi apartamento... ya os lo conté. ¿Lo recuerdas, Henry? Pero no hicieron más que saltar la cerradura. Y ella me la arregló —añadió dándole un golpecito con el codo a Phyllis.

—Lo que son las cosas —dijo Lee con cara de pasmo—. Y desde entonces sois amigas. Es maravilloso.

Phyllis era una mujer estilizada, muy delgada y atractiva, con cara de entender lo suyo de cerraduras. Miró a Lee con curiosidad.

—Hablando de *amigas*... —dijo Jenny—. Cuéntale a Phyllis lo de vuestro grupo, Lee, cariño, cuéntaselo. Lee formó un grupo exclusivamente femenino hace muchos años, Phyllis, y aún siguen. Emma es miembro del grupo. ¿Cuánto tiempo lleváis ya?

—En junio hará diez años —repuso Lee.

—¿Ah sí? —exclamó Phyllis.

—Vamos a celebrar el décimo aniversario en Cape Hatteras —tercié.

La familia de Lee tiene un chalet que alquilan por todo el año, menos dos semanas en junio y otras dos en septiembre. Las Cuatro Gracias habían celebrado cuatro de sus nueve aniversarios allí. De modo que podía considerarse una tradición esporádica.

—Ah, pues si yo fuese allí, disfrutaría nadando. Es maravilloso.

Jenny descansó afectuosamente un codo en el hombro de Henry. Patterson e hijo tenían un aspecto estupendo, vestidos de un modo tan impropio de ellos para aquella velada. Lee miró en derredor frotándose las manos y sonriendo impaciente. Dos compañeras de los cursos de formación entraron en la cocina a por hielo y se acercaron a escuchar.

—Cuando yo tenía tu edad, Henry. ¿Cuándo fue eso? —dijo Jenny.

—A finales de los setenta —repuso Henry tras reflexionar unos instantes.

—Eso es, hace veinte años, cuando tenía tu edad, también tuvimos la idea de vivir con mujeres en un grupo. ¿Sabes que viví en una comuna? —preguntó dirigiéndose a mí—. En el campo, cerca de Ahsville, en un sitio precioso. Y allí creció Henry. Me preocupaba que no tuviese un padre (al suyo lo mataron en Vietnam, ¿sabes?). Pero fíjate cómo ha salido —añadió. Le pasó el brazo por el cuello a Henry casi como si fuese a hacerle una llave y apretó.

—¡Ajá! —exclamé, como si no se lo hubiese oído nunca a Lee, a Henry y a la propia Jenny muchísimas veces.

—¿Una quiche? —ofreció Lee acercándole la bandeja a su suegra.

—¡Mujeres unidas jamás serán vencidas! —casi gritó Jenny—. No hay nada que no podamos conseguir si nos unimos. ¿Verdad, Emma? ¿Eh, Lee, cariño? Menuda tropa éramos por entonces. Amor libre y... nada de hombres. ¿Le habéis puesto nombre al grupo? Nosotras nos llamábamos Las Marimachos.

Todos nos echamos a reír.

—Pero el nuestro no es de esa clase de grupos —puntualizó Lee señalando a Henry, que era el único allí que tenía pene, como diciendo: mirad, la prueba viviente de mi heterosexualidad.

—¡Éramos radicales! ¡Madre mía! Montábamos una manifestación por menos de un pitillo, siempre y cuando fuese por algo comprometido. Recuerdo que una vez fuimos a una asamblea antibelicista en Raleigh y enarbolamos una pancarta que decía «Lesbianas pro Mao». Mi novia y yo nos quitamos la camisa y nos pusimos a darles el pecho a nuestros hijos en la escalinata del Capitolio. Creo que tú has visto esa foto, Henry.

—Sí, tenía ocho años.

—¡*No!* —exclamó Lee estupefacta.

—Pero no duró. No podía durar, supongo. Y, además, éramos todas muy jóvenes. Nos fuimos marchando una a una, y tengo entendido que allí ahora no hay ni siquiera una granja. ¡Con lo bonito que es aquel sitio! ¿Te acuerdas de Sue Ellen Rich? —preguntó Jenny mirando a Henry—. Recibí una felicitación suya la pasada Navidad. Aún seguimos en contacto y dice que ahora han montado allí un hipermercado. Hummm. —Meneó la cabeza con expresión desconsolada, le dio una palmadita en el brazo a Phyllis y exclamó—: ¡Ay!

—No somos muy políticas —dijo Lee sonriente—. Todo se resume en cenas.

—Pero aún seguís juntas; eso es lo que os envidio. Diez años, y aún sois un grupo. Y seguro que todavía os queréis mucho.

—Ah, claro que sí —asentí, rodeando a Lee por la cintura—. Nos seguimos queriendo *muchísimo*.

Lee adivinó lo que me proponía hacer (besarla en la boca) y echó la cabeza hacia atrás aterrorizada. Tuve que conformarme con la mejilla.

—Bueno, voy a ir pasando esto —musitó Lee soltándose—, que si no se enfrían. ¿Me perdonáis?

Lee siempre tan educada. Pero me miró como si tuviese ganas de estrangularme.

—Siento llegar tan tarde. Kirby acaba de dejarme abajo —dijo Isabel sin resuello—. Ha ido a aparcar.

Lee fue a quitarle la chaqueta pero Isabel rehusó.

—Me la voy a dejar —dijo mirándome—. Hola —me saludó.

Correspondí desde lejos simulando un abrazo. Se sentía bien, como siempre, muy lejos de desmoronarse ni nada parecido.

Rudy se acercó y le sonrió radiante. Luego la estrechó entre sus brazos con la afectuosidad de siempre.

—Estaba preocupada. Ya temía que no fueses a venir.

—Es que he tardado en organizarme.

—¿Qué tal estás? —le preguntó Lee a la vez que le tomaba ambas manos y la miraba a los ojos.

—¡Estás maravillosa! —exclamó Rudy.

Era en parte cierto y en parte no. Isabel llevaba un vestido precioso, de esa clase que nos recuerda que el negro es siempre elegante, y se había hecho un peinado que la favorecía. Pero estaba demacrada, pálida y amarillenta, y los ojos daban la sensación de ser demasiado grandes para su cara. Aseguraba no haber adelgazado ni engordado un solo kilo desde que tomaba los nuevos medicamentos. ¿Por qué entonces parecía tener la cara hinchada bajo el mentón, como si tuviese papada? No era muy prominente, y cualquiera que no la conociese no lo habría notado. Pero yo no podía quitarle ojo a aquel extraño abultamiento. Últimamente la observo y la controlo como una madre a un hijo enfermo. Lo hacemos todas. Y ella lo detesta.

—¿Cómo te encuentras? —insistió Lee volviendo a fulminarme con la mirada.

—Estupendamente. No podría encontrarme mejor. ¡Qué bonita está tu casa! —dijo Isabel mirando en derredor y soltándose las manos—. Ese espejo es nuevo, ¿verdad? No sé qué daría por tener tu gusto, Lee.

Bien. Incluso Lee captó el mensaje: *no vamos a hablar de mi salud, ¿de acuerdo?* De modo que nos quedamos las cuatro en el centro del salón formando un protector círculo cerrado, riendo y hablando de cosas intrascendentes; de los bonitos pendientes de Isabel; de mis preciosos zapatos nuevos; y de si el perfume que se había puesto Lee era Obsession o no (hasta que incluso yo olvidé que algo oscuro y amenazador se había posado sobre nuestra preciosa solidaridad y nos había cambiado para siempre).

Llegó Kirby. Isabel nos lo presentó a Rudy y a mí (Lee ya lo conocía) sin la menor insinuación respecto de que esperaba que les cayese bien, como habría hecho yo en su situación.

Kirby resultó un tipo inquietante. Era mucho más alto que nosotras, aunque dudo que pesase más de setenta o setenta y cinco kilos; casi calvo, con facciones angulosas y hombros altos. Aunque desgarbado, daba la impresión de ser fibroso, fuerte y atlético. Sus ojos de color castaño claro y triste dominaban su rostro. No sé por qué pero me pareció que tenía cara de cura.

Me limité a saludar sin añadir más a la fórmula de cortesía. Formamos un pequeño grupo en el salón exterior, nosotras cuatro y Kirby, y mantuvimos una charla con tímidos intentos de conocernos mutuamente. Él tampoco dijo gran cosa, aunque no puede decirse que se mostrase distante o taciturno. Pero no cabe duda de que notó que lo estábamos examinando. Curiosamente, Lee aseguró que le caía bien, pese a que se muestra mucho más posesiva con Isabel que nosotras. Pero también es proverbial su falta de ojo clínico para juzgar el carácter de los demás (no son prejuicios míos; baste pensar en Sally) y, por lo tanto, su opinión no me influyó en nada. Francamente, Kirby no acababa de gustarme, pero traté de ser objetiva por el bien de Isabel.

No fue por nada que él dijese y, de no estar yo tan susceptible y escamada, tampoco lo hubiese atribuido a nada que él hiciese. No es exactamente que no se despegase de Isabel sino que daba la impresión de vigilarla. Era una impresión que me transmitió su lenguaje corporal; y otra cosa: como Lee había retirado todas las sillas del salón para que hubiese más espacio, Kirby se esfumó durante unos segundos y luego reapareció con un taburete de la cocina, que situó detrás de Isabel casi imperceptiblemente (su maniobra fue vista y no vista, como por arte de magia). Y, con el mismo talante, primero le trajo un vaso de tónica con una rodaja de limón, y luego un plato con lo que él había elegido del bufé. Al ver que ella no parecía muy apetente, la miró primero con ceño y luego con desenfado, cuando ella empezó a picar un poco. Parecía haberse arrogado el papel de ángel guardián.

Era fácil precipitarse y considerarlo un tipo raro y un tanto macabro por su modo de apegarse a una mujer que, como mínimo, estaba gravemente enferma. Y entonces comprendí por qué Isabel pensó al principio que era gay: no porque fuese afeminado, sino porque era diferente y no encajaba con el tipo de hombre habitual. Sin embargo, no tardé en notar que era una persona gentil. Y decidí darle un voto de confianza. Al cabo de media hora me alegré por Isabel. No hubiese podido encontrar un hombre menos parecido a Gary Kurtz ni aunque lo buscase con lupa.

Kirby sugirió que fuésemos a sentarnos al salón, y me percaté de que lo hacía porque pensaba que Isabel estaría más cómoda allí. Al dispersarnos, Isabel me abordó en la entrada.

—¿Qué?

Tardé unos momentos en contestar pero, al ver su mirada de impaciencia, fingí no haber entendido la pregunta.

—¿Te refieres a él? Pues me gusta.

—¿De verdad, Emma?

No sabría expresar cómo me sentí al comprobar que a Isabel le importaba lo que yo opinase de su novio. Era como si nuestra líder me consultase a mí primero sobre una cita a ciegas. Me conmovió. Isabel es mi mentora, aunque ninguna de las dos lo expresaríamos nunca así en voz alta, y ciertamente nunca lo hemos expresado así. Es ella quien aprueba o desaprueba mi conducta, pero no a la inversa.

—Claro que me gusta. ¿Por qué no iba a gustarme? —dije—. ¿En qué ha quedado lo de que erais simplemente amigos?

—Seguimos así. Eso es exactamente lo que somos.

—¿Y se lo has dicho tú así?

Isabel sonrió y bajó la vista.

—Está enamorado de ti, ¿no?

—Si alguna vez lo estuvo, ya no.

—¿Por qué?

No me contestó.

—¿Y cómo es eso? ¿Porque has vuelto a enfermar? Pues si es así...

—Las cosas son ahora muy complicadas, Emma. Eso es todo. Has de reconocer que son complicadas.

—Todo es complicado, Isabel. ¿Pretendes decirme que Kirby sólo puede quererte si rebosas salud?

—No, no es eso lo que pretendo decirte —replicó un tanto perpleja—. No lo entiendes.

Se me encendió la lucecita y lo vi todo claro.

—Es cosa tuya —dije.

—¿Qué es cosa mía?

—Tú eres la que se echa para atrás porque estás enferma, no Kirby —dije con cierto alivio, sobre todo porque acababa de convencerme de que Kirby me inspiraba confianza.

Isabel me miró pensativa y meneó la cabeza.

—No es tan sencillo, Emma. No es tan sencillo.

—Si tú lo dices... Pero creo que es importante que veas las cosas con claridad.

Hasta a mí me asombra pontificar de esa manera acerca de los problemas de los demás en cuanto se me da un poco de pie.

—Ciertamente sólo he visto a Kirby una vez —añadí—, pero no me ha dado la impresión de ser una de esas personas que no soportan las complicaciones. No tiene pinta de ser de los que echan a correr.

Isabel fue a decir algo, pero Lee nos interrumpió.

—¡Niñas, al plató! —dijo con voz cantarina señalando a la temible cámara de vídeo—. Todas al salón, que Henry quiere filmarnos en el sofá.

Me eché a reír.

—¿De qué te ríes? —exclamó Lee con ceño.

—De nada —repuse. No he conocido a nadie tan torpe para entender los sobrentendidos.

El buenazo de Henry se había prestado. Usar la cámara para poner en evidencia a los demás era una de las más enojosas maneras de divertirse que tenía Lee. Ya fastidiaba bastante cuando lo hacía ella, pero cuando lo arrastraba a él a hacer lo mismo, Henry demostraba ser un santo.

Nos apretujamos las cuatro en el condenado sofá. Yo quedé entre Rudy e Isabel. Rudy no estaba borracha pero le hacía guiños a la cámara y fingió meterme la lengua en la oreja. Yo no tenía ganas de reír —estaba enfadada con ella—, pero al final lo consiguió. Vi a Curtis revolotear entre los invitados que nos miraban. No rió con los demás, ni siquiera sonrió. Y eso me ayudó a decidirme.

Había sido una ingenua al creer que Rudy no le revelaría mis secretos a Curtis. ¿Cuándo vas a madurar?, me reproché. Los matrimonios se lo cuentan todo. El matrimonio pasa por encima de la amistad, aunque esté una casada con un imbécil. La verdad es que ya no estaba enfadada con ella y no iba a hacer un problema de lo que le hubiese dicho o dejado de decir a Curtis; ni siquiera pensaba sacar el tema a colación. Eso era precisamente lo que él quería que hiciese. Pues que se joda. No iba a poner piedras en el camino de mi amistad con Rudy porque a él se le antojase.

Reparé en que Curtis me miraba y aproveché para rodear a Rudy con el brazo y besarla en la sien. ¡Chúpate esa, memo!

Pero no fue una victoria total. Porque en adelante tendría que tener cuidado en qué le contaba a Rudy acerca de Mick y yo. Y la sola idea volvió a ponerme furiosa con ella.

—Hola.

—Hola.

Durante toda la velada me había sentido como un pájaro que revolotea sobre un matorral de ortigas sin atreverse a posarse.

La parte de atrás del jardín de Lee era como un suave prado que yo escudriñaba a vista de pájaro. Y allí estaba Mick esperándome.

Bueno, la verdad es que no sé si estaba esperándome. Pero estaba allí, fumando un cigarrillo junto a la valla descolorida y cubierta de hiedra que separaba la casa de los Patterson de la del vecino. Ni siquiera estaba solo. Porque al fondo del jardín otros invitados, tres o cuatro hombres y una mujer, reían, bebían y fumaban cigarros alrededor de un columpio oxidado, tan viejo como la casa. La temperatura era agradable, estaba nublado y la luna no era más que un trazo curvo apenas entrevisto en un cielo gris y sin estrellas. A diferencia de mi barrio y del de Mick, el de Lee era muy tranquilo los sábados por la noche.

—No es como por nuestros barrios, ¿verdad? —dije.

Mick sonrió, retrocedió un paso invitándome a ir con él junto al borde del césped. Yo también sonreí pero bajé la vista para que no lo notase. Porque la euforia me cosquilleaba en el pecho. La tensión que había entre nosotros era alarmante. Significaba que todo era cierto; todo aquello que yo anhelaba y temía.

—Me sorprende que fumes —dije.

—No creas... Me lo han dado. Pero no suelo fumar —dijo mirando la brasa del cigarrillo como si también a él le sorprendiese—. Fumo uno cada tanto.

—Yo sí fumo, pero sólo cuando estoy con Rudy.

—¿Quieres que te pida uno?

—No —dije riendo, de nuevo eufórica.

Los mosquitos danzaban a la luz del jardín. Dos casas más allá un perro ladraba de puro aburrimiento. Se oía el zumbido de un avión invisible. Poco a poco, aunque no hablásemos, empezamos a relajarnos. Íbamos tejiendo una red a nuestro alrededor, casi como un capullo. Era lo mismo que hacíamos en Murray's, o sea que ya teníamos práctica. Sin embargo, estaba perpleja. ¡Qué cómoda me sentía con él!

—Tengo el artículo casi terminado —dije—. Sólo me falta comprobar unos datos y la revisión final.

Asintió con la cabeza, pero reparé en que se abstenía de decir nada que indicase que se alegraba. Porque terminar el artículo sobre el mundillo del arte en Washington para *Capital* significaba no tener más excusas para llamarlo a su estudio o tomar café con él para hacerle más preguntas. No tendría más justificaciones para seguir en contacto con él en adelante. Salvo la amistad. La secreta amistad, como Rudy lo había expresado muy acertadamente, algo que, en cierto modo, la deslegitimaba como pura amistad.

—Gracias por tu ayuda —dije en tono protocolario—. Sin ti no hubiese conseguido escribir el artículo.

—No creo haberte ayudado en nada.

—Eso no es cierto. No habría sabido a quién entrevistar y a quién no de no haberme orientado tú. Ni siquiera habría sabido por dónde empezar.

El redactor jefe de *Capital* me aconsejó enfocar el artículo desde el punto de vista de una persona profana en arte, algo que me venía al pelo, pues era el único enfoque que yo podía darle.

—Eres periodista —dijo Mick—, ya hubieses encontrado el modo de hacerlo.

—No sé por qué te empeñas en no reconocer que me has ayudado. Claro que no hay que descartar que no les guste; incluso de que me lo rechacen.

—En tal caso puedes decir que ha sido culpa mía.

—De eso nada...

Estaba pecando de falsa modestia, porque me sentía muy satisfecha de cómo había quedado el artículo. Me sorprendería mucho que lo rechazasen. Pero es innegable que soy una especialista en lanzar piedras sobre mi propio tejado. Es como aquel que se cubre en las apuestas, que alienta la esperanza sin descartar la decepción para que luego no duela tanto. Por lo menos en público.

A través de los cristales de la puerta del jardín, que ahora estaba cerrada, vimos que los invitados iban lentamente desde el bar a la mesa, en pequeños grupos. No oíamos lo que decían. Sólo veíamos los movimientos de su boca y oíamos sus risas. La esposa de Mick estaba enfrascada en una conversación con Curtis Lloyd y enseguida me asaltó la fantasía de que surgiese entre ellos un flechazo fulminante, abandonasen a sus respectivos cónyuges y se largasen juntos a Ibiza.

—He hablado con tu amiga Isabel —me dijo Mick.

—Ya la conocías, ¿no?

La había conocido allí mismo, en la última fiesta que dio Lee.

—Sí, aunque apenas hablamos. Pero esta noche sí. Y me cae muy bien.

—Me sorprendería que no te cayese bien.

—Es duro —me dijo.

Un día, en Murray's, le confié lo asustada que estaba y me eché a llorar (algo que detesto). De modo que ahora él se mostraba diplomático, expresando su solidaridad pero sin darme pie a ahondar en el tema.

—Lee le contó a Sally lo del Círculo Curativo y Sally me lo contó a mí —me dijo.

—¿Y lo has hecho?

—Sí. ¿Y tú?

—Por supuesto. Más o menos. ¿Cómo lo hicisteis vosotros? —pregunté, tratando de imaginarlos a él y a Sally frente a una vela y haciendo invocaciones al unísono.

—En el metro, de vuelta de una clase de dibujo. No me acordé hasta las diez menos cuarto.

—¿Y qué hiciste?

—Pues meditar. ¿Y tú?

Me encantaba hablar con él así. Con Rudy y con Lee resultaba demasiado íntimo y, por supuesto, con Isabel no podía hablarlo.

—Yo *intenté* meditar, pero no se me da nada bien. ¿Cómo te las compones tú para dejar la mente en blanco? Yo no puedo desconectar.

—La verdad es que no sé si puedo llamar meditación a lo que hice —dijo tratando de no desanimarme—. Simplemente pensé en ella. Cerré los ojos y deseé que se curase.

—Pues eso es lo que hice yo también. Desear que se cure.

Una mujer a la que yo no conocía abrió la puerta del jardín y se asomó en la penumbra. Alguien —sin duda Lee— había quitado la cinta de los Drifters y había puesto una de Stephane Grappelli. Las sincopadas notas del jazz rompieron el silencio, como un coche que irrumpiese en un campo de rugby durante el descanso. La mujer sonrió, desistió de salir al jardín y cerró la puerta. Volvió a hacerse el silencio.

Al ver que me quitaba los zapatos, Mick me preguntó si quería volver a entrar.

—No. Se está muy bien aquí —repuse—. Pero si quieres, entramos.

—No —dijo mirándome, mirando mi cuerpo, algo que solía costarle trabajo no hacer o, por lo menos, eso me parecía a mí.

¿A qué se debe que algunos hombres te miren y te hagan sentir la mujer más sexy del mundo; y que en cambio cuando te miran otros sientas la tentación de soltarles un puntapié en la entrepierna? Una fantasía irrumpió en mis tímidos intentos por hablar de temas superficiales: me imaginé abrazándolo. De puntillas, rodeándolo con mis brazos e inclinada hacia él. Se me secó la boca y olvidé lo que estaba diciéndole. Notaba la ropa demasiado ceñida, demasiado íntima. Enseñaba demasiado, pero deseaba ofrecérselo todo. Quería entregarme a él.

Dejé mi copa en el borde de una jardinera de hierro forjado. Aquello no era como un coqueteo con algún invitado guapo en una fiesta. Lo que yo sentía era una lujuria peligrosa que podía destruir vidas. Pensar en ese potencial peligro me despejó como si me hubiese zambullido en agua fría.

—¿En qué estás trabajando ahora? —le pregunté, complacida por haber logrado cambiar de tema.

—En algo nuevo. En unos retratos a la aguada. Ven a verlos —me invitó—. Ven cuando quieras, Emma.

O sea que volvíamos a estar como al principio.

Intenté esquivarlo.

—Me gustaría. Algún día iré.

No me preguntó acerca de lo que estaba escribiendo, porque hacía tiempo que le había pedido que no lo hiciese.

—No estoy contenta con lo que estoy escribiendo —dije, sorprendida por mi acceso de sinceridad—. No me gusta. Puede que dejar mi empleo en el periódico haya sido un error.

—No lo creo.

—Bueno... —dije, para que se extendiese. Porque de momento me había dicho lo que quería oír.

—En todo caso, es demasiado pronto para decirlo. ¿Cuánto tiempo llevas?

—Un mes.

—Muy poco tiempo.

—¿Y cuánto tiempo ha de pasar para saber si ha sido o no un error?

—Eso no lo sé.

—No lo habría hecho de no haberme inspirado en tu ejemplo —dije sonriendo de medio lado—. No lo habría hecho de no haberte conocido. De modo que si la pifio parte de la culpa será tuya.

—Te irá bien. Seguro.

—¿En qué te basas?

—En que tienes fuerza, entre otras cosas.

—¿Fuerza narrativa?

—Además de que le echas corazón. Estás viva.

Contigo sí que estoy viva, pensé.

—Tienes... no sé cómo llamarlo, una actitud que sin duda atraerá a los lectores, por lo menos a los lectores inteligentes.

Por suerte estaba oscuro, porque me ruboricé.

—Daría cualquier cosa por que eso fuese verdad —reconocí casi sin aliento—. Pero ni siquiera sé aún sobre qué debo escribir.

—Ya lo descubrirás. Eres demasiado impaciente.

—Cierto. Detesto esperar. Me pregunto si voy a conseguirlo, si va a funcionar, si va a tener éxito. Sí. Soy demasiado impaciente.

—Y si la respuesta fuese que no, y ya lo supieses, ¿qué harías?

—No lo sé.

—Yo comprendí que lo que debía hacer era pintar al percatarme de que era *lo único* que quería hacer, aunque nunca triunfase. Esa era la prueba de fuego. Porque no se trata de lo que los demás opinen de mi obra. Se trata de mí, de mi evolución; de verme mejor, de comprender cosas que antes eran un misterio para mí. De moverse. De cambiar.

Asentí con la cabeza repetidamente. La conversación me hizo sentir exultante y animada, a la vez que me preocupó. Me sirvió para reflexionar luego sobre ello.

Y me confirmó una cosa que sospechaba desde hacía tiempo: Mick era más maduro que yo.

—Bueno, da igual. Pero quería decirte que, de no haberte conocido, probablemente no habría dejado mi empleo. Me pareció que era correr un gran riesgo. No reparé en lo que pudo significar para ti. Ahora lo sé. Y te admiro.

Bajó la vista. Sólo le veía la coronilla. Se metió la mano en el bolsillo trasero del pantalón. Por un momento creí que iba a sacar un pañuelo para enjugarse las lágrimas. Me sentí como una estúpida, pero aliviada cuando sacó la cartera.

—¿Quieres ver una fotografía de Jay?

Su hijo era precioso, rubio, de mejillas sonrosadas y sonrisa angelical.

—Se parece a ti —dije—. Pero no sé exactamente en qué. Porque sus facciones no...

—Pues no. Todo el mundo dice que se parece a Sally.

—Sí, pero hay algo, algo que...

En la foto, Jay estaba haciendo un muñeco de nieve con papá en el jardín. Reconocí la fachada de la casa porque en una ocasión pasé por delante con el coche. No fue por casualidad sino que quería ver dónde vivía Mick; quería llenar aquella inocente laguna en lo que sabía de él. En la fotografía iba abrigadísimo, con un anorak acolchado, bufanda, gorro con orejeras, guantes de lana, y botas amarillas. Daba la impresión de no poder moverse, de estar enraizado en la tierra del jardín como los árboles. Una vez mi madre me hizo una foto con una indumentaria parecida, con la clásica pose de los niños: sujeto mi trineo con una cuerda y el vecinito detrás de mí, más alto, algo mayor, con una pícara mirada. Pero no recuerdo nada de aquel día. ¿Mirará Jay aquella de mayor sin recordar tampoco nada?

—Oh, Mick, es precioso. ¿Qué tiene?, ¿seis años?

—Cinco y medio. Cumplirá los seis en diciembre.

—¿Siempre has querido tener hijos?

—La verdad es que no. Jay vino... por sorpresa.

Alcé la vista. Su expresión se había hecho grave, retraída. Estaba midiendo las palabras.

—Nunca creí que la vida de nadie pudiera importarme más que la mía. Creo que Jay es feliz. Creo que es de verdad feliz. Lo que más me asusta es su inocencia. Quiero protegerlo y sé que no puedo —dijo con una voz cada vez más baja—. No podría hacer nada que le hiciese daño a Jay. Por más que lo desease. Por más que... —dejó la frase sin acabar. Le devolví la fotografía sin decir palabra. Mensaje recibido.

La verdad es que fue un alivio. Al igual que los niños, funciono mejor cuando se me ponen limitaciones. Ahora que sé las reglas, las seguiré al pie de la letra. ¿En qué estabas pensando?, me pregunté.

Se abrió entonces la puerta del jardín. Ladeamos la cabeza con renovada inocencia. Sally se nos acercó con Lee a pocos pasos. Mick pareció aguardar a que su esposa estuviese a su lado antes de volver a guardar la foto de su hijo en la cartera. Equivalía a una declaración de inocencia.

Entablamos conversación (nosotras, porque Mick no abrió la boca). Yo estaba aliviada y, a la vez, abstraída. Lee dijo que Sally quería colocarme a un novio de su oficina. Un abogado cuarentón, divorciado, que trabajaba como asesor jurídico.

—No digas que no sin ni siquiera pensarlo, Emma, porque parece un hombre realmente majo y...

—De acuerdo.

Lee parpadeó con expresión inquisitiva.

—Gracias, Sally —dije—. Dale mi número de teléfono y dile que me llame.

Pareció sorprenderse tanto como Lee. Estaba visto que mi reputación era de aúpa.

—Descuida que lo haré —dijo Sally, y tomó entre sus manos el brazo de Mick y recostó la cabeza en su hombro. Mensaje de esposa: vayámonos pronto, cariño, que estoy cansada.

Cometí el error de mirarlo. Me pregunto cuánto dolor pude haberme ahorrado si él hubiese desviado la mirada o si hubiese disimulado sus sentimientos o, simplemente, si hubiese habido menos luz. Pero había luz suficiente y Mick disimula mucho peor que yo. Vi todo su sufrimiento, enorme, descarnado y humillante. Durante todo aquel tiempo había dominado mi amor por él. El espejismo que me inducía a pensar que tenía alguna posibilidad se había evaporado.

Comprendí dos cosas que hubiese preferido ignorar: que nunca podría tenerlo y que estábamos enamorados.

16

Isabel

La primavera es mi estación favorita. Mayo es el mes que prefiero. Adoro la inocencia de mayo después del traicionero abril, la esperanza exenta de argucias que ofrece. La dulzura. No sé si atribuir a la buena suerte, o a uno de los golpes bajos del destino, que la peor experiencia de mi vida tenga lugar en el amable mayo.

El tratamiento con antiestrógenos no ha funcionado conmigo. Dado mi historial, el doctor Searle no se hizo ilusiones desde el principio pero, por distintas razones, ambos quisimos interrumpir la terapia el mayor tiempo posible. Mi razón era que ya había seguido el tratamiento de quimioterapia y me aterraba. No sólo no había servido para evitar una recidiva sino que había agravado mi enfermedad.

El doctor Searle ha ideado un nuevo cóctel de fármacos desde mis últimas juerguecitas con la quimio. Lo llama CAC (Cytoxan, Adriamycin y 5-fluororacil) y, si no me mata, casi tendré que apiadarme de mis pobres células cancerosas.

Kirby quiso acompañarme para mi primera sesión de tratamiento, pero lo disuadí. Le dije que ya había pasado por aquello una vez y que ya sabía lo que me esperaba. Además (esto no se lo dije) si surgían problemas, empezarían después, entre siete y diez horas después de las instilaciones.

Tenía hora para la una y media y a las doce y cuarto llamó Lee a la puerta.

—Me tomo la tarde libre y te acompaño —me dijo.

Comprendí antes de que me lo dijese que, a diferencia de Kirby, a Lee no podría disuadirla y no me equivoqué. Pero debo reconocer que junto a un amago de exasperación sentí un alivio enorme.

El médico ya había escrito las recetas de mi quimio, pero aún tendría que aguardar un buen rato antes de empezar el tratamiento a que me hiciesen nuevos análisis y a que en la farmacia del hospital tuviesen preparada la fórmula magistral, como la llamaban. Hasta pasadas las tres no entré en el pequeño cubículo y me eché en la cómoda camilla. Lee se sentó en un taburete a mi lado y charlamos. Chismorreos. Aunque yo estaba demasiado nerviosa para escucharla. Dudo que se conociese tanto como ella creía, porque estaba más nerviosa que yo, que ya es decir. Pero, en cierto modo, pude haberle dicho que las instilaciones de quimioterapia en sí no son nada. Es después cuando empieza la juerga.

El personal no era el mismo que dos años atrás. No conocía a Dorothy, una enfermera morena, menudita y muy agraciada que entró muy sonriente con una bandeja llena de medicamentos.

—Una amiga, ¿verdad? Eso está bien —dijo con un bonito acento inglés a la vez que me buscaba la vena. El pinchazo fue casi imperceptible y rápido. Di gracias a Dios de que fuese tan hábil. Porque algunas son unas carniceras.

—¿Qué lleva eso? —preguntó Lee al ver la jeringuilla de color rojo brillante que la enfermera Dorothy conectaba al catéter.

—Adriamycin —contestó—. Es el fármaco que provoca la caída del pelo, cariño —añadió mirándome a los ojos con expresión maternal.

Su simpatía era auténtica, pero casi excesiva. Yo estaba hecha polvo, porque no hay nada en este mundo que me haga compadecerme más que la quimioterapia. Creo que si Lee no llega a estar conmigo me hubiese puesto a llorar. Pero siempre me siento obligada a levantar el ánimo de todo aquel que pretenda levantármelo a mí, y no se me ocurrió más que un ramalazo de humor tan negro como manido.

—Pronto todos calvos.

Cerré los ojos mientras Dorothy me inyectaba lentamente la roja sustancia en la vena.

Luego me instiló Cytoxan, con un lento gota a gota. Ya me lo habían administrado anteriormente. Estaba preparada para sus desconcertantes e instantáneos efectos secundarios. Produce la misma sensación que si acabases de comer mostaza china, sientes frío en las fosas nasales y como si se dilatasen. Después de instilarme el 5-fluororacil la enfermera me retiró el catéter y me dijo que no me moviese, que volvería dentro de un momento a tomar mis constantes vitales y darme instrucciones respecto de los efectos secundarios.

Seguí allí echada con los ojos cerrados, con los cinco sentidos aplicados enfermizamente a captar lo que sentía. No mucho. Era demasiado pronto. Lee apenas hablaba. Supuse que empezaría a hablar otra vez al oír que acercaba más el taburete a mí. Posó una mano en la mía; le temblaba.

—Vamos a hacer un experimento de visualización —me susurró—. Visualizaremos a las células cancerígenas muriendo a manos de la quimio. ¿Te parece?

No sé qué forma adoptaría su visualización, pero la mía me hizo sonreír.

—¿Qué pasa? —preguntó Lee.

Pero yo me limité a menear la cabeza. Dudé que a ella le hiciese tanta gracia como a mí (con leotardos ajustados, Lee empuñaba una espada de plástico y, cual gladiador, descabezaba una a una a las células cancerígenas).

—Henry yo estamos de punta —me dijo un día que fuimos a cenar temprano a un restaurante español cerca de mi apartamento.

Se me iban los ojos viéndola atacar un plato de arroz con gambas. Yo tuve que conformarme con una sopa de lentejas y una pequeña ensalada. Y, aun así, temí excederme.

—¿Y por qué estáis de punta?

—Discutimos por todo. Todo lo que dice o hace me pone furiosa. No puedo evitarlo.

—Es el estrés. Estáis los dos...

—Ya lo sé. Anoche le grité que tenía que dejar de beber, y no nos hemos dirigido la palabra desde entonces.

—¿Dejar de beber? Pero ¡si Henry apenas bebe! ¿O sí?

—A veces se toma una cerveza después del trabajo. Y el alcohol afecta a la producción de espermatozoides, Isabel. Está comprobado. No creo que sea pedirle mucho. Soy yo quien lo está haciendo todo. Todo lo que ha de hacer él es cascársela y correrse en una botella cada tres o cuatro semanas, y yo he de hacer todo lo demás.

Dejó el tenedor en el plato y se tapó la cara con las manos.

—Oh, Lee, cariño... —exclamé, porque me pilló desprevenida. Todo lo que se me ocurrió hacer fue alargar la mano y darle unas palmaditas en el brazo.

—Perdona —dijo rebuscando un pañuelo en el bolso—. He tenido un día horrible —añadió con la cara roja como un tomate—. Me ha venido la regla.

Rompió a llorar.

—Oh, no. Lo siento mucho...

—No sé qué me ocurre. No debería habértelo contado precisamente en estos momentos, pero...

—No te preocupes.

—... no puedo evitarlo. Estoy fuera de mí. No puedo controlar mis emociones. Sólo tengo ganas de llorar y emprenderla a patadas con todo. Estoy muy asustada, Isabel. Me aterra pensar que no lleguemos a tener hijos. Porque si no los tenemos...

Se llevó la mano al cuello, mirando en derredor con cara de sufrimiento, angustiada al pensar que alguien pudiese haberla oído.

—Pero podéis probar muchos otros sistemas, ¿no? Si la inseminación no funciona...

—Hay millones de cosas que se pueden probar: la fecundación in vitro, las madres de alquiler... No estamos más que empezando, y todo es lentísimo y cuesta una fortuna. Henry no para de decir «¿Y qué hacen los pobres en estas circunstancias?». Sé que lo saca de sus casillas gastar tanto dinero. Pero es mi dinero, y cuando se lo digo se siente herido y se pone furioso.

Nunca la había visto así. Emma y Rudy se burlan de la serenidad de Lee, de su racionalismo, de su tendencia a verlo todo blanco o todo negro, incapaz de matizar. Pero lo cierto es que puede ser tan temperamental como cualquiera de nosotras. Aunque tiene una idea más rígida sobre lo que puede exteriorizar ante los demás, más rígida y más anticuada. Y por eso me sorprendió tanto su estallido de aquella noche.

Tardó poco en recobrar la compostura deshaciéndose en excusas. Yo quise seguir con el tema, pedirle que terminase la frase que había dejado a medias: «Porque si no los tenemos...» Pero no era el momento ni el lugar.

Cuando terminamos de cenar insistió en acompañarme a casa.

—Si te sientes indispuesta, es conveniente que estés con alguien.

Protesté a sabiendas de que sería inútil. Pero como en otras ocasiones, también sentí alivio. Probablemente me sentiría indispuesta. Ya contaba con ello. Pero le dije que en tal caso nada podría hacer ella.

—Además, ¿y Henry? Deberías irte a casa, Lee. Es viernes...

—¿Y qué? Ya está bien solo. Lo llamaré y le diré que voy a llegar tarde. No te preocupes por él.

Era su manera de castigar a su esposo cuando estaba desconsolada. Ojalá todos los matrimonios supiesen desahogar su ira de un modo tan inocuo, pensé, al recordar mis relaciones con Gary.

Aunque eran sólo las ocho, al llegar a casa me desnudé y me metí en la cama. Probablemente no dormiría. Pero, por lo menos, podría relajarme unas horas antes de empezar a encontrarme mal o *por si* me encontraba mal (intentaba ser positiva).

—¿Cómo te encuentras? —me preguntó Lee, que se inclinó hacia mí, me arropó mejor y alisó el borde de la sábana.

—No sabría cómo describírtelo. Tengo calor y noto la piel tensa. Me siento rara. Como un hormigueo.

Lee se sentó en el borde de la cama.

—Fiebre no tienes —dijo tras ponerme la mano en la frente—. No te preocupes, Isabel, que me quedaré contigo. Vamos a salir de esta, ya lo verás.

Quise decirle que había sido para mí como una madre maravillosa —que lo seguiría siendo—, pero temí que nos echásemos ambas a llorar.

—¿Quieres que te traiga un poco de agua?

—Sí, por favor. Me han aconsejado beber mucha agua. Y es lógico. No conviene que todas esas pócimas se queden en la vejiga y en los riñones más tiempo del necesario —dijo incorporándose.

—¿Quieres que apague la luz?

—Sí, por favor.

—Bueno, te traeré agua. Luego intenta dormir.

—¿Y tú qué harás?

—Pues me quedaré aquí sentada y meditaré un rato. ¿Te importa que ponga la tele bajita?

—No, claro que no.

—Bueno, pues que duermas bien, Isabel.

—Buenas noches. Y gracias por todo, Lee.

Me lanzó un beso desde la entrada y, al cabo de unos minutos la oí hablar en voz muy baja por teléfono. Con Henry, supuse. Deseé que hiciesen las paces. Agucé el oído, tratando de enterarme de cómo se encarrilaba la reconciliación, pero debí de perder el hilo y quedarme dormida. Me sobresalté al oír sonar el teléfono.

Lee contestó.

—Está bien —la oí decir, con voz tensa y muy seria, casi grosera. Deduje que debía de ser Kirby. Y al cabo de unos segundos me sentí fatal.

Me levanté tambaleante. El cuarto de baño estaba casi junto al dormitorio. No había más que dar diez o doce pasos en el pasillo para entrar. Pero no llegué.

Vomité en la alfombra del pasillo, en las baldosas sonrosadas y en la alfombrilla del lavabo. Fue como una explosión. Todo lo que había comido: la cena, el almuerzo y el desayuno, y una enorme cantidad de bilis negruzca y espesa salió como un géiser incontrolable. Me apoyé en el lavabo, dando arcadas y tosiendo, mientras Lee me rodeaba la cintura con el brazo.

—Bueno, así... Ahora te sentirás mejor —me dijo.

—¡Madre mía...! —exclamé cuando pude—. Pero no se te ocurra limpiarlo. Ya lo haré yo, sólo...

—Calla, Isabel. ¿Ya está?

No. Volví a vomitar, sujetándome el estómago, sin parar de dar arcadas hasta que no me quedó nada en él. Pero al ir a enjuagarme la boca en el lavabo, tuve otro acceso.

Lee me ayudó a volver a la cama y me acurruqué; me quedé hecha un ovillo, sudorosa. La oí limpiar la alfombra frotando con un cepillo y luego fregar el suelo. El olor a detergente me produjo náuseas. Lee acababa de dejarlo todo como una patena, y volví a ponerle perdido el lavabo.

Aquello no paraba.

—No sé de dónde lo saco. ¡He echado ya hasta la bilis!

Y al final ya no quedó nada, pero eso no acabó con mis náuseas.

—Voy a llamar al médico —dijo Lee, que ya me lo había repetido varias veces. Me sonaba a cariñosa amenaza. Pero yo le repliqué que no iba a servir de nada porque ya me había tomado la medicación para combatir las náuseas. Es parte de los efectos secundarios. No pueden hacer nada.

Lo cierto es que en aquella ocasión fue peor que otras veces. Debía de ser la Adriamycina, el nuevo fármaco que el médico había incorporado al cóctel. Volví a la cama e intenté descansar, pero no podía estar quieta más de unos segundos; no encontraba la postura. Tenía los músculos del estómago fláccidos y doloridos, y todos los nervios en tensión. Lee quiso hacerme beber agua, pero no pude. Sólo con pensarlo me entraban arcadas.

Llamaron a la puerta y miré el reloj. Eran las doce y veinte. Lee fue a abrir y oí la voz de Kirby interesándose por mi estado. Hundí la cabeza en la almohada, absurdamente mortificada. No cabía duda de que me había oído porque su cuarto de baño estaba justo encima del mío. Me alegré de que Lee no lo invitase a entrar.

—Bueno, ya te llamaré. Ahora no hay nada que puedas hacer. Pero gracias —la oí decir, y luego cerrar la puerta.

Lamenté que Kirby y yo hubiésemos tenido aquel abortado escarceo semirromántico el pasado diciembre; que me hubiese besado y que me dijese palabras de amor. No habría sido tan embarazoso que la cosa no siguiese adelante. Emma tenía en parte razón al decir que era yo quien dio marcha atrás en la relación. Pero en otro sentido estaba equivocada. Kirby desapareció. No me llamó ni me visitó durante seis días después de que le contase lo de mi nuevo diagnóstico. Y seis días era mucho tiempo, porque solíamos vernos a diario. Cuando reapareció, se comportó como si nada hubiese sucedido, y desde entonces había sido la solicitud personificada, un modelo de solidaridad y de desprendida amistad. Era obvio que lo impulsaba la decencia, no el amor y, por supuesto, yo no se lo reprochaba. Él había perdido a su esposa y sus hijos de un modo tan absurdamente trágico como prematuro. Habría tenido que estar loco, ser una persona patológicamente autodestructiva para volcarse en una relación amorosa con una mujer en mi situación. No, en absoluto, no podía reprochárselo, pero me mortificaba pensar que Kirby tendría que vérselas con otra desgracia.

—Vete a casa —le dije a Lee a la una—. Creo que ya estoy mejor —mentí. Porque tenía escalofríos. Me notaba fiebrosa, agotada e incapaz de relajarme.

—Ya he llamado a Henry y le he dicho que me quedo. Ojalá pudiese hacer algo. ¿Quieres que te dé un masaje en la espalda?

—No, gracias. Tengo la piel como descarnada. Me duele hasta el roce de la sábana.

—¿Quieres que ponga música? ¿Algo suave que te ayude a desconectar?

—No sé. Quizá no.

—Anda, sí. Lo probamos.

Le dije que sí por no desairarla.

—Puedes poner los *intermezzi* de Brahms de Glenn Gould. Me lo envió Terry.

Lo puse y, al cabo de unos minutos, yo volvía tambaleante al cuarto de baño.

—Quítalo, oh Dios, no lo estropees... —dije llorando de pura debilidad y frustración. No quería que la enfermedad me hiciese llegar a detestar algo tan hermoso, algo que tanto amaba—. Oh, quítalo, Lee, quítalo, por favor.

La noté asustada al verme volver a entrar en el dormitorio y sentarme a su lado medrosa.

—Creo que deberíamos llamar al médico —insistió—. Esto no puede ser normal.

—No lo es. Esa es la cuestión. Es veneno —dije abrazándome las piernas hasta tocarme el estómago con las rodillas—. Todo lo que me dan tiene por objeto devorar las células cancerígenas. Es como un ácido corrosivo.

—Pero creo que esto es excesivo. Déjame llamar, Isabel. Sólo para consultarle.

—Te digo que no sirve de nada. Es el efecto que producen los fármacos.

—Sólo llamar...

—Pues anda, llama —accedí al fin, demasiado débil para seguir discutiendo.

Lee fue a llamar. La oí musitar al teléfono, pero no escuché. Me daba igual.

—He dejado el mensaje en urgencias —me anunció desde la entrada—. Luego llamará el médico.

Refunfuñé. Pero, en fin, por lo menos ella se sentía ahora mejor.

Al cabo de unos minutos sonó el teléfono.

—Va a llamar al servicio nocturno de Columbia para que preparen una receta —me dijo tras hablar unos minutos en voz muy baja—. Iré a recogerla. ¿Crees que puedo dejarte veinte minutos?

—Pero... no vas a ir a la farmacia a la una y media de la madrugada —dije. Esforzarme para hablar volvió a provocarme náuseas.

—No seas tonta. Es un paseo.

—Que no, Lee. Lo digo en serio. Te lo prohíbo.

Hizo bien en no echarse a reír. Me miró escrutadoramente.

—Bueno, pues entonces llamaré a Kirby. Él puede ir a la farmacia.

Insistí en que no y solté un par de juramentos, pero Lee se limitó a mirarme con el ceño fruncido hasta que empecé a gemir.

A las tres de la madrugada, estaba acurrucada en el sofá del salón, abrigada con una manta, escuchando a Lee y Kirby que charlaban amigablemente. Ya me sentía un poco mejor. Las pausas entre los accesos de vómito se habían alargado hasta cosa de media hora, y ya no me notaba fiebrosa. Pero seguía sin poder beber agua, y mi reacción a la sugerencia de Kirby de que intentase tomar sal de frutas fue la previsible. Lee hizo té y lo acompañaron con subrepticios bocaditos de bizcocho cuando creían que yo no miraba. Aquella noche fue la peor que recordaba, y no quería estar sola lamiendo mis heridas, por así decirlo. No sentí el noble impulso de no hacerlos sufrir con mi sufrimiento. Anhelaba compañía.

Kirby se sentó en el suelo como un yogui, con las piernas cruzadas y las muñecas elegantemente posadas en las rodillas. A su lado, en el sillón, Lee bostezaba sin taparse la boca, un grave lapsus en ella y un claro síntoma de fatiga.

—¿Cuánto hace que vives en Washington? ¿Kirby es nombre o apellido?

—Apellido. Vivo aquí desde 1980. Mi esposa y yo vivíamos antes en Pittsburgh.

—¿Pittsburgh? Tengo amigos allí. ¿Conoces a los Newman? ¿Patty y Mark Newman?

Kirby dijo que no.

—O sea que eres de Pittsburgh, ¿no?

—No; nací en Nueva York, en el norte. ¿Y tú?

—Mi familia procede de Boston.

—Ajá.

Silencio.

—¿Cómo conociste a Isabel? —preguntó Kirby.

—Éramos casi vecinas, en Chevy Chase, cuando ella estaba casada con Gary. Primero conocí a su hijo Terry, una noche de Halloween.

Sonreí al recordarlo.

—Pues la primera vez que vi a Isabel —dijo Kirby— estaba hablando con una vagabunda que «acampaba» en la esquina. Estaba sentada en la acera, con todos sus bártulos alrededor e Isabel estaba acuclillada a su lado. Isabel llevaba una falda verde oscuro, una blusa azul celeste y zapatos de tacón bajo. La vagabunda era la que más hablaba. Las vi reír un par de veces. Isabel no le dio dinero pero al despedirse le dio unas cariñosas palmaditas en la pierna. Pero pareció un gesto muy... afectuoso.

Ladeé la cabeza y lo miré.

—La segunda vez que la vi —prosiguió Kirby con la mayor naturalidad— iba sentada a mi lado en el autobús. Al principio no la reconocí. Pensé que se parecía a la mujer que había visto hablar tan amablemente con aquella vagabunda, pero no estaba seguro de que fuese ella. Llevaba unos pantalones holgados y un jersey marrón. Y botas. Y un montón de libros. Parecían libros de texto pero no pude leer los títulos. Tenía los dedos manchados de tinta. —Nos miró a las dos sonriente y prosiguió—: Al llegar a la calle F, sacó un walkman del bolso y se puso los auriculares. Yo la observaba por el rabillo del ojo. Su expresión se relajó y sonrió. Fue una sonrisa apenas esbozada. También observé que las manos, entrelazadas sobre el regazo, se relajaban. La música apenas se oía. Por más que lo intentaba no lograba discernir qué estaba escuchando. Yo ya me había hecho una composición de lugar: era perfecta y, sin embargo, me aterró la idea de que sonriese beatíficamente escuchando a los Megadeath o a los Beastie Boys. Imagina mi alivio cuando, al llegar a Dupont Circle, abrió el walkman para darle la vuelta al casete y vi que era una sinfonía de Mozart; la sinfonía en sol menor.

—¡Qué barbaridad! —exclamó Lee quedamente.

—Se apeó en la misma parada que yo y echó a caminar por Ontario Road hacia Euclid. No puede decirse que la siguiese, porque era mi camino, sino que fui detrás. Al verla subir por las escaleras de la entrada de este edificio y luego entrar, temí padecer una alucinación, una fantasía. Ella me vio desde el ascensor y me aguantó la puerta. Subimos en silencio hasta su piso. Todo lo que se me ocurría decirle me sonaba frívolo. No lo bastante importante para la ocasión. Se abrió la puerta y entonces sí dije algo, aunque no recuerdo qué, y ella terminó por decirme su nombre y yo el mío. Luego sonó la alarma por estar la puerta abierta demasiado tiempo. Ella dio un paso atrás, dijo «Bueno» y se despidió saludándome con la mano.

Cuando hubo terminado de contar la historia no me miró pero Lee sí, fascinada.

Me incorporé. No sabía qué decir, pero parecía obligado decir algo. A pesar de mi buena intención, me había incorporado demasiado bruscamente. Y ocurrió lo peor. Volví a sentirme mal y apenas tuve tiempo de decir nada.

—Disculpad...

Y de pronto vomité en la manta y tuve que ir corriendo de un modo nada digno al cuarto de baño.

Cuando volví hablaban y reían muy animadamente sobre otra cosa, sobre un tema absolutamente aséptico. La tensión emocional del momento había pasado. Fue un alivio, aunque en mi fuero interno deseé sentir de nuevo aquella tensión, por más embarazoso que me resultase. Me eché de costado observando a Kirby, mirando escrutadoramente su cara, su pálido rostro y sus marcados pómulos, sus ojos castaños ligeramente hundidos. Escuché mientras contaba algo acerca de su hija, Julie, que murió a los doce años. Reparé en que, con un tacto sin duda inconsciente, se ganaba a Lee, que dejaba sus recelos a un lado y se convertía en su amiga. Se me nubló la vista y acabé adormeciéndome.

Amaneció.

—Andad, marchaos los dos a casa —dije.

Kirby se había quedado dormido en el suelo y Lee en el sillón. Yo me acurruqué bajo la manta, temblando. Ya no tenía calor. Estaba helada.

—¿Crees que te sentaría bien un té? —me preguntó Lee, incorporándose y estirándose.

Pude tomármelo. Todo un milagro. Nos lo tomamos en silencio. No sé cuál de los tres estaba más demacrado. Probablemente yo, pero no pensaba mirarme en el espejo.

—¡Vaya noche! —exclamé rascándome la cabeza con ambas manos—. Me pica —añadí—. Es la Adriamycine. Deja calvo a todo el que la toma. Sin remedio. Dentro de dos semanas estaré como una bola de billar.

—Oh, Isabel...

Lee vino a sentarse a mi lado. Me rodeó con el brazo y me besó en la cabeza. Yo me envaré, notando que iba a echarme a llorar. Y me hubiese gustado, para desahogarme, de no haber estado Kirby presente.

—¿Y por qué no te lo cortas tú misma? —dijo Kirby.

—¿Cómo? —exclamé mirándolo.

—Sí, que te lo cortes tú antes de que empiece a caerse —contestó mirándome a los ojos.

—¿Cortármelo yo? —dije tocando mis rizos con los dedos—. ¿Ahora?

—Toma tú la iniciativa —dijo Lee con animosa firmeza—. Es mejor que lo jodas tú antes de que te joda él.

—Puedo hacerlo yo, si quieres —se ofreció Kirby mirándome como si tal cosa—. Te raparé la cabeza con mi afeitadora eléctrica. Podemos hacerlo ahora, aquí los tres.

Me eché a llorar, pero sólo un poco. Lloré por todo lo que iba a perder; porque iba a perder el amor de mis amigos y porque, a veces, la amabilidad es tan mortificante como la crueldad. Y también lloré, aunque solo un poco, por mi pelo.

17

Lee

Donde más aniversarios habíamos celebrado las Cuatro Gracias había sido en Neap Tide, en el chalet que tenía mi familia en Outer Banks. Como ya habíamos celebrado cuatro no tenía nada de particular que celebrásemos allí el 10º.

Partimos el viernes por la mañana, más tarde de lo que planeamos porque Rudy tuvo problemas para que Curtis le dejase el coche. Tardamos siglos en llegar porque Rudy y Emma tenían que parar cada hora para ir al aseo. Aunque lo negaron es más que posible que llevasen una petaca de whisky, que se pasaban la una a la otra en el asiento delantero.

—Estáis bebiendo, ¿verdad? —les dije después de la tercera parada discrecional.

Emma se giró y me miró como si creyese que me había vuelto loca. De modo que no estoy segura. Lo que sí sé es que alborotaban más a medida que avanzaba el día; riendo por cualquier cosa y cantando al compás de las casetes que se habían traído; viejas canciones roqueras que no me dijeron nada cuando salieron y luego otras country que eran aún peor, cantadas por Tammy Wynette, Dolly Parton y Dios sabe quién más. Al final tuve que decirles que Isabel estaba tratando de dormir, que era la verdad. Tenía la costumbre de dar una cabezada por las tardes desde que le administraban la quimioterapia, y ni siquiera Rudy y Emma eran tan inmaduras para no respetar eso.

Neap Tide es en realidad Neap Tide II, porque Neap Tide I sufrió tales destrozos durante el huracán *Emily* que tuvieron que reconstruirlo. El nuevo chalet es más grande y tiene algunas cosas nuevas: el tejado, la instalación eléctrica y ventiladores en el techo. Pero, en líneas generales, resulta tan acogedor y poco sofisticado como el antiguo. Dicho de otro modo, no tiene nada que ver con las mansiones de medio millón de dólares que construyen actualmente en primera línea de mar. Henry y yo íbamos allí un par de veces al año; mis padres puede que una vez cada dos años y mis hermanos nunca. Preferían Cape Cod. El resto del año mi familia le alquilaba el chalet a los turistas.

Estábamos agotadas cuando Rudy detuvo el coche bajo el desvencijado porche delantero. Emma tuvo que ir a ver el mar enseguida mientras Rudy y yo descargábamos nuestro equipaje (y el suyo) y lo subíamos por los dos tramos de escaleras y elegíamos las habitaciones. Sugerí que Isabel y yo ocupásemos el mismo dormitorio y que Rudy y Emma compartiesen la habitación de invitados. A todas les pareció bien. Cuando Emma hubo regresado y hubimos deshecho el equipaje, nos reunimos en la cocina para (de nuevo a propuesta mía) organizar las comidas, el reparto de responsabilidades y otros arreglos domésticos. Y entonces fue cuando tuvimos nuestra primera pelea.

No fue realmente una pelea. Debería empezar por ahí. Nuestro primer choque emocional, llamémoslo. Les dije que era más lógico que cenásemos allí aquella noche y saliésemos al día siguiente, porque estábamos cansadas de conducir y teníamos filetes en el congelador que podíamos hacer a la brasa; y sugerí ciertas tareas que parecían más apropiadas para unas que para otras (a Emma, por ejemplo, se le da bien cocinar pero lo pone todo perdido, mientras que Rudy es menos creativa pero lo limpia todo a medida que cocina).

Emma ya había abierto una cerveza y bebido la mitad. Se irguió y me hizo un saludo militar. «¡Señor, a la orden, señor», dijo cual marine.

Como estoy acostumbrada a sus sarcasmos no le di importancia. Pero al cabo de unos minutos, mientras intentaba organizar turnos de limpieza para las partes comunes de la casa: el salón, el comedor, la cocina y los porches (no por ganas de mangonear sino porque alguien ha de organizar estas cosas al principio para evitar roces), Emma se burló de mí. Lo dijo por lo bajinis y como para sí, pero lo oímos todas. Hizo una alusión a mi vida sexual y a quién «se encargaba» de ella, si Henry o yo.

Yo miré para otro lado. Y no ocurrió nada hasta que habló Isabel.

—Pero Emma...

No sé si fue a causa de la burla de Emma o de la desaprobación de Isabel pero me eché a llorar.

No podía parar. Yo intentaba darles la espalda a todas e Isabel se empeñaba en darme la vuelta. Me senté en la mesa de la cocina y me cubrí la cara con las manos.

—Oh, Lee, perdona —dijo Emma sentándose a mi lado—. Lo siento mucho —añadió casi asustada. Isabel me acarició el pelo y Rudy me trajo un vaso de agua.

Aquello me mortificaba.

—Son los fármacos para la fertilidad —les dije—. Tomo Clonid, que produce cambios bruscos de estado de ánimo. No puedo evitarlo.

—No; ha sido culpa mía —dijo Emma—. No he debido decir semejante estupidez. Por favor, Lee, no me hagas caso.

—No; soy yo. No funciona. No me quedo embarazada y me siento como una imbécil. He esperado mucho tiempo, y no me falta tanto para cumplir los cuarenta y dos años. Es culpa mía.

—No, no es culpa tuya —dijo Rudy—. La culpa es de los espermatozoides de Henry.

—No puede ser. El médico dice que puede haber otro problema, porque ya tenía que haberme quedado embarazada. Me parece que el problema está en mí. Y con franqueza... ¡creo que Henry se alegra de que no sea sólo culpa suya!

Traté de contener el llanto porque me percaté de que las estaba asustando. Pero no pude. Tampoco podía dejar de hablar.

—¿Y qué he hecho yo? ¿Qué he hecho yo? —clamé—. ¿Se debe a que fui demasiado promiscua cuando era joven? ¡No veis que salía a tío por polvo! —añadí al ver que Emma y Rudy se echaban a reír y que incluso Isabel sonreía—. Pude haber contraído cualquier infección sin enterarme. Tuve que ponerme un DIU a los treinta años para hacerme más fácil tener relaciones sexuales, ¡pero ahora se sabe que producen muchos efectos indeseables!

—Mira, Lee, eso no es...

—He esperado demasiado. He querido tenerlo todo: mi carrera, mi casa, mi marido. ¿Por qué no me casé antes de los treinta? Oh, Dios. El problema está en que siempre he creído saber lo que quería; siempre lo he planeado todo, me he esforzado por conseguirlo y lo he conseguido. Y ahora todo se derrumba. Es como si estuviese paralizada. No puedo hacerlo todo. No puedo remediarlo ya.

Y de nuevo me entró la llantina. Resultaba demasiado embarazoso para expresarlo con palabras.

Rudy se había acercado una silla y se había sentado a mi lado.

—Debe de ser muy duro trabajar con niños —me dijo—. No parece el trabajo más adecuado para ti en estos momentos.

—Claro —asentí sollozando.

Fue un alivio que alguien lo dijese al fin en voz alta. Quizá fuese demasiado obvio, pero por la razón que sea a ninguna se le había ocurrido expresarlo así: que el hecho de tener a mi cargo una guardería era una terrible crueldad, una mala pasada que la vida me jugaba.

—Es horrible —añadí—. No creo que sea capaz de seguir mucho tiempo. Es muy doloroso.

—Pobre Lee —dijo Emma posando sus manos en mis rodillas.

—Es demasiado. Es una tortura constante. Pero ¿qué puedo hacer? Quizá podría dedicarme a asesorar, a escribir artículos, puede que un libro de texto. Pero aun y así...

—Seguiría tratándose de niños —dijo Rudy—. Continuamente.

—Sí, y además ¿qué cambiaría si fuese cajera de un banco y viese a los niños en sus cochecitos, a los niños en sus sillitas en los coches, a los niños mientras sus madres les dan el pecho en el lavabo de señoras en Nordstrom? Cuando veo a las madres comprar pañales en el super he de desviar la mirada; no soporto esas historias de madres que abandonan a sus bebés recién nacidos en contenedores de basura.

Isabel me abrazó desde atrás y apoyó su mejilla en la mía, húmeda de llanto.

—Desahógate. Es bueno llorar. ¿Se lo has dicho a Henry? Estoy segura de que tiene muchas ganas de hablar contigo.

Me solté del abrazo de Isabel. Me sentía avergonzada, indigna de su consuelo. Además, tenía ganas de decir otra cosa.

—Estoy furiosa con él. Intento no estarlo porque sé que es irracional, pero no puedo evitarlo. He de tomar esas horribles medicinas, me han hecho no sé ya cuántos análisis. He orinado en no sé cuántos tubos; me toquetean, me inyectan, me meten la mano y... todo lo que tiene que hacer él es masturbarse —dije. Tuve que sonreír cuando Emma arrimó su cara a mi muslo y resopló—. Os lo digo en serio. En mi fuero interno estoy furiosa con él, aunque no sea culpa suya y esté segura de que él lo pasa tan mal como yo. Para Henry el sexo es algo privado y no puede soportar que se hable tan descarnadamente de ello; todas las preguntas que ha de contestar a un montón de enfermeras y médicos acerca de nuestra vida íntima. Incluso despotrica contra el grupo.

—¿Ah sí?

—No contra nadie en concreto, sólo que supone que ya lo sabéis todo acerca de él, todas sus intimidades, y lo detesta, como detesta tener que ir a la clínica a... fabricar su esperma, mientras las enfermeras saben lo que está haciendo. Lo hace sentir ridículo. Además, como por lo visto todo se reduce a su esperma...

—Se siente culpable —dijo Rudy—. Desea que tengas todo lo que deseas y se siente culpable por no poder darte lo que más quieres.

—Claro —asentí—. No lo dice, pero una de las razones de que quiera ser padre es para compensar el hecho de no haberlo tenido él. Creo que ahora aflora parte de lo que sufrió de niño. Y eso empeora las cosas.

—¡Dios mío...! —exclamó Emma quedamente—. Si no quieres caldo, tres tazas.

—Exacto.

Sentí un gran alivio al poder desahogarme, notar que me comprendían y que se solidarizaban conmigo. Pero había otras cosas que no podía decir. Como mi secreto deseo de haberme casado con otro, con cualquier otro, siempre y cuando pudiera darme hijos. Y, por supuesto, tampoco podía decirles lo mal que iban las relaciones sexuales entre Henry y yo. Ni siquiera lo hacíamos ya más que cuando teníamos que hacerlo. ¿Qué sentido tenía? ¿Por «pasión»? Ya no nos quedaba. Yo no me sentía atractiva ni sexy, y Henry se consideraba un desastre. Hacer el amor se había convertido en algo mecánico y medroso. La última vez que lo intentamos no pude llegar al orgasmo y él apenas tampoco. Pude haber fingido pero ni me molesté. Nos resultó tan embarazoso a los dos que no lo hemos vuelto a intentar.

—¿Y si recurrieses a un psicólogo? —dijo Rudy—. ¿Y si fueseis a ver a alguien y le expusierais vuestro caso?

—Henry no querrá. Y yo no pienso ir sola.

—Todo se arreglará —dijo Emma—. Todo puede cambiar de la noche a la mañana, Lee. A lo mejor os llaman de la clínica y resulta que estás embarazada.

—¡Hace meses que me lo repito! Espera. Ten paciencia. ¡Si no hago otra cosa, Emma!

—¿Y no has pensado en la posibilidad de la adopción? —me preguntó Isabel.

—No. Porque Henry no quiere. Quiere tener un hijo propio. Y yo también. Y mis padres.

—¿Tus padres?

—Un momento, Lee —dijo Emma—. ¿Henry no quiere adoptar? ¿Eso dice?

—Jenny dice siempre que al padre de Henry lo mataron en Vietnam, pero la verdad es que... que quede entre nosotras, ¿eh?, pero Henry cree que ella no sabe siquiera quién fue su padre. De modo que quiere tener un hijo propio. Lo hablamos hace tiempo, y estuvimos de acuerdo.

—Bueno, pero quizá ahora...

—No. No pienso rendirme. Voy a quedarme embarazada cueste lo que cueste.

—Pero si eso te desquicia...

—No me desquicia, Rudy. Estoy decidida a tener un hijo. Eso es todo. No pienso rendirme. Hay una diferencia entre estar desquiciada y estar resuelta.

—Claro. No he querido decir que estés realmente desquiciada. Yo sí que estoy como un cencerro. Tú, Lee, eres la más cuerda de nosotras —dijo Rudy.

—¡Vaya! ¡Y yo que creía que era yo! —exclamó Emma.

Nos hizo reír a todas, que le agradecimos su distendido comentario.

—Bueno, ya está bien —dije.

Me sentía incómoda por haber acaparado la atención de las tres tanto rato. Además, no quería hablar de mis padres. Y lamentaba haber deslizado el tema; que quisieran un nieto auténtico, otro pequeño Pavlik que llevase los auténticos genes. La postura de mis padres me incomoda. Imagino lo que diría Emma.

—Bueno —dije levantándome—. Tenéis razón. De un modo u otro funcionará. Es sólo que lleva tiempo y estoy un poco harta. En fin... ya he consumido con creces mi cuarto de hora —añadí riendo—, y me siento mucho mejor.

No me creyeron pero dejaron de mimarme. Fueron a preparar unas copas para tomárnoslas en el porche delantero. Fue como si todas nos percatásemos de que nuestro fin de semana para celebrar el aniversario empezaba con mal pie, y que era mejor cambiar el chip si no queríamos estropearlo todo. Aunque estaba segura de que hablarían de mí en cuanto yo no estuviese delante. «Oh, pobre Lee. No tenía ni idea. No la he visto nunca así. No es normal en ella.» La verdad es que yo tampoco me había visto nunca así. Apenas me conozco ya. Quiero que mi vida vuelva a ser como era.

El crepúsculo nos deslumbraba. Tuvimos que ladear las sillas hasta que el sol se sumergió en el horizonte. «Esto es vida», dijimos todas por turno, recostadas en el respaldo y con los pies descalzos apoyados en la barandilla. «No hay nada como esto.»

Rudy no recordaba si era la tercera o la cuarta vez que celebrábamos nuestro aniversario en Hatteras, y todas empezamos a tratar de recordarlo.

—¿Por qué no vamos a dar un paseo por la orilla? —propuse. Les reservaba una sorpresa, pero no pensaba dársela hasta la noche del día siguiente. Un exceso de nostalgia de buenas a primeras podía estropearlo todo.

Bajaba la marea. Fuimos a pasear por la orilla de dos en dos; Rudy y Emma metidas en el agua hasta la rodilla, con los pantalones remangados; e Isabel y yo por la arena. Isabel llevaba un bonito pañuelo verde que le cubría la cabeza. Estaba preciosa. Nadie hubiese dicho que estaba enferma. Según ella, las pastillas que tomaba la engordaban, pero a mí no me lo pareció.

—¿Cómo te encuentras, Isabel? —le pregunté.

—Estupendamente.

—El viaje es muy largo y yo estoy cansada. ¿De verdad estás bien?

—De verdad.

—¿Y qué tal está Kirby?

—Estupendamente. Me ha dicho que te salude de su parte.

—Me cae muy bien. Al principio no acababa de gustarme —reconocí—. Pero después de aquella noche, después de la primera sesión de quimioterapia...

—Menuda nochecita, ¿eh?

Se había sometido a la segunda sesión la semana anterior, y fue mucho mejor que la primera. No se había encontrado tan mal ni las náuseas duraron tanto. No me quedé yo con ella sino Emma, y no toda la noche.

—Y qué, ¿todavía sigue enamorado de ti? —pregunté.

Isabel meneó la cabeza pero no a modo de negación sino para soslayar el tema.

Cuando se abordaba la cuestión, se limitaba a decir que el platónico amor de Kirby había llegado en un momento inoportuno, pero que se alegraba de conservar su amistad. Y no estoy muy segura de si es eso lo que prefiere. La serenidad de Isabel no es siempre algo positivo sino que a veces es como una muralla.

Yo tenía que aminorar el paso para acompasarme al de ella, hasta que al fin se detuvo.

—Sigue tú, Lee. Yo voy a sentarme un rato a contemplar el mar.

—Estás cansada. Me sentaré contigo.

—No, ve; ve con Rudy y Emma. Seguiré con vosotras a la vuelta.

Esto es lo que no puedo soportar de ella, que pretenda hacerme creer que está como una rosa. Porque a veces incluso consigue hacerme olvidar que está enferma, se cansa demasiado y la veo sentarse trabajosamente, como una anciana con artritis. La realidad se impone y no acabo de acostumbrarme. Cada nuevo episodio me afecta tanto como la primera vez. Supongo que para ella es aún peor. Mucho peor, claro.

Cenamos en el comedor, con velitas, música suave y un centro de flores que Emma robó del jardín del vecino. Todo estaba delicioso, incluso las patatas cocidas en el microondas. Hicimos muchas tostadas y a los postres estábamos muy alegres. No voy a decir que mi estallido en la cocina se hubiese olvidado. En realidad creo que se cernió sobre nosotras durante toda la velada y nos indujo a tener más tacto con las demás. Sobre todo Emma, se estaba comportando estupendamente, hablándome con suma amabilidad y sin rastro de sarcasmo. Cada vez que alguien bromeaba, me tocaba la mano cariñosamente como para compartir sus risas. Mi reacción en la cocina debía de haberla alarmado.

Tomamos el café en el porche, en las tumbonas, escuchando

el murmullo del oleaje y viendo las nubes pasar frente a la luna. La noche era espléndida, cálida y estrellada, con una suave brisa. Neap Tide no está exactamente en primera línea de mar pero, desde el porche delantero, se ve fácilmente la orilla a la izquierda y el estrecho de Pamlico a la derecha; y, por la noche, cuando el tráfico disminuye en la estatal 12, se oye el oleaje casi con la misma nitidez que si estuviese sentada en la orilla.

—Bueno, pues tampoco yo estoy embarazada —dijo Rudy sin venir a cuento, cuando la conversación empezó a decaer—. Lo digo por si alguien pensaba que sí.

Tenía las piernas estiradas en la tumbona y la cabeza apoyada en las manos entrelazadas tras la nuca. Las demás quedábamos en penumbra, pero la luz de la luna se reflejaba en el pelo negro de Rudy y en sus ojos grises. Incluso a oscuras destacaba. Fui a decir algo pero se incorporó y se inclinó hacia mí.

—No quería que pensases que lo ocultaba, que lo mantenía en secreto para no herirte. Porque nunca haría eso. Sería una actitud...

—Condescendiente —se apresuró Emma a decir—. E innecesaria —añadió sonriéndome.

—Sí —asintió Rudy—. Sólo quería que lo supieses.

A decir verdad, yo había olvidado que Curtis y ella buscaban un hijo. Supongo que lo borré de mi mente.

—¿Y estás preocupada? —le pregunté—. ¿Cuánto tiempo lleváis intentándolo?

—Desde enero. Y la verdad es que sí estoy un poco preocupada. Porque leí no sé dónde que, si a los seis meses no se queda una embarazada, puede ser síntoma de que existe un problema.

—Sí, eso dicen —asentí, pensando que ojalá lo hubiese sabido dos años antes.

Emma miró a Rudy en la oscuridad.

—¿Crees de verdad que puede haber un problema? ¿Ya te tomas la temperatura y todo eso?

—Al principio no, pero desde hace dos meses sí.

—¿Dos meses? ¡Eso no es nada! —exclamó Isabel.

—Ya lo sé —dijo Rudy exhalando un profundo suspiro, como solía hacer cuando algo la contrariaba.

—¿Y cómo está Curtis? —pregunté—. ¿Qué tal le va en su nuevo empleo?

—Curtis... —Su titubeo fue tan largo que nos indujo a dejar de mirar el paisaje y a mirarla a ella, que añadió—: Pues...

De nuevo un largo silencio.

—Está bien —dijo al fin en tono alegre, levantándose—. Voy por una cerveza. ¿Queréis vosotras?

Qué raro. Mientras estaba ausente nos miramos, dejamos escapar quedas exclamaciones: «hummm», «aaah», pero no hablamos. Quizá hubiese novedades, pero aún no sabíamos qué pensar. Si es que había algo que diese que pensar. Emma era la que parecía más perpleja.

—¡Qué noche más preciosa! —exclamó Isabel—. La brisa... ¿Os importa que me quite el pañuelo de la cabeza?

—¡Pero bueno! —exclamamos casi al unísono.

—Por Dios, Isabel ¡qué cosas tienes! —remachó Emma.

Pero lo cierto fue que nos impresionó verla calva, aunque una se acostumbra enseguida y la verdad es que incluso acabó pareciéndome que le sentaba bien. En serio. Ella no está de acuerdo, claro; y no es menos cierto que se me hace cuesta arriba separar su aspecto de la causa del mismo.

—¿Qué tal? —preguntó quedamente Emma, que apoyó la mano en el respaldo de la tumbona de Isabel.

—Bien —repuso Isabel sonriente—. Aunque me fatigo con facilidad. Eso es lo peor.

—¿Y la cadera? —preguntó Emma, porque Isabel había tenido dolores últimamente y, aunque les restaba importancia, cuando le dolía mucho cojeaba.

—Me ha dicho el médico que, si se agrava, me aplicarán radiaciones. Y problema resuelto.

—¿Si se agrava? —dije.

—Sí.

—Pues eso significa que la quimioterapia te curará.

Isabel asintió sonriente. A veces creo ser más optimista que ella.

—Bueno... ¿y qué tal de estado de ánimo?

—Pues también muy bien. Estoy esperanzada.

Guardamos silencio como para paladear el buen sabor de boca que nos dejaba aquella frase. Isabel suele decir la verdad. Y si era cierto lo que decía, no podíamos pedir más.

Rudy se levantó y se situó detrás del respaldo de la tumbona de Isabel.

—Probemos una cosa. He leído algo sobre las propiedades curativas del tacto.

—¿Y crees que tú las tienes? —dijo Emma sonriendo de medio lado.

—Quizá. Y puede que tú también, listilla. Si no se prueba no se sabe.

—Supongo que creer en ello ayuda —dije sin demasiada convicción. A veces el cinismo de Emma me exaspera. Isabel cerró los ojos y sonrió.

—Chist... —dijo Rudy—. Pensad todas en curar. Si pongo las manos así, cerca pero sin llegar a tocarte, noto tu aura, Isabel.

Rudy movió sus largos dedos lentamente, como si abarcase el aire, a dos centímetros de la cabeza de Isabel. Luego los deslizó hacia la nuca, los hombros y los brazos.

—Estoy abarcando todo tu cuerpo —musitó Rudy. Isabel asintió lentamente con la cabeza—. ¿Notas algo?

—Noto el calor de tus manos.

Ladeé la cabeza y miré a Emma con expresión victoriosa, pero ella tenía los ojos cerrados, concentrándose.

—Sé que puedo notar tu energía —dijo Rudy muy convencida—. ¿Cuál es la cadera que te duele?

—Esta —dijo Isabel, y Rudy le aplicó su tacto curativo.

Yo cerré los ojos e hice mi meditación curativa favorita. Imagino un pelotón de fusilamiento. Las células cancerígenas de Isabel son delincuentes vestidos de negro, con rifles en bandolera (aunque la verdad es que no tienen pecho sino que parecen habichuelas) y se sitúan en fila mientras un pelotón de soldados buenos los apunta con largos fusiles negros y les disparan. Caen fulminados, muertos, y entonces se sitúa otra hilera de células cancerígenas que va a correr la misma suerte: pam, pam, liquidados. Y así sucesivamente. Es muy eficaz y se puede repetir cuantas veces sea necesario.

Rudy terminó su sesión curativa y volvió a sentarse.

—¿Quieres probar tú? —le dijo a Emma.

—Ni hablar. Isabel es una amiga. Y a lo mejor lo único que consigo es que se agrave.

Se echaron a reír, pero me pareció que no había sido una broma de buen gusto.

Me levanté para ir al lavabo. Incluso con la puerta cerrada podía oír que Emma elevaba gradualmente la voz, cada vez más furiosa. Al volver a toda prisa, estaba de pie de espaldas a la barandilla, vociferando.

—Detesto eso de que todo es psicosomático, si queréis que os diga la verdad, y no puedo soportar a ese Shorter. Creo que ha hecho más daño a los pacientes que cualquier otra cosa desde que se inventaron los lychis.

—¿Quién es Shorter? —preguntó Rudy.

—El médico que escribió el libro acerca de...

—Es un memo que me saca de quicio. Si tuviese una que creer en sus teorías, creeríamos que Isabel se ha provocado el cáncer por estar sentimentalmente herida. ¡Anda y que te jodan, Shorter! Isabel no tiene la culpa de tener cáncer.

—Emma, eso no es exactamente...

—Lo que me sulfura es que un médico pueda creer tales estupideces acerca de la medicina. Son ideas corrosivas. Porque, puestos así, cada vez que Isabel se deprima, como es bastante lógico que le ocurra, ¿no os parece, dadas las circunstancias?, Shorter podría decirle que está provocando que sus tumores se agraven. ¡Menudo imbécil!

—No creo que él diga realmente que... —trató Isabel de apaciguarla.

—Lo digo en serio, ¡es un memo absoluto! ¿Es eso ciencia? ¿Que te diga que tú te has provocado la enfermedad? ¿Y los virus o lo que sea? ¿Eh? ¿Y el factor hereditario? ¿Y el tabaco y las emanaciones del cemento? ¿Los nitritros? ¿La contaminación?

La brisa le alborotó el pelo y por un momento su melena pareció una escoba. Se balanceaba atrás y adelante, y dio un par de patadas en el porche. No estaba en absoluto borracha. Estaba como loca.

—¿Qué diferencia hay entre que Shorter achaque tu cáncer a tu estado de ánimo y que Jerry Falwell achaque el sida a los pecados? El cáncer es una lotería. Tú no eres responsable de tenerlo. ¡Oh, Dios, qué injusta es la vida! Dios tiene estas bromas. Y debe de pensar que... bueno, a lo mejor la próxima vez tienes más suerte.

—Entiendo tu punto de vista Emma... pero... siéntate, por favor. ¿Quieres dejar de pasearte de un lado para otro? Pero, nos guste o no, existe una relación entre lo físico y lo espiritual. Las personas sin fe religiosa viven menos, por ejemplo. Está demostrado.

—A mí no me lo ha demostrado nadie.

Isabel chascó la lengua.

—Mira, no sabría explicártelo, pero tiene que ver con los neuropéptidos, las células T, las endorfinas y no sé qué más. El cerebro se comunica con el cuerpo. De verdad. Puedes estar segura.

—Está bien —dijo Emma dejándose caer en la tumbona con cara de pocos amigos.

—Yo también entiendo tu postura —dijo Rudy—. No me gusta la idea de que sea una misma la que pueda provocarse una enfermedad....

—¡Que Isabel se haya provocado...! —volvió a la carga Emma—. ¡Vaya memez! Nada, mujer, nada. Vive una como puede, lucha y un buen día, paf, contraes cáncer. Y luego va ese imbécil y escribe un bestseller exponiendo la teoría de que el cáncer se lo provoca una misma. ¡Eso es añadir injuria al daño!

—Exageras, Emma —la reprendió Isabel—. Ni Shorter ni ningún otro autor que yo conozca ha dicho nunca que sea culpa de una.

—Pero queda implícito.

—¿También crees que nuestros círculos curativos son una memez, Emma? —dijo Rudy—. ¿Crees que no sirve de nada que Isabel haga meditación?

—No, no creo que sea una memez.

—Pues entonces —dijo Isabel—, si crees que puedo contribuir a curarme con energía mental positiva, ¿por qué no puedes aceptar lo contrario, que mi energía negativa pueda haber contribuido a la enfermedad?

—¿De verdad crees eso? —se revolvió Emma furiosa.

—No lo sé. Sólo creo que es posible.

—Bueno, pues yo no. Quizá en otra clase de persona sea posible, pero no en ti. En ti no.

Se hizo un largo y tenso silencio. Quizá terminásemos por echarnos todas a llorar. Opté por ser yo quien rompiese el silencio.

—Estoy de acuerdo con Emma —dije con un hilo de voz.

Me miraron todas con curiosidad. Entonces yo me aclaré la garganta.

—Creo que a veces podemos provocarnos una enfermedad —dije—. Ocurre. Pero Isabel no es... tóxica para sí misma. No puede haber una persona más pura. Lo digo en serio. No por ser amable. Ni creo que haya nadie que merezca esto menos.

Isabel me tendió la mano, la tomé entre las mías y me atrajo hacia sí. En lugar de ponernos a llorar, nos miramos las cuatro con intensidad. Sentí una mezcla de temor y entusiasmo. No sé hasta qué punto creo en que todo sea psicosomático, pero si todo lo que dicen acerca del tema es cierto, creo que las cuatro estábamos en ese momento tan rebosantes de energía que habríamos podido curar a un hospital lleno de desahuciados.

Pasamos el sábado por la mañana en la playa, encajando las advertencias de Emma sobre que no había que tomar demasiado el sol.

—No os fiéis porque esté nublado —dijo, hecha un ovillo en una hamaca, tapada con una toalla y untada como una tostada con crema solar de máxima protección.

No se lo reprocho porque es muy blanca de piel. Primero le salen pecas, luego se quema y después se pela. Pero parece un disco rayado.

—Está bien. Pero cuando seamos viejas y me pregunten cómo alguien, de aspecto tan joven como yo, aceptó un empleo de enfermera de compañía de tres vejestorios con más arrugas que una pasa, ya veréis...

—Bueno, de acuerdo. Lo lamentaremos —musitó Rudy con la boca pegada al antebrazo, de espaldas sobre una toalla a rayas.

Rudy nunca sería un vejestorio arrugado como una pasa. Al verla tan estilizada y bronceada, en biquini, sentí envidia. Todas sentíamos envidia. Era inevitable. Y hasta anoche también tenía envidia de su vida amorosa. Me refiero a su vida sexual, no a su vida amorosa, desde luego, ni su matrimonio ni a nada que tenga que ver con Curtis Lloyd. Pero siempre había imaginado que ella y Curtis debían de pasarlo bomba en la cama, aunque no tenía más razones para pensarlo que el hecho de que ambos eran muy atractivos. De modo que saber que, por lo menos hasta la fecha, no habían podido tener hijos me hizo sentir superficial y estúpida, por confundir el atractivo físico con la fertilidad. Harán bien en pensar que, precisamente yo, estando casada con Henry, tenía que haber pensado de otro modo sobre aquello y... sobre algo más que resulta duro confesar. En mi fuero interno había un rincón siniestro que se alegró en secreto cuando nos contó su problema. Me avergüenza reconocerlo, pero es la verdad. Quiero que Rudy tenga hijos, por supuesto, pero me gustaría que Henry y yo los tuviésemos primero.

—Voy a dar un paseo —anunció Isabel sacudiendo la arena de la toalla y echándosela luego por los hombros.

—¿Quieres que te acompañe? —le pregunté.

—No, gracias. Será cortito —dijo alejándose.

La seguimos con la mirada y, cuando ya no podía oírnos, hablamos de ella. Es lo que hacemos ahora cuando estamos solas las tres. Al principio se nos antojaba una deslealtad. Pero ya lo hemos superado. Intercambiamos información sobre la enfermedad, sobre lo que hemos oído o leído, comentamos lo que nos dijo Isabel la última vez que la vimos, qué aspecto tenía, que impresión nos causó al hablar por teléfono con ella.

—Tiene buen aspecto.

—Pero camina muy despacio.

—Aún no ha nadado.

—¿Creéis que nadará? Le encanta.

—Está muy débil. Si se mete en el agua, alguna de nosotras ha de ir con ella.

—Me parece que no come lo suficiente.

—Dice que la quimioterapia hace que la comida no le sepa bien.

—Pero me parece que tiene una actitud muy positiva.

—¿Y no creéis que a lo mejor finge? ¿Que se muestra más animada para no hacernos sufrir?

—Aunque así sea, es bueno para ella. ¿Recordáis ese estudio que aseguraba que sonreír contribuye a que una se sienta más feliz?

—Se recuperará. Hace todo lo que le mandan los médicos y la quimioterapia está resultando.

—Si antes no la mata.

—Doy gracias a Dios de que tenga a Kirby.

—¿Creéis que acabarán juntos?

—Sí. En cuanto recobre las fuerzas.

—¿Habéis visto su colage?

—No.

—¿Qué colage?

—El que tiene en la pared de su dormitorio. Ha hecho un póster de su vida; de su pasado y su futuro; de sus hitos, de los acontecimientos más importantes. Ha recortado fotografías de cuando era pequeña, y de sus padres, de su boda, fotografías de Terry y nuestras.

—¿Nuestras?

—Y dibujos de sí misma después de contraer el cáncer, y de lo que está haciendo para combatirlo.

—Isabel no sabe dibujar.

—Son sólo esbozos, figuras que la representan.

—¿Y qué ha puesto para representar su futuro?

—Ilustraciones de catálogos de agencias viajes; de lugares como la India, Nepal. Un dibujo de un diploma; una fotografía suya con Terry; otra con nosotras. Ah, y el *banner* de un e-mail con un anuncio que ofrece de todo. Y, al final, la fotografía de un bebé.

—¿De un bebé?

—Dice que es ella, reencarnada.

—Ah —exclamó Rudy asintiendo con la cabeza.

—De todo, vaya —dijo Emma sonriendo esperanzada.

Tal como teníamos pensado, cenamos fuera, en una nueva marisquería de moda de Hatteras. Había estado nublado todo el día y mientras regresábamos a casa en el coche empezó a llover.

—¡Se fastidió nuestro paseo por la playa a la luz de la luna! —exclamó Rudy contrariada—. Paremos en la tienda de vídeos y alquilemos una película.

Yo fui la única que no quiso.

—No, hagamos otra cosa —dije.

—¿Cómo qué?

No supe qué contestar. La conversación se hizo progresivamente más ridícula. Y al final tuve que decírlo.

—Bueno, está bien. Ya me habéis estropeado la sorpresa. Ya tengo una película para esta noche.

—¿Ah sí?

—¿Cuál?

—No pienso ver un musical de dibujos animados —me advirtió Emma que, por lo visto, no se cansaba de ser amable conmigo.

Era una alusión maliciosa a la última vez que alquilé películas para verlas en la casa de la playa. Alquilé *El jorobado de Notre Dame, Pocahontas* y *Aladino y la lámpara maravillosa.* Tenía que haber reparado en que Emma es la clase de personas perfectamente capaz de odiar a Disney.

—No es de dibujos, es de nosotras —dije—. Diez años de las Cuatro Gracias. Encargué un montaje de fragmentos de todos los vídeos que hemos filmado, para hacer una sola película de nuestro aniversario. Dura veintiséis minutos.

—Oh, eso es maravilloso —exclamó Isabel.

Rudy soltó el volante un momento para aplaudir. Incluso a Emma pareció gustarle el invento, aunque tuvo que dejar caer la china.

—Oh, Dios. ¡Vídeos caseros!

Pero le había gustado la idea. A todas les gustó y yo me sentí satisfecha. De vez en cuando, aunque no muy a menudo, el miembró previsor, organizado y competente del grupo obtiene el reconocimiento que merece.

—Domínate, DeWitt —dijo Emma, que hizo una mueca de desagrado al verse en la pantalla—. Parece que llevase un año peleada con el peluquero. ¿Cómo no me lo dijo nadie?

—Calla, que no oigo.

—Quisiera saber quién me dejó salir de casa con ese vestido —dijo Rudy—. Estoy de pena. Sólo me sientan bien los colores vivos; no debería ponerme nunca nada beige.

—¡Dios! ¿Os acordáis cuando nos teñimos el pelo?

—Creo que estáis las dos preciosas —dijo Isabel—. Bueno... todas lo estamos.

—¡Anda! ¡Mirad qué delgadita estaba! —exclamó Emma maravillada, señalando a la pantalla—. ¿En qué año fue eso?

—Sigues estando delgadita. ¿Es que no te miras al espejo? —dijo Rudy.

—Si tú lo dices...

—He leído que las mujeres que tienen una imagen positiva de su cuerpo tienen el doble de orgasmos que las mujeres que no la tienen.

—Ah, a mí eso no me preocupa. Llevo buen promedio.

—¡Chist! —intenté acallarlas.

Si guardábamos silencio, a veces podíamos oír lo que decíamos en el vídeo, o sea, casi nunca, porque nuestras voces se solapaban con las del sonido. Hablábamos todas a la vez. Al ver los viejos vídeos, siempre me sorprende que no paremos de hablar y que no digamos más que banalidades. Sin embargo, creo que somos bastante lúcidas.

—¡El campamento de gimnasia! ¿Os acordáis? —exclamó Emma señalando a su imagen—. Perdí tres kilos y medio en seis días.

—Yo perdí uno y medio.

—Yo dos, pero los recuperé nada más volver.

—En la primera semana.

—Deberíamos volver a ir —dijo Rudy—. Fue divertidísimo.

Nos reímos al ver a Rudy y a Emma discutiendo en la casa de campo en la que estuvimos durante una semana en 1990. El «campamento de gimnasia» —el balneario de las pobres— no era más que un campamento que la Asociación de Jóvenes Católicas organizaba en Poconos. Fuimos allí en lugar de ir a otro sitio más bonito porque, por entonces, Emma no tenía dinero.

—¡Mira que eres payasa! —exclamó Rudy con tono afectuoso pasándole la mano por el pelo a Emma—. ¿Por qué no tendrás nunca un aspecto normal?

Era verdad. Siempre que la cámara enfocaba a Emma me daba la espalda, hacía una mueca o algún gesto obsceno, como pasarse la punta de la lengua por el labio inferior con expresión lasciva. No sé cuántas fotografías habrá estropeado por ponerle cuernos a la cabeza de alguna con los dedos en el último momento.

Yo apenas aparezco en estos vídeos, porque soy la cámara, un trabajo desagradecido que las demás desdeñan, hasta que llega el momento de ver el producto acabado. Entonces no hay quien las arranque de delante del televisor.

—Ah, ahora viene lo bueno —dijo Emma frotándose las manos—. ¿Lo has incluido, Lee? Apuesto a que lo has quitado.

Tenía que haberlo hecho. Pero no lo hice, y supongo que eso compensa por todas las veces que alguna pueda decir que no soy deportiva. Y por eso me gusta ser yo quien maneje la cámara. Porque hay que ver lo que ocurre cuando es otra (Emma) quien la maneja.

Estábamos cenando en la casa de Capitol Hill que Rudy y Curtis acababan de comprar, y yo llevé la cámara para filmarla, con la idea de darle la cinta a Rudy y que pudiera enviársela a su madre o a su hermana (porque su familia nunca la visita y pensé que ese era el único medio de que viesen su nueva casa). Pero yo acababa de salir de clase de ballet, esta acalorada y sudorosa y le pedí a Rudy que me dejase ducharme antes de cenar.

—¡Ahora, ahora! —dijo Emma exultante.

Rudy e Isabel ya se reían. La cámara, temblorosa, inexpertamente sostenida, mostraba una puerta cerrada y una mano que iba a hacer girar el pomo. La inocente voz de Emma en la cinta decía: «Hummm. No sé qué debe de haber ahí. ¿Qué podría haber detrás de esa puerta? ¿Vamos a verlo?»

Salió una nube de vapor cuando ella la abrió. Y se oía mi voz confundida con el ruido del chorro del agua. «¿Sí?»

Esto es algo que me repatea. Siempre doy la sensación de ser demasiado digna o no sé qué.

La cámara seguía moviéndose. A través del vapor se veían las franjas azules y blancas de la cortina de la ducha.

—¿Sí? —repito desde detrás de la cortina.

—Sólo estaba tomando... (algo ininteligible).

—Ah, bueno —digo, aún en tono amable.

Una mano corre la cortina y ahí estoy yo. En cueros vivos. Toma frontal. Pero me estoy lavando la cabeza con los ojos cerrados y, durante quince segundos, no me percato de semejante indignidad (sé que fueron quince segundos porque Henry se tomó una vez la molestia de cronometrarlos). Quince segundos son muchos para estar desnuda en una película sin saberlo. Y pudieron ser más si Emma no hubiese terminado por decir con voz jadeante y sexy.

—Oh, nena...

Entonces abrí los ojos, me quedé boquiabierta y grité.

Fundido.

¡Menudo cachondeo! Mis amigas se empujaban unas a otras en el sofá, presas de un ataque de risa compulsiva. Incluso Isabel. Yo reí también, aunque con menos ganas. Aquello ocurrió hace siete años, y todavía estoy dándole vueltas para ver cómo se lo hago pagar a Emma. Aún no se me ha ocurrido nada que esté a su altura. Pero ya se me ocurrirá. ¡Ya lo creo que se me ocurrirá!

La cinta pasó entonces a escenas de la boda de Rudy.

—¡Oh, mirad a Henry! ¡Fijaos en su pelo!

—¡Menudo tipazo!

Esta es mi parte favorita del vídeo, nuestra primera cita. Rudy tuvo una boda clásica, pero Henry se puso una chaqueta informal de pana, pantalones marrones holgados y sin corbata y... no importó. ¡A mí me daba lo mismo! Y al reparar en ello comprendí que estaba enamorada. Y su pelo, ah, lo llevaba largo. Era sedoso y reluciente, más bonito que el de Emma y del mismo color.

—¡Se notaba que estabais coladísimos! —dijo.

Era totalmente cierto. Creo que fue Isabel quien nos filmó bailando tras el banquete de la boda de Rudy. La orquesta tocaba *Sea of love* y Henry y yo estábamos que ardíamos. De haber tenido idea de que dábamos esa imagen, de que nos movíamos como nos movíamos, me habría desmayado. Porque resulta embarazoso, aunque también es bonito. Me gusta ver ese vídeo. Lo pongo a menudo y no me canso de verlo. Me filmaron cuando Henry me rodeó la cintura con los brazos atrayéndome hacia sí, mientras yo le acariciaba la nuca, pasaba los dedos entre el pelo y los flexionaba. Bailábamos con las mejillas pegadas. Dábamos la impresión de ir a besarnos de un momento a otro, aunque no llegamos a hacerlo. Fue como los prolegómenos de hacer el amor, sólo que en público. Porque al cabo de unas horas estábamos en mi cama, haciendo el amor por primera vez.

El vídeo recogía entonces unas escenas de una fiesta que Isabel organizó en el jardín de su casa. Fue en el verano de 1955. Emma dejó escapar un siseo de desaprobación cuando apareció Gary, pero Isabel sólo puso cara de contrariedad, entristecida. Creo que es verdad que lo ha perdonado. Gary tenía aspecto de persona pagada de sí misma (dicen que la cámara no miente nunca). Llevaba pantalones a cuadros y un jersey remangado que dejaba ver el denso vello de sus antebrazos. Sonreía al ver la cámara, alzaba los brazos y los separaba como diciendo: Miradme, estoy hecho un oso. Recuerdo que por entonces me caía bien. Pensé que su manera de coquetear era agradable e incluso me resultaba halagador. Ahora no puedo verlo ni en pintura.

—Lisa Ommert —dijo Rudy—. ¿Qué habrá sido de Lisa? ¿Ha sabido alguien de ella? ¿Cuánto duró, Lee? ¿Un año?

—Nueve meses —contesté mirando a Lisa, que fue una del grupo hasta que se trasladó con su esposo a Suiza. Estaba en animada conversación con Gary, Emma y el que por entonces era el novio de Emma, Peter Dickenson.

—¡Ya me gustaría saber a mí de qué estábamos hablando! —exclamó Emma entre dientes.

—Eran los últimos coletazos de la fiesta —señaló Rudy—. Probablemente estábamos todas más que achispadas.

—Ah, eso seguro.

Miré a Emma por el rabillo del ojo. Ella y Peter rompieron de la noche a la mañana (ahora te quiero, ahora te dejo) y nunca ha querido decirnos por qué. Rudy lo sabe, pero Isabel y yo no. Bueno, acaso Isabel también lo sepa pero sólo por intuición. La mía me dice que debía de haber otra mujer y que Emma debió de descubrirlo de un modo horrible y humillante. Porque no sé qué otra cosa pudo herirla hasta tal punto que, después de tantos años, aún siga sin querer contarlo.

—¿Qué tal va con Clay? —preguntó de pasada.

Clay es el chico con quien Sally Draco trató de emparejar a Emma. Me pareció increíble que Emma aceptase y aún me sorprendió más que saliesen otra vez. La primera cita tenía que ser en principio con Sally y Mick que, en el último momento, dijeron que Sally no se encontraba bien o algo así.

—Bien —contestó Emma.

—¿Sólo bien?

Emma se encogió de hombros y siguió mirando a la pantalla. Se puso muy seria, como suele hacer últimamente cada vez que se habla de hombres. Su expresión viene a decir: dejémoslo correr.

No sé por qué se me ocurriría a mí entonces decir lo que dije.

—Hace mucho que no nos cuentas nada de aquel chico casado. ¿Lo habéis dejado ya?

—Bueno, como en realidad nunca empezó, supongo que se ha acabado —repuso ella de mal talante—. ¿Y si nos limitásemos a ver el vídeo, Lee?

—Bueno, perdona. No creía que fueses tan susceptible.

—Eh, eh, chicas —puso paz Rudy.

Emma se inclinó hacia adelante, con los antebrazos sobre las rodillas y la mirada tensa.

—Lo siento —dijo entonces volviendo a recostarse en el respaldo y sonriendo.

—Nada —dije, aunque en realidad quise decir: «Yo también

lo siento», pese a que no sabía de qué teníamos que excusarnos. Pero no estaba de más no enfadarse.

Los últimos minutos del vídeo eran de exactamente hacía un año, allí mismo en Neap Tide cuando estuvimos para celebrar el noveno aniversario. Al verlo ahora reparé que, en algunos aspectos, era perfecto. La cámara nos había captado a las cuatro en actitudes muy representativas de nuestra idiosincrasia. Éramos así. Allí estaba Emma, sentada en una hamaca de la playa, envuelta en una toalla y con una sudadera con capucha, enfrascada en un libro; Rudy, bronceada y espléndida a su lado, bebiendo de un termo lleno de bloody marys; Isabel de vuelta de darse un baño, trotando por la arena, con el pelo chorreando, los labios morados y riendo de nada en especial, de pura satisfacción, seguramente. Incluso lo que Rudy filmó de mí es característico, me parece. Estoy en la cocina, pegando con cinta adhesiva una hoja de papel en la que acababa de detallar nuestras tareas. «División de trabajo, del 14/6 al 17/6.» (Recuerdo que Emma añadió una nueva tarea: «dormir», y escribió su nombre en todas las casillas.) Fue un alegre fin de semana, sin duda, y sin embargo, al ver las imágenes de las cuatro, las bobadas que hacíamos, las tonterías que decíamos y la ternura que irradiábamos, me entristecí. Parecíamos tan inocentes... Entonces ignorábamos que nos aguardaban duras pruebas. Estábamos ensimismadas, convencidas de que siempre podríamos ser como éramos, y no pensábamos en el futuro.

Los últimos fotogramas eran muy artísticos, me dije. Los filmé a contraluz, por detrás de las cabezas de Isabel, Rudy y Emma, que estaban en el porche y miraban hacia el horizonte enrojecido por el crepúsculo. Sólo se veía la silueta de sus cabezas, negras y recortadas en un fondo que, por contraste, parecía purpúreo. Se oía el murmullo de sus voces. Me estremecí. En el último instante, Isabel me había oído y se había dado la vuelta. Quedaba la luz justa para ver su sonrisa.

Fundido.

—¿Recordáis de qué hablamos aquella noche? —preguntó Isabel tras un plácido silencio.

—Yo sí —repuso Emma, que cogió el mando a distancia y apagó el televisor.

—Yo también —dijo Rudy.

—De nuestros objetivos —dije.

—Sí —confirmó Isabel sonriente—. Os conté que quería terminar mi licenciatura, buscar un empleo para ayudar a personas de la tercera edad y viajar.

—Yo dije que quería tener un hijo.

—A mí no se me ocurrió nada —recordó Rudy mirando a Emma—. Y tú dijiste que querías vivir en una granja y ver un concierto de James Brown.

—Y pasar una noche con Harrison Ford —recordó Emma—. Por cierto, ahora preferiría pasarla con David Duchovny.

Recordé cómo surgió el tema. Empezamos hablando de los objetivos que una se propone en la vida en general, pero la conversación derivó hacia lo que queríamos conseguir antes de hacernos viejas (cosas que en nuestro lecho de muerte pudiésemos lamentar no haber hecho). Yo ansiaba ganar una subasta de objetos que pertenecieron a la Pavlova y bailar el *Cascanueces*. Entonces nos pareció un tema de lo más inocuo, hacía sólo un año. Era divertido, como un juego.

No podía mirar a Isabel, que no tardó en romper el silencio que se hizo.

—Mis objetivos no han cambiado mucho desde aquella noche —aseguró como si me adivinara el pensamiento—. Es curioso, ¿no? Ahora tengo más cosas de qué lamentarme, pero ambiciones las mismas.

—¿Qué cosas tienes que lamentar? —preguntó Rudy.

Me pareció la pregunta más absurda y falta de tacto que había oído en mucho tiempo.

—Pues...

Isabel llevaba aquella noche la cabeza cubierta con el pañuelo. Jugueteó con las borlitas que pendían del mismo y le rozaban un hombro. Nos dirigió una mirada dulce y melancólica.

—Pues lo que más lamento sigue siendo no haberme esforzado más para que mi matrimonio funcionase —contestó—. En bien de Terry —puntualizó al ver que íbamos a interrumpirla—. Puede que me engañe pero, si Gary y yo hubiésemos sabido seguir adelante, acaso Terry no se hubiese ido tan lejos. Quizá. No lo sé.

—No, claro que no lo sabes —dijo Emma apretando los labios.

—Aunque ahora, la verdad, tengo otras cosas de qué lamentarme —prosiguió Isabel—; cosas en las que nunca antes había reparado.

—¿Cómo qué?

—No haber aprendido a tocar el piano ni a pintar a la acuarela. No haber conocido a Carlos Castaneda para preguntarle si todo era cierto —dijo riendo—. No haber aprendido astronomía ni el canto de los pájaros; soy incapaz de distinguir un reyezuelo de un pinzón. Ni tampoco sé nada de flores silvestres.

Rudy acercó su brazo al de Isabel y apoyó la cabeza en su hombro.

—Y nunca seré la chica del tiempo del Canal Cinco —musitó Isabel—. No he actuado en una obra teatral ni bailado, ni siquiera he escrito un poema. Y además no tengo nietos.

—¿Y por qué no te propones hacer todo eso? —dijo Emma tras una pausa que nos entristeció. Sentí el impulso de darle un beso—. Puedes conseguirlo todo. Puede que lo de ser la chica del tiempo no, pero ellos se lo pierden.

—Tengo entendido que Carlos Castaneda ya ha muerto —comentó Rudy.

—Vale. Pero el resto, ¿por qué no vas a poder conseguirlo, Isabel? Hablo en serio. Podrías escribir un poema ahora mismo. Coser y cantar. Yo te ayudo. Y la semana que viene te compras una caja de acuarelas y un libro de astronomía y... ¿qué más era?

Isabel se echó a reír.

—Ah, sí —recordó Emma—. El canto de los pájaros. Te compras uno de esos compact que incluyen todos los cantos habidos y por haber, mientras una voz te dice a qué pájaro corresponde. Y en cuanto a las flores silvestres, facilísimo, te compras otro libro y vas a pasear por el parque Rock Creek. ¿Qué más? ¿Nietos? Ahí puedes contar conmigo. Lo hablas con Terry y ya verás tú....

—Vaya, vaya —dijo Isabel recostando la cabeza en el respaldo del sofá.

La tristeza había desaparecido de su rostro. Parecía relajada, divertida y tolerante. De verdad, no soy una persona envidiosa, pero no saben cómo me gustaría tener el don que tiene Emma para hacer cambiar de humor a una persona (cuando quiere, claro).

—¿Sabéis qué lamento yo? —preguntó Emma levantando el

índice de la mano derecha—. No haber conducido nunca un coche a ciento setenta por hora. Segundo —añadió mostrando el pulgar—, no haber tenido una larga charla con el Papa para tratar de hacerlo cambiar de actitud. Y tercero, que no exista un país que se llame Gracialandia.

—Un momento —terció Rudy—. Un momento. Quisiera decir algo. A ti, Isabel, y *para* todas nosotras. Sé que hablo por todas. No necesito preguntarlo. Quiero decir en voz alta que nosotras... bueno, ante todo, que estamos seguras de que *vamos* a curarnos. Eso para empezar.

Emma y yo asentimos vehementemente.

—Y para seguir —prosiguió Rudy—, creo que sería bueno que nos comprometiésemos ahora mismo en una cosa, aunque ya sé que se da por sentada. Pero a veces es bueno decir las cosas en voz alta. Quiero decir para todas que, suceda lo que suceda, estamos aquí. Quiero decir que estamos aquí para afrontar lo que sea. Nunca estarás sola. Nunca. No lo digo por...

—Está claro por qué lo dices. Y estoy de acuerdo —dijo Emma—. Es bueno verbalizar las cosas. Y es bueno decir que nunca tendrás que afrontar nada sola, Isabel. Nada. En realidad, aunque quisieras, no podrías librarte de nosotras.

No pude exteriorizar mi asentimiento, aunque sabía que eso era lo que se esperaba de mí. Me asustaba tanto la idea de echarme a llorar que no me salieron las palabras. Aunque, si lloraba, sería más de rabia que de pena. ¿Cómo se atrevían a hablarle así, como si estuviese agonizando? Porque no lo estaba. Se estaba recuperando. Pero no creían que se estaba recuperando, y eso me pareció una traición, no sólo a Isabel sino también a mí.

Isabel se emocionó, claro. Las abrazó a las dos, parpadeando para evitar que se le saltasen las lágrimas. Quise protegerla de su pesimismo, pero, ¿qué podía hacer yo? Cuando ella me sonrió con los ojos humedecidos y alargó la mano hacia mí me levanté.

—Vamos a tomar un helado, ¿eh? —propuse.

Y me fui a llorar a la cocina.

18

Rudy

—¿No crees que Lee se está volviendo un poco chiflada?

Emma lo dijo en voz baja, casi susurrante. Lee dormía en la habitación contigua; Isabel al otro lado del pasillo; y nosotras habíamos dejado la puerta y la ventana abierta para que circulase el aire.

—¿Por lo de tener hijos? No —dije—. Creo que es bueno que nos haya contado todo eso. A veces se encierra demasiado en sí misma, se...

—No, no lo digo porque se haya sincerado un poco con nosotras. Estoy de acuerdo en que es bueno para ella. Lo digo por su actitud ante la maternidad.

—Ah.

—Parece que no viese nada más. Y la creo cuando dice que nunca renunciará. ¿Por qué no adoptan uno, Rudy? ¿Por qué? Está obsesionada. Trabaja con niños, y está tan atrapada en el mundo de la maternidad que no ve nada más.

—Ya lo sé. ¿Qué ha dicho acerca de sus padres?

—No me acuerdo, exactamente. Pero es señal de que sigue con la idea fija en la cabeza. Ojalá pudiésemos hacer algo.

—¿Pero qué?

—Nada. No podemos hacer nada.

—Sólo estar a su lado —dije.

—Sí —asintió mirándome—. ¿Sabes, Rudy? Ha estado muy bien lo que le has dicho a Isabel.

—Ah, pues no sé... Sólo he intentado ponerme en su lugar e imaginar qué era lo que más podía asustarla. Pensar como si fuese yo la que temiese ir a morir pronto. Y estar sola. Por eso he querido que supiese que nunca estará sola.

—¿Crees que eso es lo que más asusta?

—A mí me parece que sí.

Encima de la mesita que separaba las literas inferiores en las que dormíamos había un viejo quinqué adaptado para acoplarle una vela, que ardía con una llama viva. Entre la vela y la luz de la luna, podía ver a Emma con nitidez, estirada, con su camisón azul, apretándose la parte superior de su blanco muslo con un dedo para comprobar si había tomado demasiado sol por la tarde.

—Yo creo que lo que más asusta es el olvido. Estar y dejar de estar. Aunque todos aquellos que nos hayan importado en nuestra vida estén con nosotros hasta el final, y todos te tomen de la mano y te digan que todo ha sido estupendo, que te han amado y todo eso, sigues estando sola en el último momento. Allá donde vayas nadie va contigo.

—Hummm. Eso suena un poco morboso.

—No, no lo es. ¿Por qué? ¿No irás a decirme que no piensas en esas cosas?

—Claro que pienso en esas cosas —dije, aunque últimamente lo veía con más optimismo—. ¿Quieres creer que Lee pensaba que ayer estuvimos bebiendo en el coche? —añadí.

Supongo que eso sonó como si quisiera salirme por la tangente, pero reparé en que ella captaba la relación.

—Bueno, ya conoces a Lee. Si te lo estás pasando en grande da por sentado que has bebido.

—Pues no es que haya bebido mucho últimamente —le dije—. Lo que bebí anoche es prácticamente lo único que he bebido en varias semanas.

—Ya lo he notado. ¿Por alguna razón especial?

—No sé. Quizá porque ahora me siento más fuerte. Más a gusto con mi vida real.

—¿Y eso a qué se debe?

—No lo sé. Supongo que, en parte, porque me va muy bien el tratamiento con Eric. No es fácil, pero parece que, para variar, estamos llegando a conclusiones positivas. Dice que es normal que no se logre avanzar durante mucho tiempo y que, de pronto, todo empiece a aclararse.

—Como con las dietas de adelgazamiento.

—Exacto.

—Bueno, a estas alturas ya habrías de saberlo. Eric es tan amable, ¿verdad? Tan paciente... —ironizó Emma—. No le importa ir despacio.

Me pareció leer otra cosa entre líneas.

—Quieres decir que así no voy a ninguna parte, ¿no? Que no me sirve de nada. Crees que la terapia es una pérdida de tiempo, ¿verdad?

Emma ladeó la cabeza en la almohada y me miró.

—Antes sí, pero empiezo a pensar que Greenburg sabe mejor lo que se dice que yo.

Me sorprendió que lo reconociese.

—Oh, Emma, ese sí que es un cumplido —exclamé—. Se pondrá contentísimo cuando se lo diga.

Sonreímos en la oscuridad.

—Ah, Emma...

—¿Qué?

—¿Recuerdas lo que te dije sobre el curso de jardinería y paisajismo?

—Claro que me acuerdo.

—Pues he decidido hacerlo.

—Eso es estupendo, Rudy —dijo ella incorporándose.

—Empieza en septiembre.

—¡Fantástico! ¿Y qué dice Curtis?

—Hummm. Pues...

—Todavía no se lo has dicho, ¿verdad? —adivinó Emma, que se recostó en el cabecero, mirándome.

—Todavía no. Estoy esperando un momento oportuno.

—Bueno. Rudy, ¿tú cómo interpretas el hecho de no habérselo dicho aún porque sabes que no le va a gustar?

—Sé a lo que te refieres. Hablas como Eric, Emma. Y a veces me asusta.

—¿Qué contestas?

—Pues que no me gusta, que no me gusta lo que revela de mí y de Curtis..

—Y de Curtis. Menos mal...

—Hemos de afrontar las cosas, ya lo sé. He de decirle lo que pienso. Una cosa es decírselo a Eric o a ti. Pero a él *debo* decírselo.

Emma se inclinó hacia mí.

—Esto es nuevo, Rudy, y creo que es positivo. Representa un cambio importante en tu actitud.

—Ya lo sé. Y ya era hora, ¿no crees?

Emma guardó silencio. De vez en cuando tiene tacto.

—Tampoco se debe al efecto de los medicamentos.

—Ajá...

Afirmé los pies en el colchón y flexioné las rodillas.

—Tomo antidepresivos —dije, aunque quizá debí decir *nuevos* antidepresivos—. Pero no creo que esa sea la única razón. Como dice Eric, que los antidepresivos ayuden a que no se me vaya la olla no significa que esté chiflada.

La frase nunca me había hecho demasiada gracia, pero a Emma le hizo tanta que se echó a reír tan fuerte que tuve que acallarla.

Eric dice también que la risa es una catarsis purificadora, que es buena para el espíritu y para el cuerpo y que, cuando es auténtica, es mejor que el sexo. ¿Cuántas horas habremos pasado Emma y yo desternillándonos en los últimos trece años? Me lo pregunto porque si aún no acabo de estar muy equilibrada no sé que habría sido de mí si no llego a conocerla.

Otro aspecto positivo de tener a alguien con quien reír es que implica confianza. Y esa debió de ser la razón de que le hiciese la siguiente confidencia.

—En todo diciembre no hicimos el amor ni una sola vez.

—¿Diciembre del año pasado?

—Sí.

—¿Tú y Curtis?

—¿Quién si no?

—Hummm. ¿Por alguna razón concreta? —preguntó Emma mirándome.

—Pues el caso es que no sé qué razón pudiese haber. No creo que hiciese yo nada para que me castigase. Simplemente no lo hicimos. No se lo comenté. Aunque sé que debí hacerlo. Ni siquiera se lo he dicho a Eric.

—¿No se lo comentaste a Curtis?

—No —contesté. Hice una mueca de contrariedad porque me resultaba muy embarazoso reconocer que había sido una cobardía—. Y entonces, en Nochevieja lo hicimos, como si nada hubiese ocurrido. Y le dije «Bueno, pues feliz Año Nuevo», o algo así, con cierto retintín, a ver si él lo captaba y hacía algún comentario. Pero se limitó a mirarme con frialdad. Y en eso quedó. Ya no hubo más. Desde entonces todo se ha normalizado. Sexualmente.

—¿Sexualmente?

—Sí.

—¿Y en lo demás no?

Es curioso comprobar que a veces resulta más fácil hablar de la propia vida sexual, por más íntimo que sea el tema, que acerca de cómo va todo lo demás.

—Pues... se trata de un conjunto de cosas. De ideas que me pasan por la cabeza y de las que pienso hablar con Curtis pronto.

—¿Como qué? —preguntó Emma suspirando—. Ponme un ejemplo, a ver si nos aclaramos.

—Pues, por ejemplo, lo que hemos visto esta noche en el vídeo; cuando estamos todas frente a mi casa, listas para ir al campamento de gimnasia. Esa imagen de Curtis dándome un beso de despedida.

—Sí, fue un poco raro.

Vinieron a recogerme la última, y estábamos algo atolondradas y nerviosas, impacientes por salir. Todas íbamos con la idea de perder peso, pero parte del plan era detenernos por el camino a atizarnos un glorioso almuerzo, a base de todo lo que engorda, en un restaurante que recomendaba una guía. Así, pesaríamos lo máximo cuando nos pesasen la primera noche. No parábamos de reír y de decir tonterías, con la mente ya en la carretera. Tenía que haber reparado, y supongo que en mi fuero interno lo hice, en que esa falta de atención o de desentendimiento por mi parte hiere los sentimientos de Curtis. Es más, creo que lo aterra. Me necesita para afirmarse continuamente. Necesita ser el centro. De lo contrario tiene la sensación de no existir.

El caso es que, cuando me besó, no me dio ese cariñoso besito que dan los maridos cuando están delante de los demás y que viene a decir «adiós, cariño», «ten cuidado», «te quiero», ese beso sin apenas tocarse los labios seguido de un rápido abrazo. Se trata de un beso tierno y desenfadado, pero un tanto aséptico como beso. Aquel beso no fue así. Ni mucho menos. Sin apenas separarme del grupo, y consciente de que Lee lo estaba filmando, Curtis me rodeó con sus brazos y me dio un largo beso *de cine*, apasionado, sensual y forzado (pues aunque yo trataba de soltarme no me dejaba). Me obligó a que por un momento sólo pensase en él. Lo hizo a propósito. Besarme de aquella manera, sujetarme así, era su modo de decir «piensa en mí» y de decirles a mis amigas «es *mía*». En cierto modo fue peor ver el vídeo aquella noche, años después, que cuando sucedió. Porque ahora encaja con muchos otros recuerdos, similares y en algunos casos más inquietantes.

—Y yo ya no quiero que me posean. Antes sí —dije quedamente.

—¿Posean? Ya. Entiendo —dijo Emma—. Es una palabra anticuada.

—Supongo. Pero también temo que todo cambie. Detesto los cambios.

—¿Estás segura? ¿Estás segura de que no es Curtis quien detesta los cambios? ¿No será que lo que no quieres es desafiarlo, contrariarlo?

—Hummm. —Daba que pensar.

—Bueno, vas despacito pero eso está bien; es probablemente bueno. Como perder peso con una dieta, aunque no es una analogía que puedas aplicarte. Mientras avances, aunque sea poco, tenemos buenas razones para pensar que tu psiquiatra sabe lo que se hace.

—He fumado sin preocuparme por lo que diga —dije.

—¿Quién? ¿Eric?

—No. Curtis.

—¡Vamos!

—De verdad. No cuando él está en casa, porque me parecería una descortesía, pero cuando no está sí. Y luego no echo ambientador en las cortinas para que no lo note, como hacía antes. Y fumo delante de él cuando estamos fuera, en un restaurante o en un bar. Eric dice que eso es estupendo, que es *fantástico*. Y Eric *detesta* que fume, pero le encanta que no se lo oculte a Curtis. Dice que eso es mucho más saludable para mi equilibrio.

—Supongo que sí. Y aunque de un modo algo retorcido, es una muestra de valor. Así, por lo menos, te haces polvo los pulmones por una buena causa. A la madurez por el enfisema.

—¿Fumamos uno?

—Claro.

Encendimos los cigarrillos.

—Cuando era jovencita no tenía estas cosas —le dije.

—¿Qué cosas?

Con los codos apoyados en nuestras literas, alargando la mano de vez en vez para pasarnos el cenicero en el suelo, parecíamos adolescentes en colonias.

—Pues tener una amiga íntima a quien hacerle confidencias en la oscuridad. Fumar... Nunca hacía estas cosas.

—Porque estabas demasiado jodida —dijo Emma dándolo por sentado—. Tu familia te puteaba, pero ahora lo estás superando. Poco a poco estás siendo tú misma.

—¿De verdad lo crees?

—De verdad.

Lo dijo tan convencida que me eché hacia atrás separándome de la vela para que no me viese la cara. Mi esperanzada expresión. No quería parecer patética.

—Eso espero —dije.

—Me lo imagino: tú fumando delante de Curtis. ¡Madre mía! A eso se le llama valor —dijo sin asomo de sarcasmo—. Es fantástico.

Pensé en aquel día en que Curtis me dijo que dejase de ver a Emma. «Por tu propio bien», me había dicho. Al recordarlo me pareció *despreciable*. Pero no podía contárselo a Emma. Era demasiado embarazoso. Me sentía avergonzada por Curtis. Era una prueba de que Curtis mentía al decirme que Emma le caía bien cuando en realidad la detestaba. Con la ayuda de Eric acabé de percatarme de ello. No lo hace así Emma (morderse la lengua para no decir lo que realmente piensa de él). Se lo calla por mí. Lo hace por respeto, por tacto y por amor. Curtis finge porque es deshonesto. Es otra manera de *poseerme*.

Emma bostezó y enseguida apagamos los cigarrillos y la vela.

—Siempre hablamos de mí —dije adormilada.

—Sí —dijo ella con los ojos entornados—. Se debe a que eres una egocéntrica.

—Es que siempre me obligas a que sea yo quien pregunte. Nunca me cuentas nada espontáneamente; he de arrancártelo con sacacorchos. Ah, olvidaba decirte una cosa: Lee me ha preguntado qué me parecería invitar a Sally a formar parte del grupo.

—Ya. Me ha dicho que te lo iba a preguntar a ti también. ¿Qué le has contestado?

—Que encantada.

—¡Vamos!

Me eché a reír.

—¡Serás...! —exclamó Emma, que se volvió a dejar caer en la litera (casi se había dado con la cabeza en la de arriba al incorporarse bruscamente)—. Dime de verdad qué le has dicho.

—Pues lo mismo que tú, que no creo que sea el momento más oportuno, por Isabel.

Noté que Emma sentía alivio.

—¿Crees que eso ha contrariado a Lee?

—No, en absoluto; ni siquiera entiendo por qué que me lo ha preguntado a mí. Supongo que sólo para quedar bien con todas. Pero la amistad entre Lee y Sally se está enfriando. Por cierto, ¿cómo se te ha ocurrido decirle a Lee que te quedarías aquí otro par de días? —pregunté. Emma abrió un ojo—. No me parece prudente ni sensato. Es más, me parece totalmente fuera de lugar.

—¿Y quién te ha dicho que yo soy prudente y sensata?

—Más que yo, por supuesto.

—Ah. Más que tú... —Incluso en la oscuridad pude ver su sonrisa.

Aquella noche Lee nos había rogado que una de nosotras, dos o las tres, le daba igual, nos quedásemos hasta el martes y que luego regresásemos con ella y Henry. Ninguna nos ofrecimos, pero insistimos en preguntarle por qué, hasta que al fin reconoció que se le había caído la venda de los ojos respecto a Sally Draco. Había invitado a los Draco a su chalet hacía meses, pero ahora no quería quedarse con Sally, sin más compañía que sus respectivos maridos.

—¿Y por qué ya no te cae bien? —le había preguntado Emma en tono desenfadado.

—Pues no lo sé, por nada en especial —contestó Lee—. No hay nada en Sally que me disguste especialmente, sólo que ahora no me siento tan cómoda con ella como antes. Eso es todo.

A mí me ocurría lo mismo. Es decir, me había ocurrido siempre. Creo que Sally tiene muchos problemas y probablemente Emma es el menor.

Isabel y yo no podíamos echarle una mano a Lee en aquellos

momentos, porque ambas teníamos que estar en casa el domingo. Noté que Emma lo estaba pensando, pero me quedé de una pieza cuando me comunicó su decisión.

—Bueno, me quedaré, si quieres. Me he traído trabajo. Puedo hacerlo igual aquí que en casa.

Miré con fijeza a Emma, que no me devolvió la mirada mientras Lee le daba las gracias y le aseguraba que no pasaba nada grave; que no tenía nada contra Sally, sólo que así las cosas le serían más fáciles.

Isabel no dijo palabra.

—Bueno, Emma, ¿por qué has dicho que ibas a quedarte? —repetí— ¿No crees que es peligroso? ¿No crees que estar tanto tiempo viendo a Mick y Sally puede resultarte... hiriente? ¿Eh, Emma? —susurré—. ¿Te has quedado dormida?

No lo sé. El caso es que no me contestó.

19

Emma

Rudy e Isabel se marcharon bastante tarde el domingo, después de almorzar. Y en cuanto se hubieron marchado fui a dar un paseo por la playa. Tenía que haberme quedado para ayudar a Lee a limpiar (Mick, Sally y Henry llegarían dentro de una hora). Pero no me quedé. No sé por qué. No fue por pereza sino porque no quería estar allí cuando llegasen. No podría soportar estar con Lee junto a la barandilla del porche, saludándolos con la mano y sonriendo. «Eh, ¿qué tal? ¿Bien el viaje?» Además no quería que a Mick lo pillase desprevenido, porque no esperaba que yo estuviese allí. Disimula fatal. No convenía que se notase que se alegraba demasiado de verme y menos aún que pareciese..., no sé cómo expresarlo, ¿especular acerca de mi presencia? Quizá.

Supongo que debería decir que hacía un día espléndido. El cielo estaba muy azul, sin más que algunas nubes blancas y dispersas, un suave oleaje, gaviotas, unas zancudas que no sé cómo se llaman y conchas. La arena. Subía la marea. Lo sé porque vi que la gente retiraba las toallas y las sombrillas y volvía a colocarlas más arriba. Pero en realidad yo estaba ajena a todo. Podría haber estado perfectamente en las calles del centro de Poughkeepsie. «¿No crees que podría resultarte... hiriente?» Sí, Rudy, creo que sí. ¿Por qué no lo pensé antes? Quizá porque el amor no sólo es ciego sino masoquista.

Desde la fiesta de Lee sólo habíamos hablado dos veces, una en su estudio y otra por teléfono. Y en ambas ocasiones nos quedamos con un regusto de insatisfacción; todo entre nosotros eran medias palabras, sobreentendidos. Créase o no, no me busco problemas con los hombres; no soy una de esas mujeres que caen una y otra vez en interesarse por hombres con la misma pega, sin escarmentar nunca. No. Lo mío es dar con una pega distinta cada vez, y echar a correr en cuanto la descubro. De modo que, ¿por qué me atormento respecto de Mick que no tiene ninguna? ¿Por qué me sigue llamando? Ni él ni yo somos personas temerarias. ¿Por qué hacemos esto?

Si atajamos por la parte de atrás de los jardines de los tres chalets que separan el de Lee y la playa, no hay que cruzar la carretera, lo que viene muy bien si una va descalza. Lee nos lo tiene prohibido porque dice que es «ilegal». Pero cuando no está con nosotras, atajamos por allí. Yo estaba a un chalet de distancia de Neap Tide II cuando oí la estridente y entusiasta risa de Sally Draco. Entonces comprendí que había cometido uno de los más graves errores de mi vida.

Aún no podía verlos, sólo oía a Henry arrastrar palabras ininteligibles con su voz de barítono, la voz clara y cortante de Lee, el «pito» de Sally, la aséptica risa de Mick.

¿Cómo se me había ocurrido quedarme? Yo no pintaba nada allí. Ellos sí. Demasiado tarde para huir. Me embargó una intensa sensación de soledad. Me estremecí, abatida y desolada al percatarme de que me iba a llevar mi merecido.

Ninguno de ellos reparó en mí, pese a que tropecé en los escalones del porche. Estaban demasiado enfrascados en charlar y reír. Aunque sí reparó alguien en mí. Me di la vuelta sobresaltada como si una alimaña se hubiese cruzado en mi camino. Era un niño: Jay, el hijo de Mick. Me había olvidado por completo de él. ¿Contaba Lee con que fuesen con el niño? Estaba sentado con las piernas cruzadas en el porche delantero. Era rubio como el trigo. Alzó la vista, en absoluto sobresaltado y sin distraerse de la absorbente tarea de hacerle los nudos a la cola de una cometa. Sus ojos azules me estudiaron con seria y medrosa curiosidad durante unos segundos. Al ver que sonreía miró hacia sus padres. «¡A mí la tropa!», casi podía una oírle gritar.

—Ah, estás ahí —dijo Henry sonriente al verme.

Los demás se dieron la vuelta y yo fui hacia ellos sin dejar de sonreír.

—Hola, ¿qué tal el viaje? —saludé.

Luego besé a Henry y abracé a Sally. A Mick lo saludé con la mano desde dos metros de distancia. Apenas lo miré. Me limité a mantenerlo en mi campo visual, como si del sol se tratase. Pero reparé en que se había cortado el pelo. Así estaba más joven. Parecía un pipiolo. Pero no se lo habían cortado bien, porque se le veía un poco el cuero cabelludo por ambos lados. Además, estaba muy pálido y demacrado. La sombra negroazulada de sus mejillas contrastaba fuertemente con su piel blanca. ¿Habría estado enfermo?

—No sabes cuánto me alegro de que te hayas quedado —dijo Sally, y me tomó de las manos y me miró a los ojos—. ¿Qué tal te va? ¿Qué tal te va *últimamente*?

Me aterró pensar que pudiese saberlo todo y que se complaciera en torturarme. ¿Qué tal te va? ¿Qué tal te va *últimamente*? Ni a mi madre le contesto con franqueza estas preguntas.

—Bien, bien —dije tratando de dar la misma intencionalidad a mi respuesta—. ¿Es ese tu hijo?

La maniobra de distracción funcionó. Me soltó las manos y lo llamó.

—¡Ven a saludar a Emma, Jay!

Pobre crío. ¿Por qué harán estas cosas los mayores? Ir a saludar a una vieja amiga de sus padres no era precisamente lo que Jay quería hacer en ese momento. Pero asomó por detrás del porche, farfulló «hola» como un niño obediente y me tendió la mano sin quitarle ojo a mis rodillas. Mick posó las manos en los hombros del pequeño, que alzó la vista y se relajó. Tenía la misma cara que en la fotografía, angelical. Superficialmente se parecía a su madre, porque era rubio y tenía los ojos claros. Pero la forma de su cabeza tenía una dignidad y una nobleza que sólo podía haber heredado de su padre. Y no lo digo porque sea imparcial.

—¡Hala, todos a cambiarse, que vamos a la playa! —anunció Henry para júbilo de Jay.

—Yo no —rehusé—. Ya he tomado bastante sol por hoy.

Esto provocó las habituales risas de incredulidad y bromas a mi costa. Henry me dijo que estaba más blanca que la leche y comparó mi tez a la de Casper, el fantasma amistoso.

—Vale, vale. Reíd, reíd. Ya veréis cuando caigáis fulminados por el melanoma.

Pero la verdadera razón, por supuesto, es que no quería asistir al jolgorio familiar, a las risas, a los juegos en el agua y en la arena para mayor gloria de la Kodak.

Cuando se hubieron marchado y me quedé sola me preparé un gigantesco gin-tonic y me lo llevé a la ducha. No me hubiese importado ahogarme, que me hubiese tragado el desagüe cubierta de espuma. Nadie me iba a echar de menos.

Llegué sobria a la cena. Nos hacinamos los seis en el station wagon de los Patterson y fuimos a Brother's, donde nos pusimos morados de carne a la brasa, pescado frito con patatas y ensalada de col con montañas de mayonesa. Me senté frente a Sally, que no paraba de hablar. Llevaba el pelo teñido de rubio platino, que contrastaba con sus cejas negras y arqueadas y sus enormes ojos azules. El peinado la favorecía. Habría sido una mujer fascinante de no hablar tanto. Cada vez que decía algo, por más banal que fuese, nos miraba escrutadoramente, como si quisiera controlar nuestras reacciones. Pespunteaba casi cada frase con una risa artificiosa, como diciendo: «Ya veréis qué divertido.» Incluso llegué a pensar que estuviese colocada. Probablemente no, pero estaba tensa como un muelle, y actuaba demasiado.

Quizá hubiesen discutido. A su lado, Mick sonreía educadamente. Apenas abría la boca, aunque no dejaba de mostrarse solícito con ella. Yo seguía sin poder mirarlo a los ojos, pero me pareció fatigado. No, concluí. No debían de haber discutido. Debía de ser su talante habitual cuando estaban juntos.

—Puede que Mick se ponga a trabajar —anunció Sally.

Estiré el cuello al oírlo. Ella soltó su risita nerviosa y se apoyó un momento en el envarado hombro de Mick con talante juguetón. Lo miré un instante y me pareció notarlo abatido.

—Me refiero a trabajar en un verdadero empleo —prosiguió Sally—, en el que se gana dinero de verdad.

Lee se rebulló en el asiento incómoda. El descontento de Sally resultaba embarazoso de puro transparente. Además, hablar de la situación económica de cada cual infringía una de las principales reglas de etiqueta de Lee. Pero miró a Mick expectante. Todos lo miramos.

—Sí, he pensado aceptar un empleo a tiempo parcial —confirmó él.

—Pero no vas a dejar de pintar, ¿verdad? —dije.

—No, no —contestó. Me miró un instante y desvió la mirada.

—Lástima que la fontanería no sea lo tuyo, porque podrías trabajar conmigo —bromeó Henry y disipó la tensión—. ¿Qué clase de trabajo te interesa?

—Vigilante nocturno —dijo Jay.

Mick se echó a reír y Jay lo miró sorprendido.

—Eso era una broma —le explicó el padre a su hijo—, como lo de trabajar en McDonald's.

—Pero es que si fueses vigilante nocturno llevarías pistola...

Sally volvió a propinarnos una de sus falsas risas.

—Jay quiere que su padre trabaje en el zoo, en McDonald's o que se dedique al rodeo.

—O en las fuerzas aéreas —puntualizó Jay.

—Por mí estaría encantada si trabajase como *cheer leader*, con tal de que tuviese ingresos regulares. ¡Ja ja!

Yo jugueteé con una patata frita sin levantar la cabeza. Se hizo un silencio que se podía cortar. Lo que más me repateaba era que Mick daba la impresión de no reprocharle a Sally su actitud. Debía de haberlo convencido de que la había decepcionado, aunque no lo dijese con esas palabras. Sally era de las que prefería zaherir.

—Me han subido el alquiler en el estudio —explicó Mick haciendo caso omiso de la tensión que se palpaba—. Y, como de momento todo son gastos y no hay ingresos, probablemente volveré a trabajar en el bufete de antes, a tiempo parcial —añadió mirándome—. Puede que sea una buena fórmula.

Ah, pero ¿y sus pinturas? ¡Sus queridas pinturas! Sentí náuseas. Me sublevaba lo que consideraba una injusticia. Y de no haber sabido que aquello era amor, lo hubiese sabido entonces, porque la verdad es que sus pinturas siguen sin decirme nada.

Después de la cena, durante el trayecto de regreso a casa, pensé que no podría soportar pasar más tiempo en compañía de Mick y Sally. Lo siento, Lee, mala suerte, vais a quedaros solos con ellos, pensé.

—¿Te encuentras bien? —me preguntó cuando dije que me iba a acostar temprano.

—Sí, estoy bien; sólo que creo que he tomado demasiado sol.

Era una buena excusa que siempre da pie a unos minutos de desenfadado cachondeo (desenfadado sobre todo por mi parte). Les di las buenas noches y desaparecí.

Ya en la cama los oí hablar y reír en el porche. A veces oía lo que decían y otras sólo voces que subían y bajaban de volumen, enérgicas o tímidas. Me sentía como una niña a quien sus padres hubiesen mandado a la cama en plena fiesta. Y hablando de niños, Jay dormía en una turca a los pies de la cama de Sally y Mick. Pude haberme ofrecido para que durmiese en mi habitación, en la litera que Rudy había dejado libre. Pero no lo hice. Adivinen por qué.

Hacia las once oí pasos de dos personas que bajaban por la escalera del porche y que luego seguían por la rampa arenosa por la que accedían los coches. Me asomé a la ventana pero ya no me dio tiempo a ver quiénes eran. Al cabo de unos minutos oí la voz de Henry. De modo que eran Mick y Sally quienes habían salido. Debían de haber ido a dar un paseo. Aquella noche había una romántica luna llena. Y el niño estaba en el dormitorio, de modo que...

No tiene mucha gracia exponerse a que te mortifiquen los celos sexuales. El tictac de mi despertador de viaje me martilleaba el cerebro. Porfié por no imaginarlos entrelazados en la fría arena, bajo la luz azulada de la luna, pero en vano. Sally es muy atractiva, de verdad, cuando no habla; y él es un hombre apasionado. De eso estoy segura, aunque jamás me haya tocado.

El reloj marcaba las 11.34 cuando oí a Henry y Lee ir de puntillas por el pasillo y cerrar la puerta de su dormitorio. A las doce menos veinte me levanté y fui al cuarto de baño que compartía con los Draco, con la idea de tomarme un somnífero, aunque me sorprendió verme fisgando en el estuche de afeitar de Mick, a ver qué solía llevar cuando viajaba. Era una manera bastante patética de acercarme a él, pero ya había perdido todo sentido del decoro.

Usaba jabón Mennen y una maquinilla de afeitar Gillette y, por lo visto, no usaba loción para después del afeitado. Tiritas. Peine, pero no cepillo. Cortauñas. Un tubo de aspirinas, una barra de desodorante y vendas. Gafas de sol, de las que se ponen encima de las corrientes. No había preservativos. Hilo dental. Elixir. Pasta de dientes y cepillo. Ni rastro de preservativos. Una caja de cerillas, imperdibles y una cajita de gasas.

¿Por qué no llevaba preservativos? Tres posibilidades. Una: que fuese ella quien velase por la anticoncepción. Dos: que quisieran tener otro hijo. Y tres: que ya no tuviesen relaciones sexuales.

Yo prefería la tercera posibilidad.

El floreado estuche de tocador de Sally estaba encima de la

tapa de la taza, pero no lo toqué. A pesar del descubrimiento de que no llevaba preservativos, les aseguro que no era *información* lo que buscaba. Sólo quería ver lo que llevaba Mick. De verdad. Ya sé que suena patético, pero quería tocar su peine, ver cuántas aspirinas le quedaban en el tubo, oler su espuma de afeitar; ver si había algún pelo de las axilas pegado a la barra del desodorante. No me importa que se rían. Lo tengo claro: se me iba la olla.

Regresaron a las doce menos cuatro minutos. Fueron al cuarto de baño por separado y, a las doce y diez, ya estaban de nuevo en la cama con la puerta cerrada y la luz apagada. No, no es que fisgase por el ojo de la cerradura. Lo vi por el reflejo de la luz en el pino que quedaba enfrente de nuestras ventanas contiguas.

Silencio.

Ahora tenía motivos para *obsesionarme*.

No es fácil reconocer que, imaginar a la persona amada en brazos de otra, no es sólo una tortura sino también excitante. Lo siento pero es así; tiene morbo. ¿Y por qué no? La angustia emocional y la excitación física no siempre se anulan. Desde luego que no. La angustia no hace sino intensificar la excitación. Más morbosa. Y aliviarse de ella, si acaba una haciéndolo, no hace sino acentuarla, que te sientas aún más sola y superflua. Prescindible. En la hora gris y enfermiza antes del alba pensé hacer la maleta y marcharme, pero la logística se impuso. Porque hubiese tenido que robar un coche.

Cuando al fin me dispuse a dormir, me quedé como un leño y no desperté hasta mediodía. Me suele ocurrir. La noche que eché a Peter Dickenson de mi apartamento, hace años, ni siquiera sé ya cuántos, me acosté y dormí todo el día, como si me hubiese quedado muerta. Pero eso no es malo, es mejor que tomar pastillas o emborracharse, y mucho más barato. Yo lo llamó «Valium natural».

Al levantarme subí a la planta, donde están las zonas comunes del chalet y, por lo visto, todos habían salido. Bueno, pensé, hasta que me hube tomado la tercera taza de café y el segundo sándwich de queso con tomate. Entonces comprendí que no debía pasar de ellos tan olímpicamente, me puse el bañador y enfilé hacia la playa.

El panorama no era precisamente muy original. Ellos jugaban a lanzarse el consabido disco de plástico y ellas miraban. Soporté las consabidas preguntas sobre si me encontraba bien y, tras asegurarles que estaba perfectamente, encajé también sus bromas sobre mi pereza. Para aprovechar la sombra de la sombrilla de Lee extendí mi toalla junto a la suya. Sally estaba al otro lado de Lee. Saqué toda mi parafernalia: el libro, la loción, las gafas de sol, el sombrero y una toalla arrollada para utilizarla a modo de almohada y me eché boca abajo. Seguí con ellas las evoluciones de sus maridos.

En realidad jugaban tres: Henry y Mick cada uno en un extremo y Jay en el centro. Mick y Henry lanzaban el disco con precisión olímpica para hacerlo llegar a las manos de Jay. Produce cierta sensación de seguridad ver que los hombres juegan con los niños. Cuando son pacientes y considerados, cuando hacen concesiones, cuando disimulan su superioridad, en otras palabras, cuando se comportan como las mujeres, refuerzan nuestra ilusión de que son personas civilizadas.

Pese al placentero espectáculo, yo estaba preocupada por Lee y por Henry. Estudiaba sus rostros, pero sólo revelaban una plácida diversión. Me decía que por fuerza tenían que sufrir. Al igual que Rudy, me alegré cuando Lee se sinceró un poco, todo lo que ella es capaz de sincerarse, y se abrió a nosotras acerca de sus temores y de su rabia por el hecho de no conseguir quedarse embarazada. Como es la más autosuficiente, Lee no utilizaba el grupo como terapia tanto como las demás. De manera que aunque ya suponía que el resentimiento, los celos, la rabia y el sentimiento de culpabilidad la afectaban, no dejó de sorprenderme que lo reconociese. Y ahora, al ver a Henry jugar tan alegremente con Jay, que es un verdadero ángel, un modelo de niño, el hijo con el que sueña todo hombre, pensé que a Lee tenía que destrozarle el corazón.

Pero creo que siguen llevándose bien. Eso espero de todo corazón. Porque Lee y Henry están hechos el uno para el otro. Desde el principio Lee fue muy franca con nosotras acerca de su pasión por Henry, y lo cierto es que cuando una está con ellos lo palpa. No se trata de que hagan alardes efusivos, en absoluto, pero les aseguro que la atmósfera se carga de electricidad positiva cuando están juntos. En parte se debe al modo que tiene él de mirarla, como si fuese la diosa del sexo y él llevase siglos sin hacer el amor; y, en parte, a la actitud recatada y discreta de Lee. Verlos juntos siempre me induce a imaginar escenas de sexo. Me pone un poco cachonda, si vamos a eso.

Antes de dar la espantada tan temprano anoche, salí al porche a tomar el fresco. Lee y Henry ya estaban allí, junto a la barandilla en un rincón oscuro. ¡Vaya! Estuve a punto de farfullar una excusa y volver a entrar. Pero no hacían nada. Él la había rodeado con sus brazos desde atrás y ella recostaba la cabeza en él, con las manos ceñidas a sus muñecas. Me sonrieron y luego siguieron mirando la luna. Mi presencia no los incomodó lo más mínimo, pero yo me sentí como si hubiese irrumpido en una escena de amor. Eso da idea de la intensidad del halo de ternura que los envolvía. Cuando él se inclinó hacia ella y rozó su mejilla con la suya, con suavidad, en actitud puramente amorosa, se me hizo un nudo en la garganta. Les dije buenas noches y me alejé.

¡Cómo me gustaría tener lo que ellos tienen! Es lo que todo el mundo anhela, ¿no? Una dulce e intensa intimidad con la pareja. Ya sé que es una quimera, un sueño que, en el mejor de los casos, sólo se materializa fugazmente, y que casi nunca es lo que parece. Pero no me importa. El modo de entrelazarse, la sensación que daban de ser uno allí en la oscuridad, ahondaba el pozo de mi soledad. Y, sea real o no, a veces no me importaría entregarme al sueño, aunque sepa que los sueños... sueños son.

—Echaré de menos el ballet —dijo Sally incorporándose para ponerse crema en las piernas. Yo la miré abstraída—. Se lo estaba comentando a Lee —añadió en un tono deferente, ansiosa por incluirme en la conversación—. He tenido que dejar las clases. Ya no podemos permitírnoslo, porque tenemos otras prioridades. Es la única actividad que hago para mí misma, y es duro. Pero ¿qué va a hacer una? —Nos dirigió una sonrisa de chica animosa, con los labios apretados.

—Sí, es una pena —dije.

Lee no hizo el menor comentario y apenas la miró. Hummm. Allí había más tensión de la que yo imaginaba. Y yo me había desentendido de la misión que Lee me encomendó: servir de colchón entre ella y Sally durante aquel fin de semana. Tenía remordimientos por ello, pero la verdad era que había elegido a la persona equivocada para aquella misión.

No vi el disco hasta que me golpeó en el hombro. Y me hizo daño. Henry se acercó corriendo, sudoroso, sonriente y jadeando como un perrillo.

—Perdona, Emma. ¿Te he hecho daño?

—No, no es nada —repuse devolviéndole el disco con una deportiva sonrisa.

El bañador a rayas azules y blancas le llegaba por debajo de las rodillas, demasiado holgado. Levantó el disco por encima de la cabeza de Jay. Mick dio un asombroso salto que hizo gritar a su hijo de júbilo. Me tapé un lado de la cara con la mano para que Sally no me viese mirar fijamente a su marido. Había adelgazado. Estaba flaco. No tenía por qué achacárselo a ella, pero se lo achaqué. Salvo en los antebrazos estaba casi tan pálido como yo. Anhelé tocar sus bíceps bronceados, besarlos, morderlos. Todo en él me excitaba, me atraía. Tenía la sensación de hacer algo indebido; de que mirarlo de aquella manera me estaba vedado; mirar sus muslos, sus pantorrillas, su velludo pecho. Seguirlo con la mirada cuando saltaba y corría.

El hecho de que aquel cuerpo me estuviese vedado lo hacía tan atractivo. Yo era consciente de ello, pero era de verdad hermoso, aunque estuviese flaco, pálido y llevase el pelo demasiado corto. Se parecía un poco a Daniel Day-Lewis, comentó tiempo atrás Isabel. Por supuesto, yo no hice la menor observación al respecto, pero recuerdo que pensé: ¡Qué más quisiera Daniel!

¿Por qué sigo tan obsesionada con él? ¿A qué se debe esta autodestructiva necesidad de no quitármelo de la cabeza? ¿Por qué no puedo olvidarme de él? ¿Por qué no puede él olvidarse de mí?

El caso es que no puedo evitarlo. Cada vez con mayor claridad, me percato de que mi necesidad (no mi deseo, porque de eso ya estoy al cabo de la calle) es más fuerte que mi discreción (no que mi conciencia, porque aún no hemos hecho nada que podamos reprocharnos). Me digo que nuestros esporádicos encuentros son imprudentes pero no inmorales. No hacen daño a nadie, sólo a mí. Y a él.

Oh, Dios, eso es lo que más seduce, y lo más peligroso, la posibilidad de que él sienta lo mismo que yo. Y creo que así es. No sabe disimular (yo disimulo mucho mejor) y, por lo tanto, no oculta su alegría cuando estamos juntos ni sabe mostrarse frío por teléfono. Nuestras conversaciones son cada vez más íntimas. Un día le conté lo de la última vez que vi a mi madre y terminé por hablarle de mi infancia; cómo fueron las cosas cuando mi padre se marchó de casa, y cuando murió. Mick sabe ahora cosas de mí que hasta la fecha sólo sabía Rudy.

También yo sé cosas de él. Puedo imaginar la época en que ansiaba destacar, ganar medallas deportivas y sacar sobresalientes a mayor gloria de papá y mamá; dedicar su adolescencia y los primeros años de su juventud a que sus padres adoptivos se sintiesen orgullosos de él y no lamentasen haberlo adoptado. Me contó que no sólo era a Sally a quien había decepcionado al dejar el bufete, sino también a sus padres. En cierto modo resultaba aún más duro decepcionarlos a ellos, porque aspiraban a mucho más para él. Ahora, en cambio, bromeaban acerca de él con sus amigos, aunque sin zaherirlo, «tomándoselo con filosofía». «¿Qué le vamos a hacer?», imaginaba que dirían. Y eso le duele mucho a Mick.

Nos hemos hecho muchas confidencias sobre cuestiones muy personales. Cultivamos una intimidad parecida a la de unos compañeros de celda que se comunicasen dando golpes en las cañerías o en la pared con los vasos metálicos. Compartimos secretos sin llegar a tocarnos.

Jay se cansó de jugar y vino a reponer fuerzas bajo la sombrilla de nuestro campamento. Se dejó caer encima de mi toalla y la de su madre y pidió un refresco de la nevera que llevábamos. Lo bebió ruidosamente sin dejar de mirar a su padre y a Henry, cuyo juego había subido muchos enteros en la escala varonil ahora que eran sólo ellos dos.

—Hola —me saludó con una tímida sonrisa.

—¿Qué tal?

—Has dormido mucho, ¿verdad?

—Sí. Estaba cansada.

—¿Por qué?

—Pues... porque he tenido pesadillas.

—Ah... Yo también tengo pesadillas. Me despierto y viene mi papá. Y a veces mamá. Y enseguida me vuelvo a dormir.

—Yo también —dije, haciendo abstracción de lo de papá y mamá, claro—. ¿Y qué pesadillas tienes?

—Monstruos. ¿Y tú?

—A veces sueño que llego tarde a algún sitio pero sin saber adónde —dije. Y era verdad, porque sueño a menudo que me pierdo y llego tarde—. No sé dónde está la estación del tren, o del autobús, y todos me indican direcciones diferentes. Y entonces llega el autobús o el tren, pero no sé adónde va, no veo bien qué número es, y llego tarde, muy tarde y todo se repite una y otra vez hasta que despierto.

Jay me miró y eructó.

—Perdona —se excusó mirando a Sally, que se limitó a sonreír arqueando las cejas.

Me encantaría poder decir que es una mala madre... Pero no, no es eso lo que quiero decir, es sólo una manera de hablar, un dicho. No estoy tan tarada como para desearle unos malos padres a un niño indefenso. No es una mala madre en absoluto. Lo mío es pura envidia. Es más, parece muy buena madre, solícita, serena y afectuosa. Y sin embargo, se palpaba un *sí, pero*... Jay se comporta de modo distinto cuando está con Mick que cuando está con su madre. Con él se muestra risueño y relajado, alegre y travieso, como un niño normal y equilibrado. Pero con su madre está demasiado serio, pendiente de su mirada. A partir de las cinco y media, cuando su madre llega a casa, debe de convertirse en un niño formalito.

La verdad es que no sé mucho de niños, porque les tengo pánico. Me parecen demasiado independientes, de una sinceridad que en un adulto resultaría imperdonable. No saben lo que es la ironía y, por lo tanto, nunca me ríen las gracias. Suelo procurar tenerlos lejos, pero comprenderán que aquel me fascinase y por eso le estuviese prestando tanta atención. Me parecía un niño bien educado, inquieto, tímido y muy dulce, pero receloso y demasiado observador para su edad, como si se sintiese impulsado a tomar la temperatura ambiente, a medir la atmósfera emocional a su alrededor.

Por increíble que parezca Jay ha decidido que le caigo bien. Llegó a esa conclusión anoche en Brother's. Lo noté con toda claridad. Vi la decisión reflejada en su rostro, candoroso e inocente.

No sé cómo vino a cuento, porque he olvidado el contexto, pero yo me había embarcado en un discursito sobre las perversidades del antropocentrismo y de la pasmosa arrogancia de los humanos hacia los llamados animales inferiores (ciertamente me había tomado ya un par de cervezas) y como ejemplos mencioné designaciones como «perro pastor», «gallo de pelea», «burro de carga», «toro de lidia», «vaca lechera», pobres animales cuya existencia los humanos habíamos limitado y definido nombrándolos exclusivamente de acuerdo a su relación con nosotros.

Lo de «vaca lechera» le hizo gracia a Jay, que se echó a reír a carcajadas. No podía parar de reír con una risa cantarina y encantadora, tan contagiosa que terminamos todos riendo.

Henry y yo empezamos entonces a ripiar con los nombres de animales más cómicos que conocíamos.

—... el pájaro caganido...

—... el último de la pollada que ha nacido...

—.... el mosquito cagachín...

—Tachín, tachín...

Y vuelta a reír. Qué divertido. Dudo que haya tenido jamás mejor público. Cuando al fin Jay se recobró estuvo sonriéndome toda la noche.

Pregunta: ¿será la pura vanidad la que me induce a decirlo o aquel era el niño más majo e inteligente que había conocido?

El día se me hizo muy corto, quizá porque me había levantado muy tarde. Cenamos en casa, hamburguesas y salchichas a la parrilla. Después, Lee hizo un aparte conmigo y me preguntó qué me pasaba.

—¿Pasarme? Nada. ¿Por qué me lo preguntas? —dije con fingida sorpresa, pero aterrada. ¿Lo habría notado? ¿Lo sabía?

—Se trata de Mick, ¿no?

—No —negué horrorizada.

—Lo que no entiendo es por qué te cae tan mal...

—No, no me... —balbucí aliviada.

—No tenía que haberte pedido que te quedases. Lo siento, Emma.

Lee había estado limpiando los fogones. Se sentó frente a la mesa de la cocina, con un paño de cocina en una mano y un vaso de agua en la otra. Parecía cansada y nerviosa.

—No, de verdad —insistí—. Me alegro de haberme quedado. Lo estoy pasando estupendamente.

—No te reprocho que me lo niegues. Yo haría lo mismo. Porque a decir verdad ya no me siento a gusto en compañía de Sally —dijo susurrante. Era una precaución innecesaria porque estábamos solas en la casa. Henry, Mick, Sally y Jay habían ido a pasear a la luz de la luna por la playa. Se pasó los dedos por su corto pelo castaño y luego añadió—: Estoy harta de que me cuente cosas que no quiero oír.

—¿Cosas personales?

—Sí. Cuando empezamos a intimar le conté algunas cosas mías; mías y de Henry. No era nada realmente muy íntimo —se apresuró a matizar—, nada parecido a lo que podría contaros a vosotras en el grupo.

—Ya.

—Pero sí cosas personales.

—Ajá.

—Y aunque ya no lo hago, ella sigue contándome las suyas.

—¿Como qué? —pregunté expectante, con un hilillo de perversa esperanza.

—Como que asisten a terapia de grupo, de matrimonios, desde hace cinco años, y llevan seis casados.

—¡Madre mía! —exclamé.

Mick no me había insinuado nada semejante. No cabía duda de que era discreto. En sus mismas circunstancias la mayoría de los hombres lo hubiesen comentado, ¿no creen? De cajón: «Como mi matrimonio es un desastre, echemos un polvo.»

—Detesto oírla hablar de su marido como lo hace —dijo Lee inclinándose hacia mí—. En cambio a Henry le encanta Mick, y a mí también me cae bien. Nos sentimos más inclinados a ser leales con él que con ella.

—¿Y qué dice Sally de él?

—Pues... que la ha decepcionado mucho que haya abandonado el trabajo, haber tenido que descender de nivel de vida, que todo haya cambiado tanto. Ella es de Delaware y, por lo visto, su familia tiene dinero. Incluso me dijo: «Si lo llego a saber no pico.» Aunque luego se echó a reír como si bromease. Pero no bromeaba.

—Está claro.

—Y me subleva. Yo me casé con un fontanero, y nunca me he avergonzado de Henry, nunca. Es parte de él y parte de lo que amo de él. —Se recostó en el respaldo, me miró sulfurada y añadió—: ¿Y qué, si un buen día decidiese dejar la fontanería y ponerse a trabajar en otra cosa? Da igual; de camarero, pongamos por caso. ¿Cómo reaccionaría yo?

—Eso. ¿Cómo reaccionarías?

—No me importaría.

—No, claro que no. Porque Henry seguiría siendo el mismo Henry.

—Y lo amo.

Pensé en Sally y en a quien amaba en realidad. Presumiblemente amaba a Mick *el abogado*. Don Michael Draco era merecedor de su amor, sobre todo con su terno de color gris marengo y con tirantes. Pero Mick *el pintor arruinado*, no. No contaba con eso.

Menudo elemento la tal Sally. Daba lástima. Su falta de sinceridad inducía a detestarla. Pero era una buena madre, como si Jay la hiciese superar todas sus neuras.

Pobre Mick. Incluso yo comprendía que estaba atrapado.

Hacia las diez de la noche Jay despertó gritando. No lo oí enseguida porque estábamos los cinco arriba con el televisor encendido, aunque sólo Henry lo miraba. Transmitían un partido de baloncesto. Mick se dispuso a ir, pero Sally lo detuvo.

—Ya voy yo —dijo. Y salió corriendo del salón.

Lee dejó a un lado la revista que estaba leyendo.

—¿Tiene pesadillas a menudo, Mick?

—Últimamente sí, casi cada noche.

Los gritos y el llanto de Jay cesaron casi de inmediato. Mick se tranquilizó y la tensión desapareció de su rostro.

—A esta edad es normal que tengan lo que llaman terrores nocturnos —le aseguró Lee—. En realidad es más corriente tenerlos que no tenerlos. No debéis preocuparos en exceso. De verdad.

Mick le agradeció el comentario con una sonrisa.

—Ya sé que es normal, pero...

—Afecta, claro.

—Voy a echar un vistazo —dijo Mick levantándose—. Sólo para asegurarme —musitó en tono de excusa antes de desaparecer por la puerta.

Al cabo de unos minutos regresó visiblemente aliviado.

—Se ha quedado dormido. Está bien.

—Bueno... ahora ya estáis tranquilos.

—Sally me ha dicho que os dé las buenas noches. Va a acostarse ya.

De modo que nos quedamos los cuatro, a pasar el resto de la velada leyendo y viendo la televisión. Henry tenía el sofá para él solo y una lata de cerveza apoyada en el pecho. De vez en cuando musitaba cosas como «¡Qué manera de perder una pelota, imbécil! y «¡Tira ya!, ¡Qué coño esperas!». Lee estaba sentada frente a la mesa, absorta en la lectura del último *Vogue*. Mick repartía su atención entre el partido y un libro, una novela que había encontrado en la librería de Lee titulada *Asesinato en la playa*.

¿Y yo? Yo debía de tenerlos impresionados, enfrascada en la lectura del último libro de Louise Erdrich, que compré precisamente para impresionarlos. Aunque en realidad estaba pendiente de Mick, que me miraba de vez en cuando.

Lee bostezó y se estiró.

—Bueno, me voy a la cama. ¿Vienes, Henry?

—Sí, enseguida iré. Es un minuto.

—Buenas noches —se despidió Lee mirándonos a Mick y a mí.

—Buenas noches, Lee —correspondimos.

El minuto de Henry se alargó hasta un cuarto de hora, porque su equipo no paraba de hacer faltas personales y de pedir tiempos muertos. Debería ir a acostarme antes de que lo haga él, me repetía yo. Porque de lo contrario nos quedaríamos Mick y yo a solas, y resultaría un tanto embarazoso. Pero leía una y otra vez el mismo párrafo del libro, sin moverme.

Henry dio un salto en el sofá al conseguir su equipo una canasta que le daba la victoria, décimas de segundo antes de que finalizase el partido.

—¡Qué partidazo! ¿Ya se ha ido Lee a la cama?

Nosotros nos echamos a reír y le dijimos que sí.

—¿Qué tal mañana? ¿Toca madrugar o no?

—Me temo que sí —dijo Mick—. Los padres de Sally vienen a cenar.

Supuse que vendrían desde Delaware. Los ricachones.

—¿Y tú Emma? ¿Has de estar en casa a alguna hora concreta?

—No. Me da igual. Cuando Lee y tú queráis.

—Estupendo. Entonces podremos aprovechar la mañana para ir a la playa.

Nunca he conocido a nadie que le guste más el mar que a Henry, ni siquiera Isabel. Es como un niño.

—Sí, porque si no... —no pudo evitar añadir— te vas a ir más blanca que un papel. ¿Cuántos minutos habrás pasado a pleno sol este fin de semana? ¿Diez? ¿Quince? ¡Ja ja!

—Ja ja.

Sin dejar de reír tiró la lata de cerveza a la papelera.

—¡Canasta! —exclamó. Y se fue al dormitorio.

Había dejado el televisor encendido. Mick y yo nos miramos y enseguida desviamos la mirada hacia la pantalla, en la que aparecían un chico blanco y otro negro, en un anuncio de material deportivo. Luego dieron la repetición de las mejores jugadas del partido. Lo seguimos durante un rato. Después, una voz en *off* anunció que, si seguíamos en su sintonía, podríamos enterarnos de todos los resultados de los partidos habidos y por haber en todo el país.

Me levanté.

No sé por qué estábamos tan tensos. No era la primera vez que estábamos a solas. Éramos amigos. Pero al mirar a Mick me flaquearon las piernas. Me faltaba la respiración. Tenía la piel tan sensible que temía hacerme daño si me tocaba.

Él se levantó también. Me bastó mirarlo para que todo se precipitase. Honestamente, no sé de quién partió la iniciativa, quién alargó primero la mano. Hasta el último instante todo me pareció inocente, un leve roce de los dedos al darse las buenas noches. Pero entrelazamos nuestras manos y al instante nos abrazamos con fuerza.

Nos soltamos enseguida. Me aferré a la imagen de sus anchos hombros, del olor a algodón de su camiseta, como si me resignase a que fuese lo único que podría tener de él. Dijo algo que no entendí, tan aturdida estaba.

—¿Qué?

Tiró de mi mano y me llevó fuera, al porche.

Había demasiada luz, estábamos demasiado expuestos. Bajamos por los escalones con sigilo. Yo iba descalza y Mick en zapatillas. Bajo la casa, en el umbrío espacio entre su coche y un cobertizo de herramientas cerrado con candado, nos detuvimos. Un último instante de cordura mientras nos mirábamos a los ojos, sin tocarnos. Podíamos retroceder, limitarnos a hablar.

Nos besamos. Fue doloroso, no gozoso. Pero no pude contenerme. Fue como beber agua de mar si estuviese muriendo de sed. Aunque me matase tenía que beberla. Me abracé a él, cubrí su boca con la mía, pegando mi cuerpo al suyo, restregándolo. Me arrimó al cobertizo y choqué la cabeza contra algo metálico, la caja de los fusibles, me parece.

—Ay.

Mick fue a separar las manos pero yo se las retuve, ansiosa.

—Bésame —le dije, aunque ya me estaba besando.

Lo repetí una y otra vez como si de una excitante obscenidad se tratase, porque me hacía bien expresar *la verdad* para variar, decir de una vez lo que deseaba. Él no se expresaba con tanta claridad; musitaba juramentos entre beso y beso, pero a mí me sonaron a poesía amorosa. Me acarició el pelo.

—Precioso —dijo.

Y mi corazón se puso a cantar. Era la primera vez que me hacía un cumplido. Significó mucho para mí. Lo besé entonces con ternura, no como si estuviese enloquecida de amor, y empezamos los dos a temblar. Deslizó sus manos hacia arriba, por mi espalda, por debajo de la blusa. Me tocó.

Estremecida y jadeante le hice la fatal pregunta.

—Mick, ¿adónde podríamos ir?

El resplandor de la luz del porche se reflejó en sus ojos al mirar en derredor. Vi en ellos la misma indiferencia que yo sentía por las consecuencias que pudiera tener nuestra transgresión. Me tomó de la mano. Fuimos por el sendero de cemento que enlazaba con otro de hierba que llegaba hasta un pinar que separaba Neap Tide de la casa de atrás. A partir de allí el sendero iba hasta el mar. ¿Adónde me llevaba? ¿Seguiríamos por allí hasta llegar al agua y haríamos el amor en la fría arena a la luz de la luna? Lo seguí ciegamente, irreflexiva. Me deleitaba con la sensación de que tirase de mí. Me alegraba de que hubiese sido él quien tomase la iniciativa.

Tropecé con un cardo.

Mick me sujetó del codo al ver que empezaba a cojear y profería un juramento. El zapato se me había quedado atrapado en la espinosa mata.

—¡Mierda! —exclamó él. Y nos dejamos caer en la arena.

¿No era aquella una perfecta analogía de mi vida? ¿Del imprevisto que obliga a improvisar, a cambiar de plan? Me hizo estirar la pierna y posó mi pie en su regazo. Trató de hacerlo con cuidado, pero cuando hubo terminado de quitarme los pinchos éramos dos personas distintas. Habíamos vuelto a encerrarnos en nuestro antiguo yo. En nuestro yo reflexivo. Lo lamenté tanto que estuve a punto de echarme a llorar.

El viento agitaba las enmarañadas algas y la hierba de la playa y nos traía el fuerte olor a mar. Había tantas estrellas que su luz parecía ocupar más extensión que el negro vacío del cielo. La luna estaba casi llena. Nos quedamos allí, arropados por el regular murmullo de las olas, mirándonos. Mick miró su mano ceñida a mi tobillo, cada vez más pálida, y yo noté el peso de mi pantorrilla en su muslo. Llevaba unos pantalones grises de verano y una camiseta negra. La luz de la luna se reflejaba en su pelo negro, demasiado corto, y yo me incliné a tocarlo, desbordada por una ternura lacerante e irresistible. Nos lanzamos a hablar al mismo tiempo. Pero le indiqué que fuese él quien empezase.

—Al llegar aquí y enterarme de que te habías quedado —me dijo, yo me arrimé más a él—, me dije que ya no vería sólo tu rastro: un libro que hubieses leído y dejado aquí, una toalla húmeda...

—Yo he fisgado en tu estuche del afeitado —dije—. Sólo por ver lo que llevabas; por tocar tus cosas. —Puso su mano en mi mejilla, cerré los ojos y añadí—: No tenía que haberme quedado. Oh, Mick. Lo he comprendido nada más verte.

—Pero me alegro de que te hayas quedado.

—Yo también, pero es una insensatez.

—Lo sé.

—¿Qué vamos a hacer?

—No lo sé.

Me alegraba de no haber tenido que recurrir a mi fuerza de voluntad. Esa había sido mi secreta esperanza, que tomase él la iniciativa, todas las decisiones, que me dijese qué había que hacer, que me obligase a hacerlo si yo oponía alguna resistencia, casi como un padre obligando a hacer algo a una hija.

Me sentía violenta.

—No creo que pueda dejar a mi familia, Emma. No puedo dejar a Jay.

—Ya lo sé. Y no te lo pido —dije con firmeza, aunque atropelladamente.

No quería que pensara que yo buscaba destrozar su matrimonio, pero su firmeza me partió el corazón, su falta de ambigüedad. Yo no quería jugar, pero necesitaba algo, un hilillo de fingida esperanza al que aferrarme.

Cubrí con mi mano la que él tenía posada en mi mejilla.

—Tengo tantas cosas que decirte...

Inclinó la cabeza acercándola más hacia mí.

—... y, a la vez, no tengo nada que decir, puesto que no puedes dejarla.

Tragó saliva. Su expresión era la viva imagen del dolor. También yo sufría.

—¿Aún sigues haciendo el amor con ella? ¿Has tenido otras mujeres? No sé nada de ti. ¡Cómo puedo estar enamorada de ti si ni siquiera hemos ido nunca al cine! Sólo quisiera pasear de la mano contigo, llamarte por teléfono...

Era una tortura. Él guardó silencio. Ni siquiera en ese momento se sentía capaz de hablarme de su matrimonio. Era incapaz de traicionar a Sally conmigo. Habría sido el momento idóneo para decir: «Emma, soy muy desgraciado; ella no me entiende; amémonos.» Pero Mick no era el típico hombre casado insatisfecho que busca un ligue. No sabía justificarse enumerando las fallas de su esposa. Y, sobre todo, no podía abandonar a su hijo, que ya se preocupaba por mamá, y se despertaba por la noche gritando, acosado por las pesadillas.

—Esto es todo, ¿no? Esto es todo lo que podemos tener, ¿verdad? —dije tocándole los labios, su rasposa mejilla. Pasé los dedos entre sus cabellos—. ¿Quién te ha cortado el pelo tan mal, cariño? —añadí casi ahogada por la ternura, notando que se me iban a saltar las lágrimas.

—Yo no quería que ocurriera esto —dijo—. Nunca me arriesgaría a hacerte daño.

—Ya lo sé. Pero es demasiado tarde.

—Emma....

Volvimos a besarnos, con los ojos cerrados, apretando los párpados como para no ver que aquello no tenía esperanza; no hacíamos sino posponer lo inevitable. Pero, oh Dios, qué bien me sentía entre sus brazos. Me parecía lo más honesto que había hecho desde que nos conocíamos.

Teníamos que dejarlo. Nos apartamos temblorosos y jadeantes, como adolescentes en el asiento trasero de un coche en un autocine.

—Dios... —dije.

—Oh, Emma.

—Mira... —dije—. Se acabó. Dejémoslo correr. Porque esto me está matando.

Me ayudó a levantarme. Parece absurdo, pero necesitaba ayuda. Miró por encima de mi cabeza hacia el chalet e instintivamente yo también miré. No había luces encendidas en la planta de arriba; su mujer no acechaba en el porche en actitud recelosa, con los brazos en jarras, oteando las dunas. Pero su ansiedad era contagiosa. Me hizo sentir mal.

—¿Quieras que vuelva yo primero?

—No —contestó mirándome con fijeza.

—¿Te das cuenta de cómo tendríamos que estar siempre? Puede que ni siquiera nos aportase ninguna satisfacción. Hemos de dejar de vernos, Mick, por completo. No me llames. No intentes verme.

Él asintió con la cabeza. Se llevó las manos a la frente y las apretó.

—Lee y Henry van a organizar una fiesta dentro de poco.

—Si te invitan, como es lo lógico, no iré.

—No; seré yo quien no vaya.

—No, tú eres amigo de Henry, y yo a Lee puedo verla en cualquier momento.

Di media vuelta para ir hacia el chalet, pisando con cuidado porque el sendero estaba lleno de zarzas. Otra metáfora de mi vida.

No llegamos a ir hasta la playa; no llegamos a hacer el amor gloriosamente arropados por el murmullo de las olas. Por culpa de un cardo nos habíamos quedado en la arena y habíamos tenido que contentarnos con unos besos furtivos.

Nunca lloro delante de los demás. No sé si por orgullo o por una especie de fobia. El caso es que no lloro. Imaginen mi dolor cuando, al llegar al pie de los peldaños del porche lateral, rompí a llorar sin poder contenerme. Pude haberle dicho adiós y correr sola escaleras arriba. Así no se habría dado cuenta. Pero aún no quería separarme de él.

—¡Mierda! —musité al rodearme él con sus brazos. ¿Y si alguien se asomaba? Henry a fumar un cigarro; Jay, sonámbulo; Lee con la súbita y compulsiva idea de barrer el porche—. ¡No sabes cómo odio esto!

—Yo también. Y es culpa mía. Te juro que nunca he querido que sucediera esto.

—No es culpa de nadie. Además, no hemos hecho nada.

—Te he hecho sufrir.

—Eso es verdad. Pero te perdono.

Nos besamos, sonrientes. Y entonces lo estropeé todo echándome de nuevo a llorar.

—Yo no soy así —le aseguré utilizando su camiseta para secarme las lágrimas—. De verdad. Es la primera vez que me ocurre algo así.

Mick fingió creerme. Me secó las lágrimas de las mejillas con los dedos y luego apretó su cara a la mía.

—Siento haberte hecho daño, no que haya sucedido esto. Te he mentido desde el principio.

—Yo también a ti.

—Por lo menos...

—Sí. —Que por lo menos ya habíamos dejado de mentirnos, quería decir. Era un magro consuelo.

—Te echaré de menos —musitó.

—Oh, no, por favor —dije, pero sin apartarme de él. Deseaba apurar hasta el último segundo, por más doloroso e inútil que fuese.

Un último beso, muy suave. Sin pasión... sólo de despedida. No me gusta notar que se me destroza el corazón. Es muy romántico, pero corroe como el ácido.

—Adiós. Me levantaré tarde, Mick. No quiero verte marchar.

Aquellas fueron las últimas palabras. Los faros de un coche enfocaron nuestro callejón sin salida desde la autopista. Era un coche que iba de paso, pero nos sobresaltó. Nos separamos. Di media vuelta y corrí escaleras arriba, pasé de puntillas frente a la puerta del dormitorio de Sally, que estaba cerrada, y entré en mi habitación.

Cerré la puerta. Me senté en la cama a oscuras y aguardé hasta oír a Mick, que abrió y cerró la puerta de su dormitorio sin hacer ruido. Escuché como un animal al acecho, como una loba, pero no oí nada, ningún murmullo de voces. Nada.

Tenía toda la noche por delante para mortificarme por mi decepción. Hubiese preferido que ella lo sorprendiese, que lo descubriera, que lo pillase in fraganti.

Mick comete un error. Debería dejarla por mí. Yo podría hacerlo feliz, y podría adorar a Jay. En realidad, ya creo quererlo.

Pero.

Pero lo que amo del hombre a quien amo es su autenticidad. Me ha hecho polvo el muy condenado.

20

Isabel

Descubrí el purgatorio, no el infierno, que es demasiado aburrido. El purgatorio es un lugar tenuemente iluminado, enmoquetado, de paredes color malva, donde señorea un silencio de biblioteca que sólo rompe un televisor adosado en lo alto de una pared y permanentemente sintonizado con la CNN. Se llama Departamento de Visualización de Diagnóstico.

Mi ritmo cardíaco desciende invariablemente en la sala de espera. Me siento en uno de los sillones de madera de pino, tapizados con una fina tela a cuadros, y noto flacidez en los músculos. Lo veo todo borroso. Toda mi energía parece disiparse en el apastelado color malva de las paredes, en el artesonado, en las reproducciones de cuadros de Renoir. Que alguien se ocupe de mí, siento el impulso de rogar. Trátenme con consideración. No me hagan daño. Es una claudicación, una versión clínica de *Entre tus manos*. La pasividad en estado puro. La impotencia absoluta. Es un alivio dejarse ir, dejar de intentar ser quien gobierna mi vida, aunque sólo sea por este ratito.

Hoy estoy aquí para que me hagan una radiografía de tórax. Antes he pasado días y días sometiéndome a radiaciones en la cadera. No sé cómo lo han conseguido, pero me han remendado, por así decirlo. Ya apenas me duele la cadera y no cojeo al caminar. Teniendo esto en cuenta cabría deducir que este lugar debería gustarme más. Pero no. Me acuerdo de *Gracia*: en el consultorio veterinario no le hacen daño, pero empieza a temblar aterrorizada en cuanto huele el aparcamiento.

Aquí nadie parece asustado, ni siquiera los niños. Estudio disimuladamente a mis compañeros de radiología, buscando síntomas de desesperación, pánico, desolación. Pero nunca los encuentro. Nadie solloza en silencio; nadie se desmorona. ¿Doy yo esa impresión? Podrían estar perfectamente aguardando a su agente de seguros, o al dentista. ¿Pongo esa misma cara de pura aceptación, exenta de dramatismo?

—¿Señora Kurtz?

Una joven de pelo rizado me sonríe desde la entrada de una puerta. La sigo por dos cortos pasillos hasta el vestuario.

—¿Qué tal se encuentra hoy? —me pregunta mientras caminamos. Descorre la cortina de un cubículo.

—Desnúdese de cintura para arriba y póngase una de estas batas —me indica—. Enseguida volveré. ¿De acuerdo? —Me quité el jersey, la blusa, el sostén con la prótesis y me puse una bata azul de algodón. Me da la impresión de parecer una hippie, con una minifalda muy ceñida a la cintura por encima de los pantalones. La luz del fluorescente da a mi rostro un tono espectral, y sin embargo siento un acceso de amor a mí misma, una dolorosa ternura. Oh, pobre Isabel.

Vuelve la ayudante de radiología. Según la plaquita de identificación que lleva prendida en la pechera se apellida Willet. Dentro de la espaciosa estancia de rayos X, empiezo a desabrocharme la bata. Pero ella me dice que no es necesario y me indica que me sitúe frente a un cuadrado blanco de madera o plástico, que parece un tablero de baloncesto. Me dice que deje colgar los brazos a los lados y desaparece.

Oigo su voz desde el otro lado de la estancia. Está detrás de una mampara protectora.

—Así, inmóvil. Respire hondo. Contenga la respiración. Así. Y relájese.

Luego otra toma, de costado, y después otra de espaldas.

—Bien. Ya está. Volveré en un minuto.

Nunca es un minuto. Siempre tardan más; por lo general cinco y a veces diez. Ha ido a buscar a la radióloga, que se asegurará de que haya hecho bien las tomas. A veces han de repetirlas. Esa es la peor parte: esperar a que regrese la ayudante. Y cuando regresa nunca te dice nada. De modo que no tiene sentido estar en tensión, pero no puedo evitarlo. En estos momentos es cuando el miedo, el fatalismo y la autocompasión llegan a su máxima expresión. Siempre me acerco al revistero y elijo *People* o *Woman's Day*, lo que sea. Me quedo de pie de cara a la pared, hojeando la revista, leyendo por encima recetas de platos de pollo, artículos sobre antioxidantes milagrosos, anuncios de moda...

—Bueno —dice la señorita Willett al regresar con las manos vacías—. Ya puede vestirse.

Miro escrutadoramente su rostro. ¿Era conmiseración lo que notaba en su voz? Sabe lo que han revelado los rayos X. ¿Habrá señalado la radióloga un lugar de la película meneando la cabeza? No, no puede ser. Su sonrisa es demasiado desenfadada. No puedo tener una metástasis de pulmón. No pondría esa cara.

Me equivoque o no, el caso es que me siento mejor a cada minuto que pasa. Vestirse en el cubículo es exactamente lo contrario (emocional y mentalmente) de desvestirse. Al bajar en el ascensor a la primera planta, salir a la calle y respirar el aire limpio de efluvios medicinales, me sentí una mujer nueva. En la calle soy una más, normal, no una persona marcada por mi enfermedad, en nada me diferencio de la gente que aviva el paso, corre, despreocupada y saludable. Soy como ellos. Podría ser inmortal.

Crucé Pennsylvania Avenue y seguí por la calle K, sin apresurarme. De camino al hospital, no había reparado en el tiempo que hacía. De haberlo hecho, me hubiese contrariado. Porque hacía un día perfecto, uno de esos dorados días en que parece que el verano haya terminado sin que haya empezado el otoño. El aire tenía un sabor dulce y el sol se reflejaba en las cansadas, envejecidas pero aún verdes hojas de los árboles, como si un fotógrafo que quisiera sacarlas favorecidas le hubiese puesto a su lente un filtro de tul. Acababa de empezar la hora punta, pero los viandantes parecían relajados, no apresurados, como seducidos por la placidez de la tarde, como me ocurría a mí.

Pero me noté fatigada al llegar a Ferragut Square, demasiado cansada para esperar el autobús en Connecticut Avenue. Compré un vasito de café en un tenderete de la calle (el único vicio que me queda es la cafeína, ya que por lo demás mi dieta es exclusivamente macrobiótica) y me senté en un banco del parque.

Me entregué a un enfermizo juego en el que me complazco en extraños momentos. Pienso en las viejas arrugadas, en los niños, los jóvenes, las chicas bonitas, las madres con sus bebés, los adolescentes desabridos y los ancianos y, al verlos cruzar por delante de mí a paso vivo o cansino, pienso: Tú te estás muriendo, y tú, y tú, y tú también. Todos os estáis muriendo.

No hacía esto para consolarme, por supuesto. Quizá fuese una manera de convencerme de la impensable extraterritorialidad, de que nadie sale vivo de aquí. Pero la verdad es que aún me cuesta trabajo creer en la muerte. Sí, pese a todo, incluso ahora.

Puede que en el fondo no importe. Quizá baste con estar viva y saberlo. En este irrepetible instante, en la inmensidad del tiempo, yo, Isabel, tengo el privilegio de existir. Tomando café con un delicioso aditamento cremoso ajeno a toda leche. Sabe realmente bien. Los estorninos se posan en los robles. El aire huele a perfume, luego a humo de los escapes de los coches, después de nuevo a perfume. Me encanta el tacto del desgastado banco en que estoy sentada, tiene una suavidad de terciopelo, alisado por miles de traseros. Y aquí estoy yo en el mundo, en este mismo instante. Nunca estuve aquí antes. Ni volveré a estar. Simplemente existo. Y es algo glorioso. Un honor y un privilegio, un prodigio asombroso.

—¿Le importa?

Alcé la vista y vi a un hombre que, a pocos pasos del banco, me sonreía abiertamente. Me quedé perpleja hasta que hizo un ademán hacia el espacio vacío que quedaba a mi lado.

—Sí... no. Claro.

Me aparté unos centímetros y arrimé más el bolso a mi cadera.

Se acercó con pasos cortos, arrastrando los pies y, trabajosamente, se sentó. Suspiró jadeante, aliviado; se recostó en el respaldo casi por etapas, como suelen hacer los perros frente a la entrada del porche. Vi con el rabillo del ojo que sacaba un pañuelo del bolsillo de la gruesa chaqueta marrón de punto que llevaba, una prenda demasiado calurosa para una tarde de septiembre tan templada. Se sonó educadamente. Su mano, lívida, era muy huesuda. Ladeó la cabeza y me sonrió de oreja a oreja. Me pareció la sonrisa más franca que había visto nunca.

—Bonito día, ¿verdad?

—Precioso —asentí.

—No me gusta la humedad.

—A mí tampoco. Pero hoy no hay ni pizca.

—Bonito día, sí señor.

—Espléndido.

Hinchó los carrillos como un sapo y dirigió la mirada afable de sus ojos pálidos a las ramas que quedaban por encima de nuestras cabezas. Se sujetó una rodilla con ambas manos y cruzó la pierna sobre la otra, jadeante. Llevaba calcetines beige y unas sandalias raídas. Tenía los pies llenos de bultos, como si tuviese juanetes, sabañones o vete a saber qué.

—¿Dónde ha comprado el café? —me preguntó.

—Al otro lado de la calle —repuse señalando el lugar.

—Hummm, huele bien —dijo sonriente.

—¿Le apetece? Si quiere le traigo uno.

—Oh, no, no. Muchísimas gracias —rehusó enseñando su blanca dentadura postiza al volver a sonreír—. Ya no tomo. Me afectaba a los nervios. Pero me encanta el aroma. No me ocurre como con el tabaco. También lo he dejado, y ahora me huele a rayos. ¿Fuma usted?

—No, nunca he fumado.

—Hace bien. Mi esposa tampoco fumaba...

Lo interrumpió un acceso de tos y se tapó la boca con el pañuelo. Era una tos ronca, húmeda, de anciano. Ladeó la cabeza para escupir discretamente en el pañuelo y volvió a guardárselo en el bolsillo. Luego metió la mano dentro de la chaqueta, presumiblemente en el bolsillo de la camisa, y sacó una fotografía. Mejor dicho: dos.

—Esta es mi esposa, Anna. Nos conocimos en Italia durante la guerra. Era italiana.

Quería que cogiese las fotografías, no sólo que las mirase. Eran dos versiones de Anna. En la primera estaba delgada y bonita; en la segunda rolliza y también bonita, con una misteriosa sonrisa en ambas. Misteriosa para mí. Es difícil interpretar la sonrisa de una extraña.

—La perdí en 1979 —dijo hinchando y deshinchando los carrillos.

—¿Cómo murió?

Era una pregunta demasiado personal que no tenía que haberle hecho.

—Murió de cáncer de matriz.

—Lo siento. ¿Tiene hijos?

—Tuvimos una niña —repuso él meneando la cabeza—, pero murió cuando aún era un bebé. Y ya no pudimos tener más.

—Lo siento —dije. Me costó trabajo no darle un toquecito afectuoso en el brazo. La expresión de mi pesar era excesiva. Se refería a algo ocurrido hacía tanto tiempo que mi condolencia debió de sonar desproporcionada.

Extendió los dedos en las rodillas de sus pantalones marrones, que brillaban de puro desgastados.

—Gracias —dijo con gran dignidad—. ¿Está casada?

—No —contesté, aunque sin saber por qué añadí que tenía un hijo.

—¿Y él está casado?

—No, pero vive con una chica.

Se llamaba Susan. Terry me había hablado de ella, pero yo no la conocía. Era maestra de una escuela primaria. ¿Cuándo perdí a Terry?, me pregunté entonces. Fue a estudiar a Montreal y ya no volvió. Durante mucho tiempo me empeñé en que sólo era una escapada, pero, claro, después de tantos años sería absurdo seguir creyéndolo así. Terry huyó de nosotros, de su padre y de mí. No se lo reprocho, entre otras cosas porque no creo en las eternas lamentaciones. Pero haber fracasado con él me parece la mayor tragedia de mi vida.

—Es lo que hacen hoy en día —dijo el anciano—. Ya nadie le da importancia.

—Sí, juntarse lo llamábamos nosotros —dije.

—Exacto. Juntarse —repitió él riendo alegremente—. Bueno... Me llamo Sheldom Herman. No le doy la mano porque estoy resfriado.

—Yo me llamo Isabel.

—Encantado de conocerla. Mire... —Sacó otra foto del bolsillo y añadió—: Esta es *Moxie*.

Era una perra cruzada de orejas caídas, con mezcla de pastor alemán. Los ojos habían salido rojos a causa del flash de la cámara.

—Este es el mejor amigo del hombre —me dijo Sheldom Herman con voz ronca—. Bueno... la mejor amiga. Cariñosísima. Me hizo mucha compañía cuando perdí a mi esposa. Murió en 1988, a los trece años.

—Vaya...

—La enterré en el jardín. Incluso le hice un pequeño funeral. Le puse flores y le dejé al lado su pelota de tenis, entre las patas.

—Ajá.

—Luego tuve que mudarme. Ya sabe lo que ocurre cuando se hace uno viejo, te obligan a mudarte. De modo que ahora vivo en una residencia para ancianos. Podría ser peor.

Ladeó hacia mí su cuerpo, deformado y frágil. Tenía en la cara manchitas blancas y unos pelos en las mejillas, blancos e hirsutos. Era difícil saber cómo habría sido su tez: blanca, oscura o cetrina.

—Lo que más eché de menos fue ocuparme de alguien —dijo—. En la residencia todos tenemos habitaciones independientes. Todos somos hombres —dijo al dirigirme su franca sonrisa—. ¿Es usted una chica asustadiza, Isabel?

—¿Cómo?

—Que si le dan miedo las arañas, los bichos...

—No —dije quedamente—. No soy asustadiza en ese sentido. ¿Por qué, señor Herman?

—Bueno, pues entonces... no eche a correr —dijo bajando la vista y metiendo la mano en el bolsillo inferior de la chaqueta, que abultaba más que los demás.

Me envaré un poco, no alarmada pero sí un poco en guardia. Y sacó algo (no pude verlo hasta que abrió la mano, venosa y llena de manchas marrones). Era un ratón.

—Lo encontré en una de las trampas que ponen en la cocina. Fíjese, tiene las patas aplastadas. Cojea. Podría hacerle una demostración pero a lo mejor se desmaya usted. Lo llamé *Castañito*. Ahora es mi mascota.

—Una monada —dije. Y era verdad. Tenía ojillos vivarachos, las patitas sonrosadas y un pelaje tostado. Posado en su mano, miraba nerviosamente en derredor moviendo los bigotes.

—Le doy de comer queso, pan y cualquier cosilla. Incluso lechuga. No sé si saben que lo tengo, pero nadie me ha dicho nada. ¿Quiere acariciarlo?

Sus cansados ojos reflejaron un brillo malicioso, desafiante.

Pasé un dedo por el sedoso lomo del ratoncito.

—Claro. Le hace compañía —dije.

—Sí. Siempre hay que tener algo; lo que sea, algo vivo. No puede ser un objeto. Ha de ser algo que respire, con eso basta.

Siempre lo he creído así. Sobre todo ahora. Supongo que en parte porque me hago viejo.

—Supongo.

—Mi esposa era lo que más quería en este mundo, más que a mi propia vida. Pero, al pensarlo ahora, creo que ni siquiera eso bastaba. Me gustaría poder volver a tenerla a mi lado para hacerlo mejor. Y creo que lo haría.

Alzó la mano con el ratoncito y lo besó en la cabeza con sus finos labios. Luego volvió a meterlo en el bolsillo con delicadeza, como una madre que acostase a su bebé.

Suspiró y volvió a alzar la cabeza hacia las ramas del árbol.

—Bonito día —dijo—. Casi se nos acaba ya el verano, ¿eh? Dudo que tengamos ya muchos días como este.

—No —convine—. No muchos más.

Al cabo de unos minutos, vi llegar mi autobús por la calle K. Me despedí del señor Herman, que se quedó en el banco sonriéndome mientras el sol declinante proyectaba sombras en su encorvada figura.

Al llegar a casa, no entré de inmediato. Rodeé el edificio hasta la parte de atrás para echarle un vistazo a mi jardín. En realidad es el jardín de Kirby, que fue quien hizo el trabajo duro de cavar y labrar la pasada primavera, cuando yo estaba tan mal a causa de mis primeras sesiones de quimioterapia. Sembró muchas cosas y durante aquel verano fue él quien regó regularmente, porque yo llegaba tarde a casa, demasiado agotada para hacer otra cosa que no fuese acostarme. Sin Kirby, no me hubiese ocupado del jardín aquel año, aunque es con mucho lo mejor de mi casa. La señora Skazafava, mi casera, solía cultivar todo el terreno de la finca ella sola, un terreno bastante grande. Pero ahora es demasiado vieja y hace unos años dividió el terreno en cuatro parcelas para uso de los inquilinos. Sorprendentemente, no todas las parcelas se alquilan pese a que en la casa hay doce inquilinos. Yo tengo una desde hace tres años, el tiempo que llevo aquí. Me encanta el jardín. Es más, me entusiasma.

Kirby encontró un cilindro de madera en el callejón la pasada primavera y lo llevó al jardín para utilizarlo como asiento. Y allí me senté, porque empezaban a dolerme las piernas. La mayoría de los inquilinos cultivan hortalizas y verdura, pero yo prefiero flores. En esta época del año tienen más hojas que flores, pero las jarillas azules y blancas aún resistían y también las aster, la nicotiana, mi transplantada boltonia, y las robustas *chelone obliqua* con sus sonrosadas cabezas de tortuga. Avanzaba el crepúsculo. Vi a una abeja que zumbaba pero enseguida levantó vuelo y se alejó a casa. Los pájaros salieron a darse una última vueltecita antes de que oscureciese. Al otro lado del callejón mi vecina Helen asomó la cabeza por la puerta trasera y canturreó las alegres sílabas con que las madres suelen llamar a sus hijos.

Oí pasos y al girarme vi que Kirby se acercaba por el sendero de cemento que separa las parcelas. Llevaba su indumentaria de verano habitual: pantalones caqui, camiseta a juego y sandalias sin calcetines. Las sandalias me recordaron al señor Herman y sus pies deformados. Noté un tenue acceso de melancolía.

Kirby se detuvo a mi lado con las manos en los bolsillos.

—Hola —dijimos al unísono, sonrientes. Pero me miró con cara de preocupación.

—Ya es casi tiempo de plantar crisantemos —dije—. Fíjate en qué bien está la anémona y la cimicifuga. Las plantaste en el sitio perfecto.

Se puso en cuclillas a mi lado, apoyando los antebrazos en sus huesudas rodillas y entrelazó las manos.

—¿Qué tal ha ido?

Por un momento no supe a qué se refería.

—¿Las radiografías? Ah, pues bien. Ha ido bien.

—¿Te han dicho algo?

—No. Pero es normal. Nunca te lo dicen. Te llama el médico si hay alguna novedad.

—Ya —dijo frunciendo el ceño.

Es encantador conmigo. Sé que se preocupa por mí, pero no lo expresa mucho con palabras sino con actitudes. Y es uno de esos hombres, tan escasos, que no se siente obligado a opinar sobre todo; o, aún peor, a dar recetas para todo.

Miró en derredor de la parcela. Su esbelto cuello desnudo parecía el de un muchacho. Sentí el impulso de tocárselo, de tocar el suave pelo de su nuca. Alargué la mano. Él ladeó la cabeza y mis dedos resbalaron por su mejilla. Pero en lugar de retirarme le acaricié la cara.

—Isabel... —dijo sorprendido.

—Quizá muera —dije—. Pero existe una posibilidad de que salga de esta, aunque remota. Lo sabes, ¿verdad?

—Sí.

—¿De verdad eres consciente de ello?

—Por supuesto.

Acercó mi mano a sus labios. Yo fui a retirarla pero él la retuvo. No nos habíamos tocado así desde la noche que me besó bajo la farola.

Le acaricié los pómulos con los dedos. Las pestañas ocultaban su mirada.

—Estoy enferma, Kirby; y calva. Mi cuerpo no es el de la verdadera Isabel. No sé si ibas a querer... pero si...

—Pero si...

—Si así fuese...

Estaba paralizada por la más estúpida timidez, por un aprensivo temor a verbalizar lo que acababa de percatarme que más deseaba.

Se irguió sin soltar mi mano y me ayudó a levantarme.

—No he cambiado. En absoluto. Sólo estaba esperando —dijo mirándome agradecido. Posó sus manos en mis hombros y me atrajo hacia sí.

Me sentía tan bien que casi no podía creerlo.

—Pero sólo si me quieres de verdad —farfullé con los labios pegados a su camiseta—. No por piedad. No me mientas, por favor.

—¿Qué ha ocurrido? —me preguntó abrazándome con más fuerza.

—Nada...

—¿No estás peor?

—¡Que no!

—¿Me lo juras?

—Estoy bien. No ha ocurrido nada. De verdad.

Por lo menos no había ocurrido nada que yo pudiese explicarle aún. Un cambio en mi corazón. Tenía que ver con el temor a las lamentaciones por no haber hecho cosas que quería hacer; y con el intento de eliminar tantas como pudiese mientras pudiese. Comprendí que daba igual dónde y cuándo surgiese el amor, ni cuál fuese su apariencia. No quiero terminar mis días deseando haber hecho las cosas mejor, de manera diferente, más plena. Esto es lo que tengo. Mi vida. Aquí y ahora.

—Pues entonces... —dijo Kirby—, deja de decir tonterías. Y entremos.

Soñé que estaba encerrada en un armario alto y negro. Palpaba con las manos, con la yema de los dedos en la rendija por la que entraba un poco de luz y gritaba «¡Socorro, auxilio, sáquenme de aquí!», hasta que la luz se extinguía, y me quedaba allí encerrada en la oscuridad más absoluta. Quería gritar pero no me salía la voz.

Me desperté con el rostro anegado en lágrimas.

Kirby dormía de costado, de espaldas a mí. No se movió cuando pasé mi mano entre el colchón y la cálida piel de su cintura.

Ya había soñado aquello otras veces. Sabía lo que significaba. Pero lo soñaba tan a menudo que ya no me dejaba helada hasta el amanecer como al principio. Me concentré en el ritmo de la respiración de Kirby, sosegada como el latido de su corazón, y me adormecí.

Al despertar no sentí como otras veces una vaga ansiedad que de pronto se convertía en frío e intenso pánico, me helaba el corazón y me sofocaba. El cáncer ha vuelto a apoderarse de mi cuerpo, y esta vez me matará. Aguardé pero, para variar, el acto de levantarme no fue un suplicio.

Al ladear la cabeza vi el aguileño perfil de Kirby a la blanca luz del alba. No sé si pensaba o dormía. Quizá durmiese, pero sus severas facciones no estaban relajadas y no lo oía respirar. Pensé en Gary pero traté de no hacer comparaciones.

Hacer el amor por primera vez con alguien siempre cohíbe. Lo supongo, porque hasta anoche sólo había tenido esta experiencia en otra ocasión. Hacer el amor por primera vez con una mujer calva y con un solo pecho debía de hacer algo más que cohibir. Para mí, después de Gary, la novedad de acostarme con un hombre, con un tipazo como el de Kirby, bastaba para ahogar la pasión y llenarme de dudas e inseguridad. Y a veces prever el desastre lo precipita como una profecía.

Kirby nos salvó a los dos. No me arrogo el mérito. Porque estuve a punto de estropearlo todo. Cuando nos desnudamos y nos metimos en mi cama, me quedé allí admirando la fortaleza de su cuerpo, y pensé en Gary, y en si Kirby pensaría en su esposa; y temí que sólo sintiese compasión ahora que me tenía, compasión y pesar. Pero su tacto transmitía ternura. Otra novedad para mí.

No le costó seducirme.

—No pienses —me dijo penetrándome con fuerza y besándome apasionadamente.

¿No pensar? Era más fácil decirlo que hacerlo. Sin embargo, lo conseguí. Me hizo olvidar mi torpeza, lo anómalo o, como quizá algunos podrían pensar, lo esperpéntico de nuestro acoplamiento. Por un momento incluso olvidé lo peor, el profundo temor que nunca me abandona. Dejarse ir así no es más que un ensayo, me dije, estropeándolo. Una enfermiza fantasía. Me sorprendió pensarlo así.

Pero la larga noche no hacía más que empezar. Antes de quedarnos dormidos, abrazados, Kirby había conseguido curarme de mi derrotismo, por lo menos durante un rato. Es un hombre de muchas y muy variadas habilidades.

No creo que el sexo, el acto de hacer el amor, transforme a las personas. Emma no estaría de acuerdo, pero el hecho es que no soy romántica. Sin embargo, he de reconocer que me sentí otra por la mañana. Estaba quieta en la cama, acostada y de pronto reparé en lo que me había abandonado.

El temor.

La luz incolora del amanecer se filtraba por los bordes de la cortina. Me bastaba para estudiar las rayas de mi mano. Según esta, que casi rodea la base del pulgar, viviré unos ciento diez años. No me tomo estas cosas a la ligera, pero me digo que viene a dar igual. Las revelaciones de ayer continúan. Al final, en el Plan del Todo es irrelevante que yo viva cincuenta años más o sólo cinco. O dos. Lo importante es vivirlos, no especular sobre cuántos serán. Y ahora estoy viva. Puedo disfrutar de mis flores, acariciar a la perra, comer tostadas con canela. Sería una estúpida si dejase que mi mortalidad, que ha existido siempre, desde mi primer aliento al nacer, estropease mi amor por estas cosas. De modo que no lo voy a permitir. Tendré que recordarme de continuo, y desde ahora mismo, que me propongo vivir hasta que muera.

Desperté a Kirby con la intención de decírselo. Se despejó al instante y me dirigió una deslumbrante sonrisa.

—Gracias —dije en lugar de contarle mi epifanía.

—¿Por qué?

—Por el regalo que me has hecho.

—¿Regalo?

Noté que pensaba que me refería al sexo. Resulta un tanto refrescante que, de vez en cuando, Kirby se comporte como un hombre típico.

—Te equivocas —dijo, pasándose la lengua por los dientes. Su velludo antebrazo contrastaba con el inmaculado color rosa de la manta—. No te he regalado nada, Isabel. Lo he tomado. Para mí.

—¡Mira que eres cruel! —bromeé.

—Lo que no quiero es que tergiverses las cosas —replicó frunciendo los labios—. No hagas que me sienta como una persona generosa y desprendida —añadió muy serio.

Tomó mi cara entre sus manos y acarició con los pulgares el cabello de mis sienes. Kirby es muy romántico. Y todo lo que hace me gusta.

Qué afortunada soy, comprendí de pronto. Cubrí de besos su rostro sorprendido. Esto es un principio, me recordé. No más esperas, sólo vivir de aquí en adelante.

—Vuelve a aprovecharte de mí —lo invité.

Fue un hermoso principio.

21

Lee

Estaba adormilada cuando Henry contestó al teléfono en el vestíbulo. Lo oí decir «Hola, Emma» con voz alegre y luego subir corriendo las escaleras.

—Sí, está todavía en la cama. Bueno, aún le duele un poco. Sí. Un par de días, dicen. Ayer. No, todo fue bien.

Se detuvo en la entrada del dormitorio.

—Espera, no te retires. Voy a ver —dijo tapando el micrófono con la mano—. ¿Estás despierta? ¿Quieres hablar con Emma?

—¿Que fue todo bien? —dije mirándolo con frialdad.

Se puso serio.

—Aquí la tengo —dijo mirando al teléfono—. Ya te lo contará ella.

Me pasó el teléfono y tapé el micrófono.

—¿Por qué le has dicho que todo ha ido bien?

—Me referí a que no ha habido problemas —tuvo el valor de decir con fingida exasperación.

—Te alegras, ¿verdad? ¿Por qué no lo reconoces?

—¿Cómo?

—Porque así... ya no es culpa tuya.

—Mira, Lee, estás... —dijo respirando hondo, como si tuviese que dominarse— estás... como una cabra —musitó antes de salir del dormitorio.

Me soné con un pañuelo de papel y dije hola al teléfono.

—¿Qué tal ha ido? ¿Cómo estás?

Oh, no me hables de eso, sentí el impulso de decirle. ¿Quién se creía que era?, ¿mi enfermera?

—Estoy bien, sólo cansada.

—¿De verdad? ¿No te duele?

—Ya no.

—¿Que te hicieron?

—Un HSG, un histerosalpingograma, y luego me hicieron una laparoscopia.

—¡Caray! ¿Te durmieron?

—Para la laparoscopia sí. Pero para el HSG no.

—¿Duele?

—Sí.

—Oh, Lee. ¿Estaba Henry contigo?

—Tenía trabajo. Fue a recogerme después y me trajo a casa.

Pausa. Emma acabó captando la frialdad de mi tono.

—¿Ha habido malas noticias? —preguntó titubeante—. ¿Qué te han dicho?

—¿Tú te has hecho un ligamento de trompas, verdad que no? Pues yo tampoco. Pero las tengo obturadas, bloqueadas o algo así. Divertido, ¿eh? He pensado que te haría gracia. Salpingitis isthmica nodosa.

—¿Y eso qué significa?

—Significa bloqueo de trompas. Significa que cositas como los espermatozoides no pueden pasar.

—Oh, no. Oh, Lee. ¿Y no tiene solución?

—A veces. Pero en mi caso no. Porque tengo una disfunción bipolar, o sea, bloqueo de trompas por ambos extremos, no sólo en uno.

—Mierda.

—Sí.

—Pero algo podrán hacer, digo yo. Hoy en día...

—El único recurso es la fecundación in vitro.

—O sea, como en un tubo de ensayo.

—Toman un óvulo del ovario, lo fertilizan con esperma en laboratorio, se forma un embrión y entonces lo implantan en el útero.

—Ya. ¿Y funciona?

—Posiblemente. Hay más probabilidades si utilizan esperma de donante.

—Donante... Quieres decir no el de Henry.

—Exacto.

—Y ¿estaríais...?

—En estos momentos no me importaría nada.

—Ajá. ¿Y Henry también está de acuerdo?

Ya estaba harta de contestarle preguntas.

—Me parece que es una pregunta demasiado personal —dije.

—Bueno, mujer, perdona. Quizá no he debido preguntarlo, pero como siempre hemos... En fin, es igual. Perdona.

—Vale.

—O sea que la próxima tentativa será... in vitro. Bueno, estoy segura de que funcionará. Quizá debieron empezar por ahí, pero, claro, a toro pasado se acierta seguro.

Aguardé.

—Bueno... pareces cansada. Te dejo. Se lo contaré a Rudy. Probablemente te llamará.

—De acuerdo.

—¿Quieres creer que ya ha empezado ese curso de paisajismo? No me lo puedo creer. Estaba segura de que Curtis se lo iba a impedir o, sencillamente, de que ella no lo haría por no contrariarlo, que se acobardaría. Me parece fantástico. Nuestra Rudy tensa los músculos.

—Sí, es fantástico.

—¿Has hablado con Isabel?

—Anoche. Sólo un momento.

—¿Y cómo estaba?

—Bien. Sintió lo que le conté de las trompas.

—¿De verdad te pareció que está bien?

—Estaba muy melosa. Bueno, he de colgar ya.

—¿Lee? Perdona, cariño. Ya sé que esto es duro, pero...

—No, no lo sabes. No tienes ni idea... Sólo deseo que nunca te ocurra nada parecido, Emma, porque entonces no te parecerá una cosa tan trivial.

—¡No he dicho que me parezca trivial! ¿Qué te pasa? ¿A qué viene eso?

—He de colgar.

—Bueno, mujer, pues cuelga...

—De acuerdo.

—Oh, Lee...

Colgué. Le había repetido dos o tres veces que iba a colgar, o sea que no era «colgarle el teléfono».

Me levanté y me vestí.

Henry estaba removiendo algo que tenía en una olla en un fogón de la cocina. Se giró al oírme.

—Ah, ya te has levantado... —dijo, sorprendido aunque no especialmente complacido—. ¿Crees que debes levantarte ya? Han dicho que...

—Uno o dos días, y ya ha pasado un día. Me encuentro bien. Iré a casa de Isabel.

—¿A casa de Isabel? Pero si estoy haciendo la cena; son las siete.

—Ya sé qué hora es. No tengo apetito. Y menos aún de comer nada con chile.

Sólo sabe cocinar con chile. No tiene dos dedos de frente. ¿No les parece que a cualquiera se le ocurriría que una salsa picante no es precisamente lo más adecuado para una persona que convalece de una operación?

No sé. Quizá se debiese a que ya me molestaba todo de él; su camisa de franela, la cuchara de madera que goteaba salsa en el suelo; el nuevo corte de pelo que le daba pinta de nena. Por eso discutimos la semana pasada.

«Eres demasiado mayor para llevar el pelo largo», le dije.

Y entonces fue a cortárselo sin consultarme. No le gustó nada mi comentario.

«Ahora pareces el Príncipe Valiente. Si vas a cortarte el pelo, por lo menos que te lo corten bien, de una manera normal, para variar.»

Estuvimos dos días sin hablarnos.

—Bueno, me marcho —me despedí.

—¿A qué hora volverás?

Me puse la chaqueta con cuidado porque si lo hago bruscamente noto un tirón en el abdomen.

—No lo sé.

—Llama antes de salir —dijo volviendo a remover el chile.

—¿Por qué?

—Pues para saberlo.

—¿Saber qué?

—Que ya has salido —dijo girándose con expresión crispada.

—¿Y qué más da? ¿Qué más da que te llame o no antes de salir, si luego me atracan por la calle o en el coche?

—Pues no me llames —dijo dando un golpe en la olla con la cuchara—. No me llames —añadió. Salió de la cocina y fue al salón.

Me dolía el estómago. Lo seguí furiosa.

—Te alegras, ¿verdad?

—¡Mierda! —exclamó estampando el mando a distancia en el carrito.

—Ya no es culpa de tus preciosos espermatozoides. Es culpa mía.

—Creo que te estás trastornando.

—De eso nada. No irás a negarme que en el fondo te alegras.

—Mira, Lee, aquí somos dos.

—Sí, y tú eres el que se alegra. Así no has de cargar tú solo con la culpa.

—¿La culpa? —exclamó, seguido de un juramento que sabe que detesto—. ¿Por qué ha de ser culpa de nadie? Ocurre lo que ocurre y punto. No hay que buscar culpables.

—Ya, eso es lo que a ti te encantaría.

Se mesó el pelo, exasperado.

—¿Qué significa eso?

—No significa nada —dije. La verdad es que no tenía ni idea. Y rompí a llorar.

Él no se movió; no se acercó a consolarme. Nos quedamos cada uno un lado del salón mirándonos.

—Voy a casa de Isabel —le repetí.

Y me marché.

Salió Kirby a abrir. Llevaba una servilleta en la mano y tuvo que tragar para saludarme.

—Entra —me dijo.

—Oh, no. Estáis cenando. Lo siento. Pensaba que estaríais...

—¿Lee? —llamó Isabel. Kirby abrió más la puerta y la vi en la rinconera de la cocina—. Entra. Estamos terminando.

—Entra —secundó Kirby. Incluso *Gracia* se acercó a saludarme.

Entré.

El apartamento parecía una capilla, una iglesia. En todas las mesas, en todas las estanterías de la librería había un jarrón con flores, dalias, petunias, asters. Sonaba música clásica procedente del estéreo, y olía a algo exótico, a una mezcla de incienso y algo que me pareció jengibre. ¿Comida china? Los últimos rayos de sol se filtraban por una vidriera de la ventana del salón que tenía un ángel grabado. No había más luz que aquella y la de las velas, casi tantas como jarrones.

—¿Qué pasa? —pregunté tontamente. Kirby trataba de ayudarme a quitarme la chaqueta—. ¿Qué ocurre?

—Pues nada, mujer. ¿No lo ves? Acabando de cenar.

Se apoyó en el borde de la mesa para echar la silla hacia atrás y se levantó. Alargó la mano hacia atrás para alcanzarse algo, palpando hasta que lo encontró. Un bastón con empuñadura de cobre.

—Me parece que he interrumpido. No te levantes. Tenéis una cena íntima, puedo...

—No, no.

Isabel se me acercó con lentitud pero andando con normalidad. Al darle la luz que entraba por la vidriera vi que estaba muy pálida. Su terso cutis estaba demacrado. Tenía los ojos anormalmente saltones y los pómulos más marcados. Debía de ser a causa del nuevo fármaco, que hacía que volviese a sentirse mal. El médico había interrumpido la antigua medicación y le estaba administrando Taxol. Me sonrió tratando de tranquilizarme. Kirby seguía allí. Me eché a llorar.

Noté dos manos reconfortantes en mis hombros. Al alzar la vista vi que Isabel le enviaba un mensaje a Kirby con los ojos.

—Bueno, me parece que yo... —dijo. Y fue hacia el dormitorio farfullando algo ininteligible.

—Oh, no —protesté—. ¿Ves? Lo he ahuyentado...

—Chist. Chist. Vive aquí; sólo va a su dormitorio. No lo has ahuyentado. ¿Has cenado?

—¿Vive aquí?

—Bueno, prácticamente —repuso Isabel. Me tomó de bracete y, apoyada en el bastón, me hizo seguirla hasta la rinconera—. Siéntate. Fíjate cuánta comida ha sobrado.

—No tengo apetito. Por Dios, Isabel, ¿qué es esto?

—¿Esto? Sopa de miso, tofu y arroz integral. ¿Quieres zumo de ciruela?

—No, gracias.

—Estamos probando recetas de un nuevo libro de cocina. Apuesto a que no sabes que los guisos macrobióticos hay que removerlos en sentido contrario al de las agujas del reloj en el hemisferio norte y a la inversa en el hemisferio sur.

—¿Ah sí?

—Estoy impaciente por contárselo a Emma. ¿Nos sentamos aquí o prefieres que vayamos al salón?

—Mejor en el salón.

Y cuando nos hubimos acomodado en el sofá, Isabel con un vaso de zumo de ciruela en la mano y yo con *Gracia* sonriéndome a mis pies, ya me había rehecho. Ya no sollozaba ni lloraba.

—Lo siento —dije sonándome—. A veces basta con tan poco... Tenía que haber llamado antes, pero...

—Que no importa, mujer.

—He salido huyendo, como quien dice. De mí misma tanto como de la casa. Emma me ha llamado esta noche y le he colgado el teléfono.

—¿Que le has colgado?

—Sí, ha sido una idiotez. La llamaré mañana para excusarme. No ha sido culpa suya sino mía. Estoy fuera de mí. Y Henry, oh Dios, discutimos por todo, por cualquier tontería, Isabel. —Me interrumpí señalando las flores y pregunté—: ¿Siempre *estáis* así? ¡Es precioso!

De pronto me asaltó la pregunta. ¿Cómo podía morir Isabel? Tenía aquella moqueta que tanto le gustaba, los cojines, aquellas preciosas litografías de flores en la pared. Ver todas sus cosas, sus pertenencias, me encogió el corazón; se me antojaron pruebas de que no podía dejarnos, de que tenía que quedarse. De lo contrario, sería demasiado cruel.

—Sí —repuso Isabel sonriente—. Lo adornamos. Es idea de Kirby. Dice que es un entorno curativo. Pero cuéntame, ¿cómo ha ido la operación?

—Horrible. Te has de echar bajo un enorme aparato de rayos X con los pies apoyados en un estribo. Te introducen un catéter hasta el útero. Me administraron Advil y me dijeron que no me dolería, pero fue dolorosísimo. Incluso tuve espasmos.

—Oh, Dios mío, Lee —exclamó apretándome la mano condolida.

—Introducen una sustancia coloreada por el catéter. Si no hay obstrucción, llega hasta el final de las trompas de Fallopio, pero si están bloqueadas no. Y no llegó. De modo que entonces decidieron que debían practicarme una laparoscopia para ver en qué estado estaban las trompas.

—¿Y?

—Fatal. No hay nada que hacer, no pueden operar. De la única manera que puedo tener un hijo es mediante fecundación in vitro, y las probabilidades de que funcione, a mi edad, son del doce por ciento, aunque se recurra al esperma de un donante. Además, cada tentativa cuesta una fortuna.

—¿Cuánto?

—Unos once mil dólares —dije. Isabel se quedó boquiabierta—. Henry no quiere ni oír hablar del asunto. Y casi no nos dirigimos la palabra.

Isabel meneó la cabeza.

—¿Y qué crees que acabaréis haciendo?

—Pues recurrir a la fecundación in vitro.

—Pero es *muchísimo dinero*.

—¿Y qué más da? Si cayese gravemente enferma...

—Si cayeses gravemente enferma ¿qué?

Estaba visto que aquella noche cada vez que abría la boca metía la pata.

—Me refiero a que si necesitase operarme para salvar la vida, no le importaría gastar tanto dinero.

—No, claro.

—Bueno, pues viene a ser lo mismo.

—¿Hasta ese punto?

—Para mí sí.

Isabel se llevó un puño a los labios, pensativa. Me dirigió su tierna mirada unos momentos y yo me incliné hacia la perra y la acaricié.

—¿Y la adopción, Lee?

—No, ya te lo comenté.

—Ya lo sé, pero...

—Está descartado.

—Ya.

—La fecundación in vitro, puede funcionar, Isabel —dije mirándola con visible entusiasmo—. Un doce por ciento no es mucho, pero cada tentativa representa un doce por ciento, de modo que las probabilidades aumentan. Así lo veo yo. Y estoy esperanzada, de verdad. Lo que siento es no haber empezado antes; porque nos hubiésemos ahorrado mucho tiempo.

—Lee...

—¿Qué?

Me sonrió y reparé en que me leía el pensamiento.

—No voy a aconsejarte —me aseguró—, no temas.

—No me importa que me aconsejen —dije en tono contrito.

—Pero me dolería mucho verte sufrir otra vez. Eso es todo.

—Ya lo sé. Lo sé, y tienes razón... Porque me lo veo venir: otra vez alentando la esperanza; cada vez, cada mes —dije llevándome las manos a los párpados—. Me horroriza tanto pensar que no funcione... Pero luego me digo que funcionará, que se producirá el milagro. Luego pienso que no, y me aterro. Estoy tan harta, que me gustaría concederme un respiro.

—¿Y por qué no lo haces?

—No me queda mucho tiempo; he dejado pasar demasiados años. Eso es lo que más me duele, o una de las cosas que más. Siempre he controlado mi vida, paso a paso, y ahora resulta que el paso más importante no puedo controlarlo; estoy atascada, inmovilizada; y ya no puedo soportar tanta incertidumbre.

Isabel suspiró. Se incorporó lentamente y remetió un cojín hasta los riñones. Su fragilidad me preocupaba, pero era el Taxol, estaba segura. En muchos aspectos la quimioterapia es peor que la enfermedad que pretende curar.

—No voy a darte ningún consejo, Lee; sólo voy a hacerte una pregunta para que la medites —me dijo cansinamente—. ¿De acuerdo?

—Por supuesto, házmela —dije volviendo a acariciar a *Gracia*.

—¿Consideras que tener un hijo es lo más importante de tu vida? ¿Más que Henry?

Se me hizo un nudo en la garganta y no pude contestar.

—Pregúntate si la necesidad de tener un hijo genética y biológicamente propio es más importante que cualquier otra necesidad de tu vida, matrimonio incluido —me dijo—. Ya sé que quieres a Henry, sin duda. Pero si tu respuesta es que sí, podrías perderlo. ¿Por qué te casaste con él? —me preguntó en tono amable—. No es que esté bien ni mal querer tener un hijo totalmente propio y no de otro. Pero podrías perder a Henry... ¿Lloras?

—No puedo evitarlo.

Se arrimó más a mí y me rodeó con el brazo.

—Ya lo sé. Pero buena parte de tu sufrimiento se debe a intentar evitarlo. Es la tiranía de ansiar cosas. Pobre Lee, lo deseas tanto que claro...

—¿Qué es eso? ¿Budismo?

—Pues sí —repuso abrazándome—. Perdona.

—No me importa. Yo no soy Emma —dije riendo y sonándome a la vez—. Pero estoy segura de no estar *obsesionada*.

Isabel arqueó las cejas.

—De verdad. Lo que estoy es *consumida*. Sé que el hecho de que no tengamos hijos me consume; y no es justo para Henry. Sin duda habremos tenido otros problemas anteriormente, pero ni siquiera los recuerdo. Dice que lo culpo de todo lo que no funciona entre nosotros, de todo lo que no funciona en mi vida, y, por supuesto, de que no tengamos hijos. Y es verdad. Soy consciente de que lo estoy alejando de mí.

Isabel se recostó en mí al ver que yo volvía a llorar. Lo que al fin hizo que dejase de derramar lágrimas fue comprender cuánto ansiaba descansar la cabeza en su regazo y dejar que me abrazase. Y casi lo hice. Mi única excusa es que no creo haberme sentido más baja de moral en toda mi vida, y que Isabel siempre había estado a mi lado, tan tierna y solícita como una madre.

Pero ahora era distinto. Ella terminaría por recobrar la salud, estaba segura. Pero, por el momento, sus problemas hacían que, en comparación, los míos resultasen embarazosamente nimios.

Me erguí.

—Ya me encuentro mucho mejor —dije—. Gracias por escucharme. Vayamos a la cocina. Fregaré los platos mientras me cuentas cómo vas tú.

Protestó, pero no le hice caso.

—Esto es nuevo, ¿verdad? —pregunté al levantarnos.

—¿Esto? Me lo trajo Kirby —dijo sonriente, pasando los dedos por la empuñadura del bastón. Era de cobre y tenía forma de... ¿caballo?—. Es un dragón, el símbolo de la esperanza.

—Ajá.

¿Significaba eso que, en realidad, no necesitaba llevar bastón?

¿Que lo llevaba para que le diese suerte y no para andar? Temí preguntárselo.

No llegó a decirme cómo iba el tratamiento. Sólo me dijo que el nuevo medicamento no tenía tantos efectos secundarios como los anteriores, y me sorprendió. Porque no tenía buen aspecto. Estaba bonita, como siempre, pero desmejorada.

—Sólo estoy cansada —me aseguró mientras echaba migas de la repisa al fregadero con una esponja—. Creo que podría dormir una semana de un tirón.

—¿Y las clases?

—Bien —repuso tras titubear un momento.

—¿De verdad? ¿Sigues el ritmo del curso?

Acabó de limpiar la repisa con la esponja y no contestó.

—¿Eh? —insistí.

No sabe mentir. Puede eludir contestar, pero mentir no sabe.

—He tenido que aparcar algunos. Era demasiado. Los retomaré el verano que viene.

—Pero sigues con el resto, ¿no?

—Claro —afirmó—. Y trabajo mucho. Me gusta mucho lo de este curso. Imparto algunas asignaturas que me entusiasman. Por cierto que mañana he de entregar un trabajo corregido: «Sociedad y envejecimiento.»

—¿Ah sí? ¿Y lo has terminado?

—Casi, aún me falta...

—¿Y por qué no me lo has dicho? ¡Eres el colmo, Isabel!

—¿Por qué? ¡No seas tonta! —exclamó siguiéndome hasta el salón, riendo—. ¿Qué vas a hacer? ¿Echar a correr?

—Primero te ahuyento a Kirby sin dejarlo acabar de cenar y ahora... ¿Dónde está mi chaquetón? ¿Dónde me lo ha puesto?

—No tienes por qué marcharte, Lee.

—Te tengo media hora contándote mis problemas, y no me dices ni media.

—Algo sí te he dicho.

—Lo único positivo que he hecho es fregarte los platos.

—No te vayas, Lee; sólo me faltan las notas.

Le di un beso y la noté tan frágil que temí abrazarla demasiado fuerte.

—Excúsame con Kirby.

Puso cara de circunstancias.

—Te llamaré mañana. Gracias por todo, de verdad.

—Ten cuidado con el coche.

—Adiós.

—Buenas noches, Lee.

Ya estaba frente al ascensor y había pulsado el botón cuando de pronto recordé una cosa y volví corriendo al apartamento de Isabel.

—Hola, ¡cuánto tiempo sin vernos!, ¿eh? —bromeé al abrirme—. ¿Puedo hacer una cosa?

—Claro —dijo apartándose de la puerta para dejarme entrar—. ¿Qué?

—Llamar a Henry para decirle que salgo para allá.

22

Rudy

El consultorio de Eric está en Carolina Avenue, en Capitol Hill, en el chaflán de Eastern Market. Puedo ir a pie desde casa y usualmente lo hago, pero aquel día fui en coche. Iba con el tiempo justo, como de costumbre. Encontré aparcamiento, aunque no sé si se podía aparcar allí. Corrí bajo una fría lluvia sin siquiera detenerme a abrir el paraguas. El edificio es de los antiguos, de ladrillo rojo, habilitado para oficinas, y el despacho de Eric está en el último piso. Entré corriendo sin pararme en la sala de espera a quitarme el abrigo, que chorreaba.

—Perdona, perdona... ¡No sabes cómo está el tráfico! No encontraba aparcamiento, además de que ya iba tarde. ¿Puedo dejar esto aquí?

Eric me dijo que sí y dejé el abrigo encima del radiador.

—Bueno, el caso es que he llegado.

Me dejé caer en el sillón negro idéntico al suyo, frente a frente. Junto a mi sillón había una mesita con una caja de kleenex siempre llena.

—¿Qué tal?

—Estupendamente. ¿Y tú?

Siempre dice lo mismo, con una escrutadora sonrisa que significa que está de verdad bien pero que prefiere hablar del paciente en lugar de sí mismo. Una gran virtud en un psicólogo. Es asombroso lo poco que sé de Eric pese a que lo veo una vez por semana (emergencias aparte) desde hace siete años. Tiene cuarenta y seis años y vive con una mujer un poco mayor que él. Eso es todo lo que sé. Últimamente ha estado preocupado por su casa. Lo dejó deslizar hace un par de semanas, y me fascinó. Exageradamente. Fue como si al fin hubiese descubierto el paradero de mi verdadero padre o algo así; como si hubiese descubierto algo importante que no esperaba descubrir o que había desistido de descubrir.

—Yo también estoy estupendamente —dije—; ¡cuántas veces te digo lo mismo!, ¿verdad? Vengo de casa de Emma, y ha sido muy triste. Pero, por lo demás, estoy estupendamente.

Eric meneó la cabeza con expresión inquisitiva.

—¿Algo que se fue al agua?

—Supongo.

—¿Qué le pasa esta vez?

—Pues esa ha sido otra de las razones de que haya llegado tarde. Pues que... más o menos, se ha sincerado como hacía mucho tiempo que no lo hacía; por lo menos conmigo.

Eric puso cara de que prosiguiese.

—¿Recuerdas que te conté que se había enamorado de un hombre casado? —le pregunté. La verdad es que eso fue todo lo que le dije, porque no aireo los secretos de Emma, salvo... en fin, una vez le hablé a Curtis, aunque sólo le comenté que a Emma le gustaba Mick, sin entrar en detalles. Y aun eso se lo conté porque estaba un poco achispada—. Bueno..., pues ha quedado en nada, y yo creía que Emma lo tenía superado, aunque, bien pensado, he debido de estar ciega y sorda.

—Porque no lo ha superado, ¿no?

—Qué va. Lo está pasando fatal. No ve a nadie y eso es algo muy raro en ella. Emma siempre anda con alguno. Y no escribe. No hace más que encerrarse en casa. Le he comentado que estaba pasando el duelo y me ha dicho que claro, que ya lo sabe. Y lo que me extraña es que se haya abierto tanto conmigo al respecto. Me parece que es una especie de táctica que espera le levante el ánimo para seguir con su vida normalmente. Pero está por los suelos y esa nunca ha sido su manera de afrontar sus problemas con los hombres, en absoluto. Dice que los hombres son como perros y que cuando uno muere has de ir enseguida a comprarte un cachorro.

—Ya.

—Cuando venía para acá en el coche pensaba que la actitud

de Emma (quedarse en casa a lamerse las heridas) es mucho más sensato que lo que solía hacer yo cuando estaba deprimida.

—Quizá porque sus depresiones no son como las tuyas.

—Ya lo sé, pero... —dije. Porque era obvio: las mías son crónicas, las de Emma son agudas; las mías son de psiquiatra, las suyas son... qué sé yo. Pero lo que me dijo Eric me animó. Y así se lo dije.

—¿Y bien?

—Porque... porque no dejo de flagelarme cada vez que me equivoco y cometo tonterías. Pero todos partimos de circunstancias distintas, y si tenemos en cuenta las circunstancias de las que partí yo...

—¿Qué? Adelante, dilo.

—De acuerdo —dije—, pues que no estoy tan mal.

—Muy bien, Rudy —dijo con una radiante sonrisa—. Eso está muy bien.

Me pareció tan contento que añadí otra cosa para redondearlo.

—¿A que no sabes a quién le han puesto un notable en paisajismo y jardinería en un parcial?

—¿En serio?

—Teníamos que diseñar un jardín de ciudad, un parterre con todo detalle: senderos, arriates a distinto nivel, glorietas. Incluso diseñé una fuente para el mío. El caso es que... ¡notable!

—¡Magnífico!

—Pero me costó lo mío. La verdad es que todas las asignaturas se me hacen difíciles. Pero me encantan y estoy contentísima de hacerlo. Gracias, Eric.

—¿Por qué?

—Por ayudarme a decidirme —le aclaré. Como vi que iba a atajarme para protestar, proseguí—. ¡Claro que me has ayudado! Y también Emma, pinchándome. Isabel también, aunque de otra manera. Nunca me dijo nada, pero me dio a entender que podía hacerlo; no que debiese hacerlo sino que podía hacerlo. Tenía confianza en mí. Y no quise decepcionarla, aunque creo que nunca se siente decepcionada por nada de lo que hago ni dejo de hacer, pero quería que se alegrase por mí, que estuviese contenta.

Eric asintió con expresión comprensiva.

—¿Y qué tal está ella?

—Pues... No es fácil de saber. Elude la cuestión. Siempre dice que está mejor, pero no tiene buen aspecto. Tengo entendido que con la quimioterapia se gana peso, pero ella está adelgazando. Creo que incluso se medica con esteroides, pero cada vez está más delgada. Y es alarmante. Dice que se debe a su nueva dieta, pero no sé..., no lo veo claro. Puede que Kirby sepa la verdad, pero nosotras no.

—¿Y eso te preocupa?

—¿Qué?

—¿Que cuente a Kirby lo que a vosotras no os cuenta?

—No, a mí no. A Emma probablemente sí. Y a Lee, por supuesto, pero es lógico porque su amistad con Isabel es más íntima que con nosotras.

Eric arqueó las cejas.

—En cierto modo. No en todos los aspectos. Es un poco complicado de explicar. En fin...

Eric tiene un reloj de pared, en la que queda justo detrás de su sillón. Lo tiene allí para que sus pacientes lo vean y dosifiquen su tiempo. Y me sirvió, como tantas otras veces, porque reparé en que ya había consumido la mitad del tiempo de mi sesión y aún no le había dicho lo más importante.

—En fin. Verás, lo que he venido a decirte en realidad es que voy a enfrentarme a Curtis y a obligarle a hablar de nuestra relación —dije echándome a reír y dando una palmada al ver su expresión—. Ya sé. Asombroso, ¿verdad? Ni yo me lo creo. ¿De dónde habré sacado tantos arrestos y sentido común? ¿Serán las pastillas?

—¿Qué pastillas?

—El nuevo antidepresivo; son las únicas que tomo.

—Eso espero. Por un momento he pensado que tomabas otras cosas...

—La fuerza de la costumbre —bromeé.

Nos echamos a reír.

—Bueno, Rudy... Esto es muy interesante —me dijo—. ¿Y qué piensas decirle? ¿Quieres que hagamos el rol? ¿Yo en el papel de Curtis?

—Hummm. No, quizá no.

Nunca se lo he dicho, pero cuando utilizamos la técnica del rol y Eric intenta representar el papel de Curtis, me muero de risa.

—Empezaré por decirle que lo amo, o sea, la verdad. En fin... básicamente. Pero que creo que entre nosotros hay algunas cosas no muy positivas, y que querría que las enfocásemos de otra manera para superarlo.

Eric aguardó a que prosiguiese.

—Que una de esas cosas es tener que necesitar tanto su aprobación; que me controle con su aprobación o desaprobación; con su actitud posesiva; y yo permitiéndosela, e incluso complaciéndome en ella.

Eric se acarició el mentón. Parecía perplejo.

—Le diré que no creo positivo tener que decidirlo todo en común, como si de una relación simbiótica se tratase —dije, porque según Emma es una expresión más precisa que «codependiente»—. Y...

—¿Y?

—Voy a proponerle que asistamos a terapia, con quien él quiera, lo que probablemente significará que no contigo.

—Ajá.

—A mí me gustaría que fuese contigo, pero Curtis no querrá. La verdad es que no querrá que vayamos a ninguno, pero pienso insistir.

Me interrumpí para que ambos asimilásemos la última palabra: *insistir.*

—Bueno, ¿qué te parece?

—Pues que me alegro mucho —dijo, y yo me oprimí las rodillas, muy contenta—. Es un paso excelente, magnífico.

—Sí. Y estoy muy esperanzada. Ha sido muy comprensivo al dejarme estudiar paisajismo, más exactamente, al no prohibírmelo ni ponerme pegas. Aunque sé que no le gusta, desde luego. Me parece que teme que me desmorone y me dé por beber. Oh, Dios, Eric, ¿no estaré cometiendo un error?

—Rudy...

—Ya lo sé. Pero ¿y si empeoro las cosas? ¿Y si le digo todo esto y resulta que...?

—¿Qué? ¿Qué es lo peor que puede ocurrir? ¿Que se enfade contigo?

—No, a eso ya estoy acostumbrada.

—¿Entonces qué?

—¿Que deje de quererme? —dije en tono medroso—. ¿Sería eso lo peor?

—Tú sabrás.

—¡Eso es justamente lo que no sé! Oh, Dios—. Me pasé la mano por la cara, me erguí en el sillón y añadí—: Pero pienso hacerlo. Lo haré de todas maneras. Puede que esta misma noche —le aseguré. Un ligero acceso de temor me estremeció, aunque en lugar de debilitar mi firmeza la fortaleció—. Lo voy a hacer —añadí dirigiéndome tanto a él como a mí misma.

—Bien —dijo Eric—. Creo que has tomado la decisión acertada. Llámame mañana si quieres. Reflexionaré sobre lo que me has dicho.

Pensé prepararle a Curtis su cena favorita, pero nos habíamos quedado sin carne de ternera. De modo que le hice unas chuletas de cordero a la pimienta. Le gusta casi tanto como la ternera. Me sentía como la madre de *Papá sí que sabe*, cebando al patriarca antes de pedirle comprar muebles nuevos para el salón. Supongo que estas argucias me menoscaban, pero cada una hace lo que puede. Que prepararle a Curtis unas chuletas de cordero me deje en mal lugar no va a quitarme el sueño.

No sé si fue la cena, pero mientras cenábamos estuvo de bastante buen humor. Poco hablador, pero eso es habitual en él. Cenamos en la cocina (le gusta ver la tele sin el sonido mientras come, y a mí no me importa; ya me he acostumbrado).

Ardía en deseos de decirle la nota que me habían puesto en el parcial pero me lo callé. La táctica que utilizo para hacerle digerir mi nueva vida de estudiante consiste en hablar de ello lo menos posible. Siempre estoy en casa cuando él regresa; nunca estudio delante de él y nunca hablo de mis clases, de mis profesores, de mis notas ni de mis compañeros de curso. Y, sobre todo, nunca aludo a lo que pueda resultar de mis estudios, a qué clase de trabajo pueda aspirar cuando tenga el título.

No es fácil vivir en dos mundos completamente separados. Pero hasta la fecha funciona y, ya se sabe, si algo va bien de una manera, mejor no cambiarla.

Después de cenar, Curtis fue al salón con su maletín. Buena señal. Se quedaría allí a trabajar mientras yo fregaba los platos. Algunas noches trabaja arriba en su despacho, y entonces está en su territorio y no hay que molestarlo. Quedarse a trabajar en el salón significa que está accesible; que aún sigue en mi mundo.

Estuve a punto de servirme otra copa de vino. Era tentador, pero no. Era normal estar nerviosa en un momento como aquel. Me sentiría mejor con la cabeza despejada y sin que se me trabase la lengua.

Le serví café en una taza especial, una que hice hace años como parte de un juego de café. Había utilizado un verdecelidonia para el glaseado, para que armonizase con la liviandad y delicadeza de las piezas. La verdad es que empezaba a dárseme muy bien la cerámica cuando lo dejé. Aún conservo mis mejores piezas en el salón, en una pequeña vitrina que me anima tanto como me entristece cuando la miro. Porque por un lado me recuerda que tengo capacidad; y por otro que no persevero en nada.

Quizá volviese a cultivar la cerámica cualquier día, me dije al servirle a Curtis el café en la preciosa tacita. Quizá si supiese lo que significaba para mí, porque *yo se lo hubiese dicho*, no le habría importado que asistiese a clases por las tardes ni se quejase de que mi torno de alfarero y toda la parafernalia le quitasen sitio a su equipo de gimnasia en el sótano. Puede que la conversación que estábamos a punto de tener significase el principio de muchas cosas nuevas.

—¿Es descafeinado? —preguntó Curtis sin mirar la taza.

—Claro —repuse sentándome a su lado.

—¿Qué tal te ha ido el día? —preguntó sonriéndome y bebiendo un sorbo.

—Bien. Verás, Curtis...

—¿Qué pasa?

Respiré hondo.

—Tenemos que hablar.

—Cuando alguien dice eso... malo —bromeó—. Adelante.

—De nosotros.

Ladeó el cuerpo para dejar la taza en el platito y luego me miró muy serio y con frialdad.

—Como puedes ver, estoy un poco ocupado en estos momentos.

—Ya lo sé. Pero esto es importante.

—Y esto también —replicó señalando el maletín.

—Mira, Curtis —dije levantándome y yendo a sentarme en el

sillón del otro lado de la chimenea (distancia igual a objetividad). Pero ya había olvidado lo que tenía pensado decirle. Empezábamos mal.

—En primer lugar te diré algo que ya sabes: que te quiero. Eso es lo más importante, que nos queremos. Pero tenemos algunas costumbres, algunos comportamientos y actitudes que no siempre funcionan.

Ahora fue él quien se levantó. Se había quitado la chaqueta. Con su estatura y tan apuesto estaba impresionante; con chaleco, en mangas de camisa y con el nudo de su corbata de lunares aflojado. Pero se frotó la frente con ambas manos de un modo extraño, como si estuviese cansado o le doliese la cabeza.

—Rudy... por favor...

—¿Qué?

—No me encuentro muy bien.

—¿No? Pues hace dos segundos estabas perfectamente.

Temí que decirle eso lo enfureciese. Pero no dijo nada. Se acercó unos pasos a la chimenea y apoyó los brazos cruzados en la repisa, sin mirarme.

Volví a empezar.

—Es sólo que creo que debemos hablar acerca de nuestra relación. Creo que es algo que todo matrimonio, que toda pareja, debe hacer. Porque la rutina induce a que terminemos por no reparar en lo que hacemos; y pasan años sin que nos percatemos de ello. —Cerré los ojos y respiré hondo como aconsejan hacer en ciertos momentos, antes de proseguir—. No sé... Me gustaría, quisiera que cambiasen algunas cosas. O por lo menos hablarlo, Curtis. ¿Me estás escuchando?

—Mira, Rudy, ahora no —repuso, en un extraño tono.

—¿Qué te pasa?

—Nada.

—¿De verdad te encuentras mal?

—No es nada; es sólo que...

Me levanté y me acerqué a él. Ahora o nunca, me dije.

—He pensado que deberíamos ir al psicólogo juntos. Nos puede venir muy bien —dije de un tirón—. Para sincerarnos. Estoy convencida de que será positivo para los dos.

Le toqué la espalda. La tenía caliente, húmeda.

—¿Curtis?

Traté de verle la cara, pero él me rehuía. Al fin logré vérsela en el espejo de la chimenea.

—¿Qué te pasa?

Me asusté al ver que se le doblaban las rodillas y, aunque se rehízo enseguida, le rodeé la cintura con los brazos.

—Estoy bien —dijo irguiéndose y soltándose—. Estoy bien —repitió. Pero fue hasta el sofá, se sentó lentamente y apagó la lámpara de la mesita.

Me senté a su lado y traté de posar mi mano en la suya. ¿Qué significaba aquello? Seguía sin dejarme mirarlo a la cara.

Vi una lágrima en su mejilla antes de que él pudiera ocultarla con la mano. Se me encogió el corazón.

—¿Qué pasa? —musité aterrada—. ¿Qué ocurre?

—No quiero decírtelo —repuso con la voz entrecortada, como si le doliese la garganta—. Prefiero que no lo sepas.

—¿Tan malo es?

Asintió con la cabeza.

—No me lo digas —dije tapándome los oídos con las manos. Me estremecí, temblorosa como una hoja agitada por la brisa.

Él no se movió. Estaba sentado con los hombros caídos, pálido y asustado.

—Bueno... dime lo que sea.

—Creo que voy a morir.

Me eché a reír.

—Lo sé desde el martes.

—¡Vamos! ¡Pero qué dices! No me asustes.

Me miró a los ojos, con fijeza.

—¡Curtis! —grité.

Se abrazó a mí y se estremeció tembloroso, sin dejar de abrazarme.

—En el chequeo le comenté al doctor Slater que estaba cansado, nada más; que a veces me sentía un poco mareado, que me dolía un poco el estómago.

—No... no... No sigas, por favor. No puede ser... —dije. Me empezaban a castañetear los dientes.

—No me preocupé. Gripe. Pensé que podía ser gripe. Tanto es así que estuve a punto de no comentárselo. Pero me mandó hacer análisis y resultó que tenía demasiados leucocitos. Rudy, tengo leucemia.

—¡No! ¡No puede ser! ¿Dónde te han hecho el análisis? No puede ser verdad.

—Pues lo es —me aseguró con los ojos anegados en lágrimas—. Mi médico es un buen médico y el laboratorio es de los mejores.

—¿Dónde te lo han hecho?

—En el Georgetown.

—Oh, Dios mío...

—No llores.... Lo siento. Por eso no quería decírtelo. Con lo que estás pasando por lo de Isabel, no quería añadir esto.

A través del velo de sus lágrimas vi la tensión y la ansiedad de su expresión. Estaba preocupado *por mí*. Había querido *velar por mí*. Yo tenía los puños crispados, posados en sus hombros, incapaz de asociar lo que acababa de decirme con la aparente fortaleza de su cuerpo.

—Todavía no tengo otros síntomas —me dijo sin dejar de mirarme ni de abrazarme—. Y eso es buena cosa, porque indica que acaso la enfermedad avance lentamente. Podría vivir muchos años sin siquiera necesitar tratamiento. O no. No están seguros. Es muy difícil de saber en mi caso.

—No, no, no...

Me estrechó con más fuerza y me acarició la espalda, diciéndome que me calmase. Pero no era como para calmarse. Se me vino el mundo encima. Apenas podía dar crédito a lo que me decía. Su hilo de voz sonaba lejano.

—No podemos decírselo a nadie todavía, Rudy. Si lo supiesen en el trabajo podría quedarme sin empleo. No podemos permitírnoslo, hasta que no sea inevitable.

—¿No decírselo a nadie? —exclamé tratando de asimilarlo. ¿No decírselo a nadie?—. Eso es absurdo, ¿no?

—Lo sé. Pero así son las cosas. Además, sería incapaz de hacer nada si los demás lo supiesen, salvo tú. No podemos decirlo a nadie; ni a tu familia ni a la mía; ni a tus amigas ni a Greenburg.

—Pero...

—Prométeme que no lo dirás.

—Pero...

—Por favor, Rudy... ¿No comprendes que ni siquiera me he hecho aún a la idea? No habría podido decírselo a nadie más que a ti. Prométemelo. Es importante para mí.

—De acuerdo.

Oh, Dios. ¡Dios!

Volvió a abrazarme.

—Lucharemos juntos, cariño. Seremos fuertes.

—Sí.

—Nosotros contra el mundo, Rudy, como siempre.

No lo entendí. ¿Como siempre? ¿Como cuando nos enamoramos? Cuando estábamos en Durham y no nos importaba nada ajeno a nosotros, como si no existiese nadie más. Ciertamente, aquella fue nuestra mejor época. Había intentado muchas veces resucitar tanta unión entre nosotros. Era un sarcasmo que fuésemos a conseguirlo ahora.

Quiso hacer el amor. Hubiese querido morirme. Lo dejé hacer todo lo que quiso; y quiso hacerlo allí mismo, delante de la chimenea, que estaba apagada, semivestidos (a veces le gusta así, porque debe de pensar que es más voluptuoso). Yo no sentía nada más que frío y temor, como si me penetrase un fantasma. Nada era real. Curtis no podía estar muriéndose. ¿Qué es la leucemia? ¿Cómo mata? *No, no podía ser real*, pensé mientras él me penetraba sin importarle mi pasividad, aceptándola sin más.

Luego nos quedamos en la áspera alfombra y quise convencerme de que era una pesadilla, de que pronto me despertaría y diría: «He soñado que ibas a morirte, Curtis. Ha sido horrible. ¡Qué pesadilla!»

Me di la vuelta y lo miré. Tenía los ojos cerrados y expresión apacible, la boca relajada. Me pareció cambiado, menos consistente. ¿Dónde estaba su solidez? Su piel, sus uñas, el vello de sus antebrazos, todo me pareció vulnerable, efímero y blando. Pero me sonreía ligeramente, parpadeando. Me dije que yo había contribuido a que sonriese. Esa sería mi labor en adelante. No pensaría en nada más.

Fuimos juntos arriba. Mientras él se duchaba, pensé en llamar a Emma. Y estuve a punto de hacerlo, con el teléfono ya en la mano. ¿Valía mi promesa? ¿Cómo podía dejar de decírselo? ¡Cómo no decírselo a Emma!

Pero volví a dejar el teléfono y no llamé a nadie. Es difícil explicar por qué. En cierto modo, a lo largo de nuestro matrimonio, había traicionado a Curtis. Porque Curtis es un hombre reservado, muy reservado, y más de una vez he revelado secretos suyos a aquellos a quienes quiero.

Pero ahora no lo iba a hacer. Es algo que le ocurre a él, no a mí. Si mantenerlo en secreto se lo hace más fácil de soportar, ¿cómo no voy a guardar el secreto?

—Saldremos de esta —me dijo en la cama apretándome la mano bajo la sábana—. No sabes cuánto me ha aliviado decírtelo. Estos últimos días han sido los peores de mi vida.

—Cariño... —acerté a decir.

—Quizá no tendría que habértelo dicho. Quizá haya sido egoísta.

—Oh, no.

—Pero no he podido evitarlo. Empezaba a írseme la cabeza. Incluso temía desmayarme. De modo que no he tenido más remedio que decírtelo. Aunque el hecho de que me maree no es preocupante. Me han dicho que puede sucederme de vez en cuando; que tenga sudores por la noche, fiebre...

Arrimé la cara a su hombro.

—Rudy...

—Sí.

—Quiero que sepas una cosa —dijo apagando la lámpara de la mesita de noche—. Le he preguntado si podía deberse a ser fumador pasivo; y me han dicho que no, que probablemente no.

—¿Qué quieres decir?

—Como no podía entender que me sucediese esto a mí, he tratado de pensar en algún antecedente familiar. Pero no lo hay. No hay predisposición genética. De modo que...

—¿Por ser fumador pasivo?

—Era lo único que se me ocurría. Pero me han dicho que las probabilidades eran muy escasas; casi nulas, en realidad. De modo que eso no ha de preocuparte.

Tiró de la manta para taparnos mejor y me hizo darme la vuelta para que le diese la espalda. Posó su pesado brazo en mi cintura y la mano en mis pechos.

—Esta noche dormiré bien —dijo con los labios en mi pelo—. Gracias, Rudy. Te quiero, cariño.

—Yo también te quiero, Curtis.

Se quedó dormido casi al instante.

Yo me quedé inmóvil y aguardé hasta que empezó a roncar. Entonces me levanté con sigilo y fui de puntillas al cuarto de baño. Tenía un tubo de somníferos casi lleno, porque hacía meses que no tomaba. Saqué dos pastillas y me las tomé con agua del grifo. Podía tomar dos porque no había bebido. Pero en fin... Todo tipo de malas costumbres me guiñaban el ojo en aquellos momentos, impacientes por hacerme reincidir. No sabría por cuál empezar.

23

Isabel

A finales de noviembre vino a verme Terry. Fue una visita corta, de viernes a domingo, y tuve que compartirlo un poco con su padre. El viernes por la tarde Gary fue a recogerlo al aeropuerto y lo acompañó hasta casa. Yo tenía los nervios de punta. Llevaba tres días adecentándolo todo, pensando en qué comidas haría y en qué ropa me pondría. Llevaba casi dos años sin ver a Terry.

Padre e hijo disimularon idénticas expresiones de abatimiento cuando les abrí la puerta. Terry me abrazó envarado, como si temiese romperme. Gary dijo que no podía entretenerse, que tenía que marcharse enseguida.

—Me alegro de verte. Tienes buen aspecto, Isabel —mintió.

Yo apenas lo miré. Había engordado y tenía menos pelo. Eso fue en todo lo que me fijé. En cambio no podía dejar de mirar a Terry, de tocarlo, de maravillarme: tenía veintisiete años y ya era un hombre hecho y derecho.

—Estás más guapo que nunca —dije mientras revolvía en un cuenco una ensalada de atún para hacer un bocadillo.

A diferencia de Kirby que siempre daba la sensación de no ocupar espacio, Terry me hacía la cocina más pequeña de lo que era, porque no paraba de andar de un lado para otro. Noté que estaba tan nervioso como yo. Sentía mi misma aprensión por aquella visita.

—De verdad —insistí al ver que ponía cara de circunstancias—. Se te ha oscurecido el pelo y estás más alto.

—Eso no es posible, mamá.

—Pues lo es. Ahora tienes los ojos más como tu padre, que tiene unos ojos preciosos.

Pero Terry tenía los labios tan finos y el rictus de la boca tan duro como mi padre, y me preocupaba. Sentí el impulso de decirle que tuviese una actitud más desenfadada, más relajada, que la vida no tiene por qué ser una lucha tan encarnizada. Me senté frente a él y lo observé cenar.

—¿No os han dado nada de comer en el avión?

—Claro. ¿A qué hora cenamos?

Nos echamos a reír, complaciéndonos en la agradable ficción de que seguíamos siendo madre e hijo, de que nos conocíamos lo bastante bien para bromear, reírnos el uno del otro o reconvenirnos. Pero lo cierto era que una escrupulosa cortesía se había interpuesto hacía muchos años entre Terry y yo. Y el tiempo y la distancia no habían hecho sino acentuarla. Ahora nos comportábamos como extraños respetuosos y cordiales (como la madre de una familia que tiene en casa a un estudiante extranjero en régimen de intercambio).

Pero esta vez quizá pudiésemos romper el molde. Si todavía nos quedaba una oportunidad, era sin duda aquella.

—¿Qué tal en la facultad, mamá?

—Ah, fantásticamente. Me encanta. Me he tomado un respiro, pero pienso reincorporarme en enero.

—¿Respiro?

Hubiese preferido no abordar el tema tan de sopetón.

—La quimioterapia me ha afectado un poco a la vista —dije encogiéndome de hombros—. Y he tenido que dejar de hacer algunos trabajos. De modo que he preferido interrumpir las clases una temporada que arriesgarme a suspender.

No podía decirle el mazazo que suponía para mí no poder presentarme a los exámenes finales. Terminar la carrera lo significaba todo para mí, y no sólo porque equivalía a la llave para mi futuro laboral. Representaba la normalidad, el bienestar. La rutina de las clases, las duras horas de estudio, las idas y venidas, seguir un programa, todo eso había dado a mis días una forma y una estructura cuando el cáncer amenazaba con convertirlo todo en un caos.

—¿Qué tratamiento sigues?

¡Madre mía! Aunque quizá fuese mejor contárselo todo de un

tirón y no tener que volver a hablar del asunto. Mi enfermedad era como un huésped molesto no invitado, demasiado desagradable para ignorarlo.

Pero a Terry siempre le había gustado comentar estrategias, sistemas y porcentajes, y tenía muchas otras cosas que decirle.

—En estos momentos no me medico.

—¿Qué quieres decir? ¿Nada en absoluto?

—Nos hemos concedido un respiro.

—Pero mamá...

—No pasa nada. El médico no lo desaprueba. He estado once meses sometida a tratamiento de quimioterapia, Terry. Y hemos pensado que mi organismo se podía permitir un descanso.

—Sí, pero...

Dejó de protestar enseguida, un tanto cohibido. Debió de parecerle que hablarme como si fuese mi médico de cabecera a aquellas alturas estaba fuera de lugar.

—Ya sé que a ti no te convence mucho. Eres un científico. Es lógico.

Terry está especializado en moléculas enzimáticas, pero sabe lo que es que un cáncer de mama degenere en metástasis ósea.

—Seguro que aún te escandalizarás más si te digo que estoy a punto de renunciar por completo a la medicina oficial.

—Para tratarte... ¿con qué? ¿Con pases mágicos? —dijo echándose a reír.

Reímos los dos. Prefería que pensase que bromeaba.

—Voy a intentar la autocuración. Aunque, maticémoslo: me refiero a *sanarme*. Porque no es lo mismo sanar que curarse —dije.

Me sonrió pensando que le tomaba el pelo.

Kirby llegó a la hora de la cena, tal como teníamos previsto. Una de las cosas que más me preocupaba era la opinión que Terry pudiera formarse de él; y de lo que pensaría del hecho de que su madre, gravemente enferma, tuviese un amante. Los estuve observando toda la noche como una espía. Kirby tiene la extraña costumbre de comportarse delante de los demás como si estuviese solo. Primero desconcierta y aleja y luego resulta atrayente. Por lo menos para la mayoría de las personas. Pero me inquietaba que Terry lo considerase una persona distante en lugar de ensimismado, que interpretase sus silencios como frialdad e incluso como arrogancia. Pero no tenía que haberme preocupado. Kirby fue desplegando su hechizo de bajo perfil, lento pero seguro y, hacia el final de la velada, Terry incluso rió sus chistes, que son malos de solemnidad.

También le había dado muchas vueltas a dónde dormiría cada cual. Mi sofá es cómodo pero corto, y no es cama. Y Terry mide más de metro ochenta. Lo más lógico parecía ofrecerle a Terry que durmiese arriba en el apartamento de Kirby, porque lo tendría para él solo, y que Kirby durmiese donde siempre, o sea conmigo.

Era lo más lógico pero no me atreví. Podía violar un principio tan arcaico como arraigado, un principio que ni defiendo ni apruebo especialmente pero al que, sin embargo, sigo apegada. Quizá sea producto de mi educación. Y no crean que no quiero ver la carga de hipocresía que entraña. Mi única justificación es que también eso formaba parte de lo que me inculcaron de pequeña. El caso es que Terry durmió en el sofá y Kirby subió a dormir a su apartamento.

Terry y yo fuimos el sábado a dar un paseo en el coche de Kirby. Quería ver el viejo barrio, el instituto y sus bares favoritos.

—¿Ya no existe el Hot Shoppe? —exclamó con incredulidad—. ¿Y Perople's? ¿Y el Bank of Bethesda? ¿Cómo ha podido convertirse esto en un barrio tan pijo?

Llevaba fuera diez años pero sus recuerdos más claros procedían de mucho antes.

—No me extraña que te hayas mudado, mamá. Tendrías que estar forrada para poder vivir aquí ahora.

Me fue señalando algunos lugares que recordaba.

—Mira... Ahí es donde me enseñaste a conducir —me dijo al pasar frente al recinto destinado a aparcamiento de la iglesia católica, que estaba al pie de la autopista—. Papá lo intentó una vez. Una vez y no más. ¿Lo recuerdas?

—Como si fuera hoy. Volvió a casa en estado catatónico. Creí que iba a darle un infarto.

—En cambio tú, ni te inmutabas...

—Porque tomaba tranquilizantes que me daba Rudy; como para calmar a un potro.

—¿En serio?

—¡No, hombre, no! —dije echándome a reír—. El caso es que conducías bien.

—Pues papá no opinaba igual. Mira, esa es la casa de los Domsett. ¿Siguen viviendo ahí?

—No lo sé. Supongo.

—Yo solía cortarles el césped. Y siempre procuraba que fuese ella y no él quien me pagase, porque me daba más. ¿Te acuerdas cuando decía que quería escaparme de casa? Me hacías un paquete con pastillas de café con leche.

—Sí, y lo querías llevar en un hatillo atado a un palo. Seguro que lo habrías visto en algún libro de cuentos.

—Tú me decías que estabas de acuerdo en que me escapase de casa siempre y cuando no cruzase la calle. Me dabas un beso de despedida y yo iba a dar vueltas y más vueltas a la manzana, hasta que me cansaba y volvía a casa.

Luego me contó algo que yo ignoraba y que me puso los pelos de punta. Por lo visto, se emborrachó en la fiesta de graduación del bachillerato y, él y su amigo Kevin, fueron a toda velocidad con el coche por Old Georgetown Road.

—Pues si no me lo llegas a contar jamás lo hubiese imaginado —dije.

También me habló de Sharon Waxman, una compañera del instituto que se suicidó el año pasado. Me preguntó si me había gustado ser una ama de casa.

Le dirigí una mirada inquisitiva. Era ya un hombre, no un muchacho. Llevaba el viejo turismo de Kirby por el tráfico del sábado con prudencia y habilidad.

—Pues sí —le contesté—. Por lo general sí. ¿Creías que era una mujer anticuada por el hecho de no trabajar fuera de casa?

—No —dijo sorprendido—. Además, no parabas. No estabas todo el día viendo seriales y comiendo bombones. Te ocupabas de verdad de la casa —añadió muy serio—. Eras el alma de la casa.

Por ridículo que parezca, lo interpreté como un halago.

—Aunque creo que no te sentías muy realizada. Lo demuestra el hecho de que hayas querido volver a la universidad para acabar la carrera. Sin duda te hubiese gustado hacerlo antes.

Era la primera vez que hablábamos en estos términos. Termina por sucedernos a la mayoría, cuando nuestros padres empiezan a parecernos personas reales, con motivaciones y esperanzas tan auténticas como las nuestras. Pero no se me ocultaba que era mi estado lo que propiciaba que Terry y yo hablásemos ahora de tú a tú.

—Sí, en ciertos aspectos así es —repuse sin faltar a la verdad—. Me habría gustado ser más independiente, tener que depender menos de tu padre; y supongo que él habría estado de acuerdo.

El tema de su padre se cernía calladamente sobre nosotros. Si Terry me hubiese preguntado entonces por el divorcio le habría dicho todo lo que hubiese querido saber. Pero tenía que partir de él. Y como él no lo sacó a colación, pasó el momento y no lo lamenté.

Por la tarde, Terry fue a ver a su padre, y luego a jugar al baloncesto con unos ex compañeros del instituto. Después fueron a un bar y llegó a casa un poco tarde para la hora de cenar y muy achispado.

—No me has contado nada de Susan —le comenté mientras tomábamos café en el salón.

—Porque no hay nada que contar —dijo, estirándose y apoyando la cabeza en las manos entrelazadas tras la nuca—. Hemos roto.

—Oh, Terry, no.

—No pasa nada, mamá. Ha sido de mutuo acuerdo.

De mutuo acuerdo puede que sí, pero de que no pasase nada ya no estaba yo tan segura. No se me han olvidado las tácticas de mi hijo para despistar; eso de estirarse, fingir bostezar y rehuir mi mirada como quien no quiere la cosa.

—¿Y qué ha ocurrido, si no es indiscreción?

—Nada, sólo que no funcionaba. Esperábamos otra cosa.

—¿Qué esperaba ella? —pregunté.

—Ah, pues... lo habitual, ya sabes: casarse, tener hijos.

—Ya. ¿Y tú aún la quieres?

—No lo sé, mamá. Supongo que sí.

Pareció sorprenderle que me atreviese a preguntarle algo tan personal. ¡Hay que ver lo directa que me he vuelto últimamente! Le ahorra a una mucho tiempo, porque el tiempo ya no transcurre para mí al mismo ritmo que antes.

—Es complicado —me dijo—. Pero ahora somos buenos amigos.

Aguardé, pero por lo visto era todo lo que quería decirme. En aquellos diez últimos años había perdido el derecho a presionarlo. Por eso no me importó el matiz de cinismo de lo que me dijo a continuación.

—Lo normal.

La mayoría de los padres se sienten culpables por la mínima imperfección de sus hijos, y yo no soy la excepción. El desinterés de Terry por la familia convencional («casarse, tener hijos») era una carencia que temí que pudiese estar directamente relacionada conmigo y su padre. Y el tema que por la tarde eludí en el coche volvió a cernirse sobre nosotros. Pero Terry bostezó, se tumbó en el suelo y se quedó dormido al cabo de unos momentos.

Lo desperté a las diez y lo ayudé a hacerse la cama en el sofá. Le di un beso al darle las buenas noches, temerosa de que mi enfermedad me propinase una súbita crisis, y me quedé despierta mientras el reloj marcaba las horas de nuestro escaso tiempo juntos. No soporto reconocer ante mis seres queridos cuál es el resultado más probable de mi actual estado. Es demasiado doloroso. No tengo el valor ni la voluntad de causarles semejante dolor. No le hablaría de mi enfermedad. Pero como aquel iba a ser el último día de la visita de Terry, no quise dejar de decirle algunas cosas.

Kirby y yo quedamos en llevarlo al aeropuerto. Yo me senté en una esquina del sofá mientras Terry metía la ropa sucia en una bolsa de lona. Se arrodilló en el suelo con sus vaqueros descoloridos, con el jersey amarillo que llevaba remangado hasta los codos. Alargué la mano y le acaricié el pelo, se lo alisé hacia atrás. Me sonrió y siguió guardando la ropa. En aquel instante, con la cabeza erguida y su mirada risueña se parecía mucho al niño y al muchacho que fue, al Terry que mejor recordaba yo, y se me partió el corazón.

—Me hubiese gustado que tuvieses un hermano o una hermana, Terry —dije con amargura—. A mí también me hubiese gustado.

—¿Qué quieres decir? Tienes a la tía Patty, ¿no?

—Es un decir.

—Ah, ya. Deduzco que no os frecuentáis, ¿no? —dijo sonriéndome.

—No. Influye la diferencia de edad, desde luego. Pero no sólo eso. Tampoco tuve mucha intimidad con mis padres. Nuestra casa era demasiado fría. Todo muy estricto. Debido a mi padre, básicamente, pero mi madre también era una persona muy encerrada en sí misma. Y nunca quise eso para mi propia familia.

Una de las razones por las que me casé con tu padre fue por su ve-
hemencia —dije. Terry alzó la vista interesado—. Es un hombre
vibrante. Sobre todo cuando éramos más jóvenes. Era apasionado
y efusivo.

—Ya —dijo titubeante, como si le diese que pensar.

—Pero las cosas no rodaron como esperábamos. Al separarnos yo le eché toda la culpa. Y no fue todo culpa suya, en absoluto —dije inclinándome hacia él, tratando de aclarar las cosas de
una vez por todas—. Lo último que podíamos querer era que
nuestra separación te alejase de nosotros, Terry. Tú nunca tuviste
culpa de nada. Eras lo mejor de mi vida. Si no conseguí demos-
trarte lo mucho que te quería, lo siento de verdad. Te quería muchísimo. Y te sigo queriendo, tanto como a quien más haya querido, tanto como soy capaz de querer. Y a mí me parece que es
mucho, porque me llena el corazón. Sentiría que tú no lo sintieses
así.

No había visto llorar a mi hijo desde que tenía doce años. Re-
posó la cabeza en mi regazo para ocultar su rostro. Sus hombros
se agitaban, sollozaba.

—Vamos, desahógate... —le dije acariciándole el pelo, robán-
dole un beso. Confiaba en que no se avergonzase—. He descubierto que llorar es bueno, o que por lo menos no es algo que
haya que evitar a toda costa. Demuestra que uno tiene sentimientos, eso es todo.

Le sequé las lágrimas y le sonreí. Ahora era más fácil hablar
con él, tan fácil como cuando era pequeño.

—Nunca te he hablado de lo que provocó la ruptura entre tu
padre y yo. Tú tampoco me has hablado de lo que realmente ha
provocado la separación entre tú y Susan. Los detalles no importan. Pero asegúrate de tener buenas razones, Terry. Que vuestra
felicidad no sea completa, perfecta, puede no ser razón suficiente.
¿La quieres? La vida es demasiado corta. Cuando se tienen veintisiete años parece que haya de ser eterna, lo sé, pero...

Detesto sermonear, pero había aguardado demasiado tiempo
y tenía muchas cosas que decirle.

—Nunca desdeñes el amor, no lo descuides. Nunca des por
sentado que encontrarás otro mejor en otra parte. Tómalo allá
donde seas tan afortunado de encontrarlo, y procura corresponder siempre —le aconsejé apretando mis labios a su frente—. No

des demasiadas cosas por sentadas —le susurré—. Este es mi último pedacito de sabiduría, y creo que es el más importante.

Como ya he dicho, Kirby tiene el don de la oportunidad. Porque justo en ese momento llamó a la puerta con los nudillos y entró. Terry no se sobresaltó; no pareció resultarle embarazoso que Kirby lo viese llorar. Sacó un pañuelo del bolsillo, se secó las lágrimas y se sonó dignamente.

—¿Listo? —preguntó Kirby con adecuada suavidad—. Ya es casi la hora.

Nos levantamos. Terry se puso la chaqueta y se colgó la bolsa de lona al hombro.

—Mirad... —dije—. He pensado que no voy a ir con vosotros. Nos despediremos aquí, Terry.

Terry pareció sorprendido, pero no discutió.

—Te llamaré en cuanto llegue a casa esta noche —me prometió abrazándome con fuerza—. Y volveré, mamá, en cuanto pueda. O podrías venir tú a verme. ¿Qué te parece? Quizá por Navidad.

—Buena idea —dije aceptando de buen grado lo improbable de la perspectiva—. Cuídate mucho.

—Y tú. Cuídala tú también, Kirby.

—Lo haré.

—Te quiero —musité al besarlo en la mejilla, todavía húmeda.

—Yo también te quiero, mamá. Te quiero mucho —dijo sin saber cómo acabar de despedirse.

Yo tragué saliva y también las lágrimas.

—Andad, daos prisa, no vayas a perder el avión.

—Te llamaré —repitió siguiendo a Kirby hacia el ascensor, que llegó casi de inmediato—. ¡Y te escribiré más a menudo, mamá!

Le sonreí y le lancé besos hasta que las puertas se cerraron.

Y entonces me noté tan cansada que me sentí incapaz de llegar al dormitorio. Me dejé caer en el sofá y me tapé con la manta, una vieja y agujereada manta que aún olía a oveja y que había tricotado yo misma hacía muchísimos años, cuando no me avergonzaba de ser el alma de la casa, como decía Terry. Vivimos muchísimos momentos felices en aquellos tiempos que, sin ninguna razón especial, había menospreciado. La nostalgia me embargó como una agradable niebla, adormeciendo un poco el lacerante dolor de ver partir a Terry. Gary solía echar una cabezada los domingos por la tarde bajo esta manta. Yo me sentaba a su lado, leyendo o haciendo punto con la radio bajita, viendo subir y bajar su pecho bajo los entonces vivos colores de los cuadros de la lana. También solía utilizar aquella manta para ceñírmela al camisón y salir a la puerta a recoger el periódico. A Terry le gustaba tenderla entre dos sillas del comedor y decir que era un soldado que estaba en un fuerte.

¿Estaría Gary ahora en casa? Podía llamarlo. Sólo para hablar. «Hola, ¿cómo estás? ¿Qué te parece nuestro hijo? Después de todo no lo hemos hecho tan mal, ¿verdad?» Pero el teléfono estaba demasiado lejos y yo demasiado cansada para levantarme. Cerré los ojos y me adormecí. Empecé a soñar algo bonito sobre la familia. Y le puse un final feliz.

24

Emma

Mi cumpleaños es el 28 de diciembre, o sea que soy capricorniana; como una cabra, vaya. No me hace ninguna gracia, sobre todo este año.

Muchas Navidades las paso fuera; voy a Danville a ver a mi madre, y a veces sigo hasta Durham y Chapel Hill a ver a ex compañeros de la facultad y pasar la Nochevieja con ellos. Pero aquel año no me sentía con ánimo ni para hacer la maleta; y no digamos para viajar, prodigar saludos, sonrisas y conversación. Y como el solo hecho de pensar en tener que sonreír y hablar me producía náuseas, opté por quedarme en casa.

Pero no para autocompadecerme, en absoluto, sino que me vestí como es debido, llamé a todos aquellos a quienes quiero e incluso me animé a salir para llevarle a Isabel un regalo. De modo que, con una de esas piruetas mentales que catapulta de lo sublime a lo ridículo, me estaba reservando para celebrar mi cumpleaños el día 28 más sola que la una. Era una actitud heroica, una orgía de autocompasión.

Mi soledad era elegida. Mis amigas no me habían abandonado. De modo que, en conciencia, no podía hacerles cargar conmigo y, por lo tanto, les pedí que me dejasen tranquila (además, Rudy estaba fuera).

Empecé el día con normalidad, es decir, por los suelos y flagelándome. ¿Y la novela que comencé la pasada primavera? La tiré a la papelera en agosto; una decisión piadosa, créanme. Resultó lo que llaman una novela de «iniciación a la experiencia»; una adolescente precoz que se inicia en el amor, la vida, el sexo y la expiación entre coloristas personajes, en un barrio de millonarios judíos que quita el aliento, en el Medio Oeste. Yo ambienté la mía en una repelente población del sur de Virginia llamada Tomstown. Y, como he dicho, fue una decisión piadosa. Me lo merezco por confundir las churras con las merinas.

Ahora estoy escribiendo algo totalmente distinto (aunque lo de que «estoy escribiendo» es casi un eufemismo). Va de misterio, un *thriller*, con mucha intriga y suspense, una mujer en peligro. Muere hasta el apuntador. Creo que es un bestseller potencial, incluso adecuado para una película. Lástima que se te caiga de las manos. Pero escribir esa historia me enseñó una cosa: que disfruto de lo lindo matando a la gente. Lo digo porque le cogí enseguida el gustillo. Y por lo tanto sigo, dale que te pego. Lo malo es que todos mis personajes pueden haber muerto antes de que termine el libro, y podría resultar que el narrador es el mismísimo Dios.

Otra cosa que me está enseñando este libro o, mejor dicho, este libro y su defenestrado antecesor, es que a lo mejor soy más falsa que un dólar belga. Durante toda mi vida he querido escribir novelas o, por lo menos, eso he estado diciendo casi siempre. Escribir reportajes no me satisfacía. Siempre quería enfocar la historia «de otra manera», porque pensaba que «la realidad no era nunca del todo real», y esas zarandajas. Bueno, pues resulta que soy mucho mejor periodista que novelista. De modo que ahora he de preguntarme si no me sentiría yo atraída simplemente por la imagen de lo que representa escribir novelas. Quería *parecer* una novelista. Quería que en las fiestas, cuando me preguntasen a qué me dedicaba, pudiese contestar «soy escritora, novelista».

Y, de ser esto cierto, no sé qué voy a hacer en adelante. Me produce la misma sensación que reventar una puerta de cristal. Pensé que tenía un buen panorama, un futuro, pero puede que solo consiga sumirme en la perplejidad y en un lacerante desconcierto.

Feliz cumpleaños, Emma.

Lo que necesitaba yo era un pastel; o una tarta helada, una de esas *delikatessen* de fábrica que anuncian por la televisión en estas fechas. Siempre consiguen que se me haga la boca agua. Una vez estuve a punto de comprarme una, pero renuncié al leer en la etiqueta el contenido en calorías y grasas. Pero, bah, ¡a hacer puñetas!, tengo cuarenta años y puedo tomar lo que me dé la real gana: vino y tarta helada; un buen vino, no uno de esos que venden en *break* y se conservan en el frigorífico.

Salir a la calle y entrar en el coche se me antojó como aterrizar en un nuevo planeta. ¿Cuánto hacía que había salido de casa? Casi cuatro días. No está tan mal eso de tener empleo fijo. Aunque no hay que exagerar.

El cielo de diciembre al atardecer tenía esa tonalidad grisácea de pañales usados. Amenazaba lluvia o nieve, sin acabar de decidirse a descargar (hasta que aparqué en Columbia Road y eché a andar hacia la licorería, que estaba a manzana y media). Empezó a caer aguanieve.

La mañana del día 24 me puse unos viejos pantalones negros de un chándal, una blusa negra y una chaqueta de punto de color cachumbo con grandes bolsillo, a la que sólo le quedaba un botón. Era una indumentaria que me gustaba tanto que me la puse también al día siguiente; y al otro. Y la llevo hoy.

Hace una semana que no me lavo la cabeza (¿para qué?) y ni que decir tiene que voy sin maquillar. Habría sido perfectamente capaz de salir de casa en gabardina y pantuflas, sin calcetines. ¿Captan la imagen?

Mick la captó al abrir la puerta de la licorería y casi tropezar conmigo.

—Perdone —dijo.

Porque, por un instante, no me reconoció. Luego no supe si interpretarlo como un insulto o como un halago.

Al reconocerme me dirigió una mirada que a un observador imparcial le hubiese parecido divertida, y se detuvo en seco.

Yo también.

—Hola, Mick —creo que dije como si tal cosa.

Ya dentro de la licorería creí que iba a darme un infarto. Debí de quedarme lívida. En cambio él se sonrojó, se le pusieron las mejillas como si acabasen de abofetearlo.

—¿Cómo estás? —lo saludé—. ¿Cómo estás últimamente?

Yo estaba apoyada contra el marco de la puerta con una bolsa llena de botellas que entrechocaban, y él al otro lado sosteniéndome la puerta.

—Emma...

Ni siquiera pudo sonreír. Pero me dirigió una mirada incendiaria. Su sorpresa me ayudó a reponerme de la mía. Estaba a punto de decirle algo brillante y puede que incluso cierto, como «te he echado de menos» o algo así, cuando meneó la cabeza y dijo: «Tengo a la familia ahí fuera.»

Pues sí. Allí la tenía, en el coche. Reconocí el pequeño Celica blanco aparcado a media manzana de allí. No distinguía a sus ocupantes, sólo brumosos perfiles a través de la aguanieve y el parabrisas empañado.

—Bueno, pues salúdalos de mi parte. Me alegro mucho de verte.

No nos movimos.

—¿Cómo estás, Emma?

—Bien, últimamente bien. ¿Y tú?

No se me da muy bien mentir, pero por lo menos lo intento. Mick ni siquiera eso.

—Yo estoy fatal —me dijo.

Me sofoqué.

—No me digas eso —musité—. No me digas eso, por Dios.

Dos clientes, uno que quería entrar y otro salir, pusieron fin a la tortura. Tuvimos que separarnos. Yo salí y Mick entró. No llegamos a decirnos adiós, simplemente nos saludamos con la mano. ¡Qué impotencia! Di gracias a Dios de que mi coche estuviese aparcado en sentido contrario al suyo. Así no tendría que saludar a Sally. De modo que fui hasta el coche con mis botellas de vino, tratando inútilmente de defenderme de la gélida aguanieve, y volví a casa.

Al sonar el teléfono por la noche adiviné que era Mick. ¿Verdad que a veces una adivina quién es, según cómo suena el teléfono? Llevaba tanto rato sentada frente a la chimenea que el fuego se había extinguido. Debo decir en mi honor que no me había emborrachado. Me había bebido un par de copas de vino de un cabernet carísimo, no más. No me apetecía.

Contesté al teléfono a la tercera llamada con un «Diga» firme, claro y fingidamente campechano.

—¡Feliz cumpleaños!

—Gracias. ¿Cómo estás?

Era Lee. Dejé caer mi trasero en un taburete y aguardé a que mi ritmo cardíaco se sosegase.

—Bien.

Hasta no hace mucho, Lee solía contestar a esta pregunta diciendo «no estoy encinta». Pero ya no lo hace. Ya no nos hace gracia, sobre todo a ella. Porque, de momento, la fecundación in vitro sigue sin funcionar.

—¿Qué tal tu cumpleaños? —añadió.

—Fatal.

—Oh, no... ¿Quieres venirte?

—No, gracias.

—No estamos haciendo nada, ni siquiera discutir. Vente y te animarás.

—Te lo agradezco pero no. Eres muy amable. ¿Qué tal tú?

—Bien —insistió—. Rudy ya ha regresado de las Bahamas.

—¿Ah sí? ¿Cuándo?

—Hoy.

—¿Te ha llamado?

—Sí.

¡Jo! O sea que Rudy no me dice una palabra en mi cumpleaños pero llama a Lee para decirle que ya ha regresado de su «segunda luna de miel» (pongo a Dios por testigo que lo dijo literalmente así).

—¿Y qué tal? —pregunté.

—La he notado como antes.

—¿O sea...?

—Pues no muy bien. Creo que sólo me ha llamado para decirme que no vendrá a cenar mañana. De modo que sólo seremos tú, Isabel y yo.

¡Vaya por Dios! El cuarteto empezaba a desintegrarse.

—¿Y te ha dicho por qué?

—Porque ha de ir a no sé qué con Curtis.

Solté una retahíla de tacos de los más vulgares, que hizo que Lee sisease como una mangosta.

—¿Te comenta algo últimamente? —le pregunté —. ¿Te ha dicho qué le pasa?

—No. O sea ¿que a ti tampoco te cuenta nada?

—No, y me consta que tampoco le cuenta nada a Isabel, porque se lo he preguntado.

Suspiramos al unísono.

—Bueno —dijo Lee en tono abatido—. Pues mañana por la noche nos veremos. No olvides traer la ensalada.

—¿La he olvidado alguna vez?

—¿Pasarás tú a recoger a Isabel?

—Claro.

—Bueno, pues feliz cumpleaños, Emma.

—Buenas noches, Lee.

Colgamos.

Al instante volvió a sonar el teléfono.

—Diga.

—¿Emma? Soy Mick.

Perdí el mundo de vista; sólo quedó mi mano en el auricular y su voz en mi oído. Me sentí atenazada por la ansiedad, por el puro anhelo, al saber que era él y que aquello era real. Había estado muy cerca de convencerme de que no era real que él fuese lo único que me importaba y que lo superaría.

—¿Podríamos vernos? —me preguntó.

—¿Estás bien?

—Estoy bien —dijo riendo entre resoplidos—. Pero...

Imaginé poder oír en su entrecortada respiración todo lo que no podía decirme. Lo imaginé en su casa, probablemente en la cocina mientras Sally acostaba al niño arriba.

—¿Estás en casa?

—No; estoy en mi coche. Te llamo con el móvil de Sally.

—Ah —exclamé felicitándome por mi intuición—. Pues se oye muy bien.

De nuevo rió sin ganas.

—Claro, ¡como que estoy en la esquina de tu casa!

—Oh, Dios...

Guardó silencio por unos angustiosos segundos.

—No te preocupes, que no pasa nada —dijo luego—. Sólo que iba en el coche y he pasado por aquí. No voy a...

—Dame cinco minutos.

—¿Por?

—Necesito cinco minutos. Estoy... sin vestir. Y luego ven.

—¿De verdad?

—Que sí. Cuelga y ven dentro de cinco minutos.

Entonces sí que rió con ganas. Aguardé hasta que hubo terminado de reír, porque me deleitaba oír su risa, y entonces colgué.

¿Cinco minutos? Tenía que haberle dicho diez. Corrí escaleras arriba, me metí en el cuarto de baño y me miré en el espejo. ¿Diez minutos? Tenía que haberle dicho hora y media.

No me daba tiempo a ducharme y cambiarme de ropa. Tenía que adecentar la casa y comprarme ropa. Me quité mi raída chaqueta de punto y me lavé los dientes, manchados de vino. Intenté peinarme pero era imposible, y opté por hacerme moño. Me di un toque de maquillaje y me pinté los labios. Dios, Dios... Sólo encendería una luz.

Al bajar reparé en que tampoco tenía tiempo de reavivar el fuego de la chimenea. Recogí los periódicos que tenía esparcidos por todas partes, ahuequé los cojines del sofá y recogí las migas de la mesa. Puse música, pero la apagué enseguida. ¿Le gustaría mi casa? No era muy artística. Tenía algunos cuadros, algunos grabados que me gustaban muchísimo, aunque probablemente fuesen chungos. Oh, Dios, descubriría que era vulgar, inauténtica y superficial. Pero, ¿qué bobadas estaba pensando? Me gustaba más cuando éramos dos personajes de tragedia pura y simple; no un futurible, una realidad compleja. Antes éramos perfectos.

Sonó el timbre de la puerta y me dio un vuelco el corazón. Se me aceleró tanto el pulso que pensé que, si no remitía, por la mañana la habría palmado. Respiré hondo como medida preventiva. Puse cara de normalidad y abrí la puerta.

«Hola», nos saludamos.

Entró acompañado del frío y la humedad con su abrigo de lana. Tenía el rostro aterido y las orejas lívidas.

—Quítate el abrigo —le dije. Al dármelo noté lo frías que tenía las manos—. Estás helado. ¿Qué has hecho?, ¿dar vueltas a la manzana?

—Más o menos —repuso.

Entró al salón y fue hacia la chimenea pero se detuvo al ver que el fuego estaba apagado.

—Se ha consumido —dije tontamente—. ¿Nos sentamos aquí?

Él se sentó en un sillón y yo en el borde del sofá. Un error. ¿Cómo íbamos a hablar así? Resultaba artificioso. Mick y yo en el salón, uno a cada lado de mi alfombra de pita. No éramos nosotros. Actuábamos.

—¿Quieres tomar algo? Tengo vino para dar y... tomar.

—No, gracias.

—¿Café?

—Eso sí, estupendo.

—Ven —dije levantándome de un salto.

Era mucho mejor en la cocina. Mick se apoyó en la repisa, mirándome mientras yo ponía un cacillo de agua a hervir y el café en el filtro. El agua rompió a hervir en pocos segundos y la fui echando poquito a poco en el filtro. Resulta un tanto laborioso este sistema del café filtrado, pero viene muy bien para tener las manos ocupadas.

—Hoy es el cumpleaños de Jay —dijo para llenar el laborioso silencio.

—¿Ah sí? —exclamé alzando la vista. Qué coincidencia.

—Cumple seis. Me he tomado la tarde libre porque le hemos organizado una fiesta con sus amiguitos esta tarde en el zoo —me explicó—. Sólo eran ocho, y no nos pareció que fuesen muchos cuando lo organizamos, pero... —añadió tocándose la frente como si le doliese la cabeza—. ¡Madre mía!

—Ya, ya. Excusas para ir a comprar whisky y recuperarte.

Nos echamos a reír y eso sirvió para mitigar la tensión.

Empezó a pasearse frente a la ventana mientras yo lo observaba con el rabillo del ojo. De nuevo lo veía cambiado. Llevaba pantalones grises, un buen abrigo y una corbata azul con el nudo flojo. Me dije que debía de vestir así, como un ejecutivo, en su nuevo empleo a tiempo parcial en el bufete en el que trabajaba antes. Si es que aún seguía trabajando allí. El hecho de que yo ni siquiera lo supiese, de que podía haber muchísimas cosas en su vida de las que yo no tenía ni idea, me pareció muy triste.

—¿Cómo está Isabel? —me preguntó, jugueteando con un salero en forma de gallo que enseguida volvió a dejar en la repisa—. ¿Y Rudy? Sally me habla algunas veces de Lee, pero de las otras no he vuelto a saber nada.

No es extraño que lo ame. No me lo había dicho por llenar el silencio sino que se interesaba de verdad por cómo estuviesen mis amigas, y no sólo por mí.

Serví el café en dos jarras y añadí leche al suyo.

—Isabel está muy enferma. Me temo que la cosa no pinta bien.

—Lo siento, Emma.

—Ya.

Su condolencia me llegó al alma. Quizá porque ya estaba muy sensible. Le pasé la jarra y cogí la lata de las galletas.

—¿Quieres una? —le ofrecí—. Rudy tampoco está bien. Ha

dejado las clases. ¿Sabes que había empezado a estudiar paisajismo y jardinería?

—No.

—Bueno, pues lo ha dejado. Dios sabe qué hará ahora. La verdad es que no tengo ni idea —dije en un tono que me sonó frío y distante.

—Lo siento —dijo él.

—Sí, la vida es un calvario —dije, haciendo oposiciones a quedar como una imbécil, a echarme a llorar o yo qué sé—. ¿Por qué has venido, Mick? ¿Sólo para hablar? ¿Quieres tener relaciones conmigo? ¿Es eso? Pues ya sabemos los dos exactamente cómo resultará —añadí en un tono que me pareció detestable. Y lo era. ¿Qué derecho tenía yo a pagarlo con él?

—Si quieres me marcho...

—No, no te marches. No, perdona. Es que estoy... He de ser sincera contigo, Mick: a veces tengo muy mal carácter, cuando sufro...

—Pues no quiero que sufras.

—Ya es demasiado tarde. No puedes hacer nada —le dije. ¿O sí? ¿Para qué había venido?

Dejó la jarra en la repisa.

—No paraba de decirme que tenía que verte. No podía creer que pasaran meses sin que coincidiésemos.

—Ya. Pero yo te he visto; en la calle, pasando en el coche, en la cola del cine. Aunque no eras nunca tú.

No lo era, claro. Sólo alguien que se le parecía, y a veces ni eso; sólo unos ojos, un pelo o una boca de un tipo apuesto que me lo recordaban. Un espejismo.

—Pues hoy sí hemos coincidido —dijo.

—Sí. Una visión encantadora. —¡Calladita estás más guapa, Emma!

—Una vision encantadora —repitió sonriente. Pero no ironizaba, y mi fatua frase no sonó así al repetirla él—. Es como tomarse una copa o fumar un cigarrillo y reincidir en la adicción.

Oh, Dios, ayúdame. Estaba a punto de desfallecer.

—Tenía que verte. No te rías. He pensado que... Se me ha ocurrido que si estuviésemos juntos, sólo una vez, luego ya nos dejaríamos en paz.

—¿Ah sí? —exclamé muy seria, aunque sin insinuar que no estaba de acuerdo.

Me parecía una actitud espuria, si es que se refería a lo que yo estaba pensando. Pero lo deseaba demasiado para poner objeciones.

—La sola idea de no volver a verte... —dijo tocando el canto de mi mano asida a la repisa—. Es peor que estar juntos. Así me lo parece a mí. Es engañarse, Emma. Casi un... pecado.

—Un pecado... —Como ex católica la palabra me dejó pasmada—. ¿Es eso lo que sería para ti? ¿Crees que acostarte conmigo sería pecado?

Meneó la cabeza sonriente, con expresión de impotencia.

—La verdad es que ya no me importa —le dije—. Me tienen sin cuidado tu sentimiento de culpabilidad y tu alma inmortal. ¿Qué te parece eso? Ni tampoco me importan tu esposa, tu hogar feliz ni tu... —Se me hizo un nudo en la garganta. No me salía. En lo más profundo de mi ser alentaban las razones que me decían que lo nuestro era un error, como siempre nos lo pareció—. Ni tu hijo —dije al fin, como quien toma una valiente decisión aunque le flaqueen las piernas.

Él hizo lo mejor que podía hacer: rodearme con sus brazos y abrazarme.

Cerré los ojos para no ver el dolor y la duda en su cara. Las palabras nunca nos han llevado a ninguna parte, aunque la verdad es que nunca conducen a ninguna parte cuando la situación es insostenible. Lo besé para aliviar la tensión, y funcionó: todo se disolvió lentamente; todo menos la cálida boca de Mick, la aspereza de sus mejillas y el contacto de su mano en mi cuello. Nos besamos hasta quedarnos sin aliento y nos tocamos hasta que el sexo puro y duro se nos impuso, no para solazarnos, no para demostrarnos que nos queríamos. Opté por dejarme ir, por dejar de pensar y simplemente hacerlo. Quizá algo cambiase si lo hacíamos, quizá ocurriese algo imprevisible. Además, parecía algo tan natural separar las piernas para que Mick pudiese moverse entre ellas y apretarme, arrimarme a la repisa y empujar, haciéndome daño en la espalda. No me importaba que me hiciese daño, deseaba sentirlo, quería que sus manos me tocasen por todas partes.

—Vamos arriba —musité. En la cama podría tenerlo completamente.

Nos tomamos de la mano y fuimos a oscuras por el pasillo hasta las escaleras y subimos al dormitorio.

Estuve a punto de no encender la luz, por temor a ver de nuevo su rostro, pero la azulada y fría luz de la luna me estremeció. Anhelaba tanto el calor que corrí la cortina y encendí la lamparita de la mesilla de noche.

Nos quedamos de pie, uno a cada lado de mi cama, aún por hacer.

Nos miramos. Tuve razón al temer ver de nuevo su rostro, porque su expresión era trágica.

—¿Qué? —dije mientras me desabrochaba la blusa. No era muy romántico, pero uno de los dos tenía que empezar.

Mick rodeó los pies de la cama y se sentó en el borde. Pero no se movió. No se quitó el cinturón ni los zapatos. Creí adivinar lo que iba a ocurrir.

Sentí el impulso de gritarle, de montarle una escena. Porque me enfurecí al comprender lo que ocurría. Deseché la idea pero estaba lo bastante furiosa y herida para querer herirlo a él. No volví a abrocharme la blusa al acercarme a él. Tengo los pechos grandes (así me lo han dicho más de veinte hombres); son lo mejor que tengo. De modo que era un consuelo mostrárselos a Mick, refocilarme al ver cómo se le iban los ojos.

Ya ves lo que te pierdes, pensé despechada.

Mick sonrió. Me miró con tanta ternura y comprensión que me eché a llorar.

—Soy un imbécil —me dijo tomándome de la mano y haciéndome sentar a su lado—. Sé lo que sientes. Seguro que ahora mismo me desprecias tanto como me desprecio yo.

—No, no... —musité—. ¿Qué te pasa?

¿Qué había ocurrido en la corta distancia que mediaba entre la cocina y el dormitorio? ¿Debimos haberlo hecho en la rinconera?

—Ya sabes tú lo que ha ocurrido. Te he estado mintiendo.

—¿En qué me has mentido? —pregunté medrosa.

—En que podríamos hacerlo sólo una vez.

—Ah, eso... ¿Imaginas que te he creído?

Sonrió y empezamos a besarnos las manos. Una escaramuza. Luego descansé la cabeza en su hombro.

—De modo que, por lo que veo, nada ha cambiado en realidad —dije entristecida—. Sólo has venido aquí para atormentarme. Otra vez. Ya casi lo había superado. Pero no es cierto.

—He venido porque... —dijo elevando los hombros y dejándolos caer con abatimiento—. Todo parece estúpido. Sólo puedo decirte que no podía resistir más, que me moría de ganas de verte, que tenía que verte. No sé si ha cambiado algo, Emma, pero quizá sí. He sufrido lo suficiente para que algo haya cambiado.

—Yo también.

—No ha habido otras mujeres —me aseguró mirándome con fijeza—. Me lo preguntaste en la playa. Pues te contesto: sólo tú.

—Te pregunté algo más. —Noté por su ligero parpadeo que lo recordaba. Tardó en contestarme.

—Sigo acostándome con mi esposa. Sí. No muy a menudo. Ella necesita... hacerse la ilusión, y tratar de aportarla cuando yo no puedo hacer otra cosa.

—¿La ilusión?

—De que somos un matrimonio.

—Ah. ¿Y crees que eso aporta algo positivo?

Hizo una mueca de contrariedad y me miró abatido.

—No creo que lo entiendas.

—Inténtalo.

—Verás, Emma... Soy lo único que tiene. Aunque creo que en el fondo me odia. No me atrevo a entregarle a Jay ni a quedármelo yo.

Me lo dijo como si tuviese cristales rotos en la garganta, tanto le costó pronunciar las palabras. Seguía detestando traicionar a Sally conmigo, ni siquiera con una relación esporádica. Y eso también me dolía.

—¿Por qué te casaste con ella, Mick?

—Porque se quedó encinta.

—Ya.

Se hizo un silencio que se podía cortar.

—No podéis ser más distintas —prosiguió Mick, titubeante—. No es una persona fuerte. Siempre se ha definido por lo que los demás piensan de ella, su familia, sus amistades.

—Tú.

—Sobre todo yo.

—¿La has querido alguna vez?

—Es a ti a quien quiero.

—Oh, Dios —exclamé ocultando la cara entre las manos—.

¿Por qué has venido? —volví a preguntarle, presa de un extraño agotamiento que casi me hizo temer marearme.

—Creo que... a pedirte que esperes.

—¿Esperar? ¿Porque aún no puedes dejarla? ¿Sigues creyendo que seguir con ella es mejor para Jay que romper?

—No lo sé —dijo mesándose el pelo.

Tuve la certeza de que, en realidad, quería decir que sí.

—Márchate, Mick —le dije levantándome.

—Emma...

—No soy tu psicóloga. No vengas a mi casa para desahogarte de tus problemas conmigo. Esa es la primera muestra de egoísmo que me has dado, y no me gusta. Te tenía en un altar pero te has caído. Ni siquiera vas a acostarte conmigo. Márchate, por favor; desaparece durante otros seis meses. No soy masoquista. Ya te habré olvidado. Te lo prometo.

Mick se levantó. Nunca se enfurece (algo que en ese momento no me pareció una virtud).

—Lo siento —dijo—. Lo siento.

Farfulló algo que no pude entender y salió del dormitorio.

Lo alcancé en el pasillo, lo rodeé con los brazos desde atrás y arrimé la cara a su espalda. Una posición simbólica (nada de contacto cara a cara, sino yo aferrada al hombre que una y otra vez se alejaba de mí).

Él fue a darse la vuelta, pero no le dejé. Me resultaba más fácil decírselo así.

—Escúchame. Quiero casarme contigo, Mick. Tener hijos. Morirme de hambre contigo por amor al arte. Lo que no quiero es ser una solterona de cuarenta años que tiene un lío con un casado; o que ni siquiera tiene eso, que es aun peor —dije. Noté que el corazón le latía con más fuerza—. No puedo seguir esperando —añadí con voz entrecortada—. No tenías que habérmelo preguntado. He de seguir con mi vida. De modo que no me llames ni vengas a verme. Eso no hace sino empeorar las cosas.

—Ya lo sé. No te llamaré ni vendré —dijo meneando la cabeza—. Te quiero. Y no lo digo para que cambies de actitud, sólo para que lo sepas.

Se ciñó la cintura con mis brazos por unos momentos y luego se marchó.

A última hora de aquella noche llamé a Rudy.

—Oh, perdona, estabas durmiendo, ¿verdad?

—¿Emma?

—Perdona —repetí.

—¿Qué ocurre? Espera un momento...

Rudy cubrió el micrófono con la mano y durante medio minuto no oí nada. El teléfono que tiene en el dormitorio es inalámbrico. Supuse que estaría diciéndole a Curtis que volviera a dormirse, para levantarse luego sigilosamente e ir al pasillo o al cuarto de baño.

—¿Emma?

—No he caído en que era tan tarde, Rudy. Lo siento de verdad.

—No te preocupes.

—Supongo que Curtis se habrá cabreado.

—No, mujer, en absoluto.

No tenía que haber dicho eso. Reparé en ello por su tono. Siempre era muy susceptible en relación a Curtis, y por eso procuraba abstenerme de mis sarcasmos, sobre todo porque últimamente la susceptibilidad de Rudy había subido de punto. Algo realmente malo debía de ocurrir entre ellos, pero no tenía ni idea de qué podía ser.

—¿Qué tal las vacaciones, Rudy?

—Estupendamente.

—¿Ah sí?

—Pues sí.

—Por el tono en que lo dices, nadie lo diría. ¿Estás bien?

—Acabo de despertarme.

—Ya, claro. Es verdad.

Guardé silencio y ella esperó a que fuese al grano. Era una conversación bastante inusual entre nosotras, y yo empezaba a perderme en vaguedades. Apenas recordaba por qué la había llamado. Pero enseguida lo recordé.

—Hoy he visto a Mick.

—Ah.

Su respuesta sonó como si le pareciese irrelevante.

—Sí, en la bodega de Columbia Road. Pero sólo nos hemos mirado y apenas hemos podido hablar. Me ha pillado por sorpresa... Además, su esposa y su hijo estaban esperándolo fuera, de modo que...

—Se fastidió.

—Sí. Pero esta noche me ha llamado, desde su coche y le he dicho que podía venir a casa.

—Oh, Emma...

—Ya lo sé. Pero no he tenido fuerzas para resistirme.

—¿Te has acostado con él?

—No, pero he estado a punto.

Rudy suspiró de un modo que me pareció comprensivo.

—Ha sido casi una reedición de lo ocurrido en la playa, salvo que hoy ha sido... Hemos hablado de su situación, que no tiene salida. De modo que no hay más cera que la que arde. Se acabó, y estoy... —Estoy hecha polvo, quise decirle. Ayúdame.

—Lo siento, Emma. De verdad que lo siento mucho. Quizá sea lo mejor.

—Quizá.

Aguardé a ver si Rudy me decía algo más. Pero no. No habría más palabras de consuelo ni de comprensión para mí aquella noche. Tenía que haber llamado al Teléfono de la Esperanza.

—Bueno —dije—, ya es muy tarde.

—Sí. He de dejarte. Te llamaré.

—¿De veras? Eso sería una novedad. —Soy el colmo. Tampoco tenía que haberle dicho eso. Tenía que haberme abstenido de hacerle el más leve reproche. Le sentó mal y lo noté en el tono de la despedida—. Buenas noches, Rudy —dije con mi tono más amable—. Perdona por haberte despertado.

—Buenas noches, Emma. No dudes de mi cariño.

—Bueno... oye..., es que...

Clic.

Dejé el auricular en el receptáculo lentamente, frunciendo el ceño y sonriendo a la vez. Estaba casi sin aliento. «Tampoco tú dudes de mi cariño», musité.

Pero la verdad es que Rudy me dejó muy preocupada. No podía enfadarme con ella por no mostrarse tan comprensiva como siempre, por no expresarme su apoyo con la firmeza de otras veces. Tenía el corazón destrozado, pero ya se me curaría. Algún día. Estaba claro que algo le ocurría a Rudy. Sólo necesitaba sincerarse conmigo. Estaba segura de que tenía que ver con Curtis. Pero ¿de qué se trataba?

Mientras hablábamos por teléfono, había pensado en unos

momentos, de hacía ya bastantes años, en los que Rudy me ayudó a superar una crisis que pasé a causa de mi relación con Peter Dickenson. Peter *el Jeta*. Yo estaba loca por él, loca perdida. Y estaba dispuesta a casarme con él. ¿Creen que soy cínica acerca de los hombres? Pues tenían que haberme conocido hace seis años.

Peter era un tipo delgadito, que siempre llevaba el pelo peinado hacia atrás. La verdad, era de la clase de hombres que inspira desconfianza. Por entonces yo vivía en un suntuoso apartamento en Foggy Bottom y estaba muy a gusto viviendo sola. Pero estaba tan colada por el Jeta que lo invité a vivir conmigo. Y vivimos en paz y armonía durante casi cuatro meses.

Pero una noche —no adelanten acontecimientos— llegué a casa temprano después de una reunión de las Cuatro Gracias, y ¿a que no lo adivinan? ¡Vaya! ¡Lo han adivinado! Pero, verán, da igual que sea una historia muy manida y que la hayan oído innumerables veces en letras de canciones country, o exageradas en las lacrimógenas series de televisión. Cuando le ocurre a una no tiene nada de divertido. Los pillé in fraganti, en mi propia cama.

Di media vuelta y los dejé seguir, pero la imagen se quedó como cauterizada en mis retinas. La parejita también me vio. De modo que fui al salón y me senté en el sofá a esperar. No tardaron mucho. Peter salió primero, en calzoncillos. Se arrodilló a mis pies. Y venga a hablar, a endilgarme lo de «ella no significa nada para mí», y entonces salió la chica. Por lo menos no era alguien que yo conociese. Tenía pinta de estudiante universitaria, de piernas largas y exuberante melena rubia. Se quedó lívida al oír que no significaba nada para él, y la verdad es que me dio un poco de pena. Se marchó enseguida y Peter siguió hablando. Esto lo recuerdo con increíble nitidez: le planté el pie en su pecho desnudo y le di tal empujón que lo hice caer de espaldas.

«¡Fuera!», le grité. Y como se negó a marcharse, llamé a la policía (la primera y única vez que he llamado a la policía). Peter vio la luz destellante del coche patrulla y se largó antes de que llegaran los agentes.

De manera que —a eso iba— llamé a Rudy. Por entonces casi no nos hablábamos. Porque, al poco de casarse con Curtis, nos las tuvimos acerca de él y, aunque fingiésemos haberlo olvidado para no dañar la armonía de las Cuatro Gracias, el resentimiento persistía. Pero la llamé y me bastó decir «Oh, Dios, Rudy» para que me dijese «Voy a tu casa enseguida».

Se quedó conmigo toda la noche. Y yo estuve llorando como una magdalena. Bebimos ginebra, fumamos un cigarrillo tras otro y, hacia las seis de la madrugada, fuimos al Howard Johnson's de Virginia Avenue y pedimos unos minis de beicon.

Fue un desmadre. Pero Rudy consiguió levantarme el ánimo. Eso es lo importante. No sé cuánto tiempo habría estado llorando a Peter de no ser por ella. No sé qué recibimiento debió de hacerle Curtis al verla llegar a casa a las nueve de la mañana. A eso iba: a que el hecho de que esta noche no haya acudido a una misión de rescate de esta pobre amiga no se lo tengo en cuenta por lo que a nuestra amistad se refiere. Está por encima de una actitud aislada.

No hace mucho dije que el problema estaba en los hombres. «Los hombres lo estropean todo.» Es una muletilla de mi madre. Se la he oído desde que era niña, y la verdad es que me resulta difícil discutírsela.

Pero ahora estoy enamorada. Lo paso fatal, pero no puedo culpar a nadie. ¿Será esto madurar? Si es así, preferiría que no lo fuese. Porque hoy he llegado a la mediana edad. Y me repatea. No veo en mi futuro más que soledad; madurar, aburrirme y seguir un tratamiento a base de hormonas como terapia sustitutiva.

Feliz cumpleaños, Emma. Bienvenida al resto de tu vida.

25

Lee

Suelen llamar del consultorio del doctor Jergen a primera hora de la tarde. Tanto si son buenas como malas noticias, entre las cuatro y las cinco, es la hora en que las enfermeras dan a sus pacientes los resultados de los análisis. De modo que pensé que probablemente eran ellas, cuando sonó el teléfono en casa a las cinco menos cuarto de un frío y oscuro lunes de mediados de enero. Llevaba todo el día con una sensación de vacío. ¿Una premonición? Dejé que el teléfono sonase tres veces y media, casi a punto de que respondiese el contestador.

—¿La señora Patterson?

Era Patti, una de las enfermeras simpáticas. Siempre te consuela cuando no tiene buenas noticias que darte. No todas lo hacen. Te leen los resultados como si se tratase de las cotizaciones de la Bolsa, con una voz impersonal y monocorde.

—¿Qué tal?

—¿Cómo está?

—Bien. ¿Y usted?

—Bien, gracias. La llamo para darle los resultados de las últimas pruebas.

—Ya.

—Pues..., que lo siento muchísimo. No ha habido suerte esta vez.

¿Que no había habido suerte esta vez?

Por si fuera poco, Henry había escrito la lista de lo que teníamos que comprar con faltas de ortografía (algo que detesto): «Asúcar».

Tengo muchos imanes adosados a la puerta del frigorífico. Demasiados. Dan una impresión caótica. Uno de ellos dice: «Mi karma se impone a mi dogma.» Me lo regaló Emma. Lo uso para fijar una fotografía de las Cuatro Gracias en los escalones del porche de la casa de Rudy el pasado verano. Enseñamos mucho las piernas, muy bronceadas; y todas vamos con shorts y tops sin mangas.

—¿Señora Patterson?

Henry aumentó la colección de imanes del frigorífico con uno en forma de palillo de tambor para sujetar el calendario de partidos de la liga de baloncesto de los Wizards. Esta noche juegan contra los Charlotte Hornets, de visitantes.

—¿Sigue ahí, señora Patterson?

—Sí, gracias por llamar.

—Bien. No olvide que ha de concertar su próxima cita antes de este fin de semana. Si quiere puedo tomarle nota ahora mismo. O puede llamar en otro momento.

Otro de mis imanes dice a cuántas onzas equivalen tres cuartos de taza; a cuántos milímetros cúbicos una cuchara sopera; y a cuántas cucharadas soperas un tercio de taza. Me pareció que me sería muy útil, pero apenas lo uso.

—Oiga...

Colgué, pero no podía soltar el auricular. Me sobrepuse, abrí la puerta trasera y seguí el ruido del hacha de Henry —*crac, crac*—, que astillaba el frío crepúsculo como si partiese hielo. Utiliza un viejo tocón de olmo detrás del garaje para partir la leña. Me encanta mirarlo mientras levanta los pesados troncos de roble que parecen impenetrables, los coloca en el tocón, retrocede un paso con el hacha y los parte de un solo y limpio tajo.

No me oyó. Pero al verme se irguió y me sonrió. Luego asintió con la cabeza sin moverse del sitio con el hacha en la mano derecha.

—Han llamado.

Entonces dejó caer el hacha y se me acercó aplastando astillas y fragmentos de corteza con sus agrisadas botas de trabajo.

—¿Por qué no te has puesto la chaqueta? Te vas a helar aquí fuera.

Volví a verlo todo con nitidez. Polvo de barro en los negruzcos paneles de cristal de la ventana del garaje; rodales oscuros entre los ladrillos, donde había saltado el cemento; una mancha de café en la pechera de la chaqueta a cuadros de Henry.

—No me he quedado encinta. No funcionó.

—Lee, cariño... —dijo alargando la mano para tocarme el codo. Pero, al ver que yo hacía una mueca y lo rehuía retiró la mano.

—Se acabó.

—¿Qué?

—Ya son cuatro veces. Ya está bien. No volveré a hacerlo.

Pensé que asentiría con la cabeza entristecido, haciéndose cargo, que luego me abrazaría y me diría que era la decisión acertada. Pero se limitó a repetir «se acabó», casi más para sí que para que yo lo oyese. Le sudaba la frente. Me miró a los ojos como para asegurarse de que me encontraba bien. Yo me sentía apocada, casi insignificante y, sobre todo, estaba harta.

—De acuerdo —dijo tragando saliva—. ¿Estás decidida?

—Sí.

Dio media vuelta hacia el tocón y empezó a lanzar troncos a la carretilla. Aguardé mientras se agachaba una y otra vez, lanzando los troncos con ambas manos sin fallar ni una vez. Me fijé en su expresión, aunque también noté que trataba de que no le viese la cara. Estaba llorando.

La sorpresa me paralizó. Empecé a sentir un extraño calor por todo mi cuerpo que parecía fluir de mi pecho.

—¿Henry?

Fui a tocarle el brazo y me quedé con la manga de su chaqueta entre los dedos. Seguí tirando hasta que no tuvo más remedio que mirarme. Las lágrimas resbalaban por sus mejillas.

—Si te parece mal volveré a ir, cariño. Volveré a intentarlo.

—No, no quiero que vuelvas a intentarlo, Lee. Quiero que lo dejes correr. Estoy... Es que es...

—Triste.

Se desabrochó los botones de su chaqueta y me atrajo hacia sí. Puse mis manos en sus húmedas mejillas. Era la primera vez que veía llorar a Henry. Me enterneció.

—Lo siento muchísimo.

—No digas eso...

—Muchísimo, Henry.

—Tranquila... —dijo él estrechándome con más fuerza entre sus brazos—. Te quiero, Lee.

—Lo sé. Y lo siento mucho —insistí. Y fui entonces yo quien se echó a llorar.

Pero pensé que acaso nuestro llanto sirviese para mitigar el dolor. Ya sé que no había hecho más que empezar. La desesperanza es a veces una bendición, me dijo una vez Isabel, y ahora comprendo que tenía razón.

—Vamos dentro. Nos calentaremos —dije.

Y así es como empezó. Henry y yo empezamos a cicatrizar la herida.

A primeros de febrero, por fin nos reunimos las Cuatro Gracias en casa de Isabel. Digo por fin porque en las dos últimas semanas Isabel había cancelado la reunión en el último momento (la primera porque dijo estar demasiado cansada y la segunda porque tenía que ir al consultorio a última hora de la tarde). Pero cuando la llamé para confirmar la del jueves por la tarde me dijo que sí.

—Podéis venir. Estoy demasiado impaciente por veros.

De camino a su apartamento, fui por Connecticut Avenue detrás de un station wagon Subaru. Cada vez que paraba en un semáforo en rojo, entre Van Ness y el zoo, dos niñas pequeñas me saludaban desde el coche de delante. Las primeras veces correspondí al saludo e incluso les lancé un beso; pero a cada parada se comportaban de un modo más alocado y terminé por poner cara de adulto para que dejasen de hacer tonterías. Tendrían seis o siete años y deduje que no eran hermanas sino amigas. Una era rubia y la otra morena. Apretaban la nariz contra el cristal, me sacaban la lengua y luego se escondían y volvían a reaparecer para darme un susto. Sus risas y sus gritos debieron de pasarse de la raya porque de pronto miraron hacia adelante, muy serias; la mujer que iba al volante debía de haberlas llamado al orden. A partir de entonces las niñas sólo me miraron de vez en cuando y me sonrieron un par de veces, con lo que debían de suponer era expresión de complicidad. Pero al girar su coche en Woodley Street las perdí de vista.

Al cabo de varias manzanas caí en la cuenta: no me había echado a llorar. Hasta no hace mucho, se me habrían saltado las lágrimas. De modo que supongo que debía de haberme forjado una coraza. Henry y yo no tenemos hijos. A veces lo digo en voz alta: «No tenemos hijos.» Es mejor afrontar la realidad. Al pan pan y al vino vino.

Les contaré un secreto: pensé llamar al doctor Greenburg, el psicólogo de Rudy, para que me visitase. Seguro que mis amigas se habrían quedado estupefactas. Aunque ahora esté algo pasado de moda, también creo en el ideal de ser autosuficiente, en la responsabilidad individual de la propia felicidad. No es que me parezca mal recurrir al consejo del psicólogo (no duraría mucho en mi profesión si no lo creyese así) pero creo que no es para mí. Digamos que es cosa de familia, si lo prefieren: los Pavlik no van al psicólogo. Además, ¿cómo iba a explicárselo a mi madre?

En casa de Isabel, abrió Emma.

—¿Dónde está? —le pregunté en voz baja—. ¿Se encuentra bien?

—Sí, está en la cocina. Entra.

Isabel estaba sentada a la mesa. No se levantó pero me tendió los brazos y yo la estreché.

—¿Cómo te encuentras? Tienes un aspecto magnífico.

Era verdad, pero también la noté frágil y cansada. El jersey y los holgados pantalones hacían que su cuerpo pareciese más menudo, y también la peluca resultaba demasiado grande para su cara, más huesuda que antes. Pensé que era mejor que no se la pusiera. Prefería verla con el pelo cortado a cepillo, aunque lo tuviese hirsuto y clarease un poco.

Dijo lo que decía siempre, que estaba bien. Me dio unas palmaditas en el hombro y me sonrió con tanta ternura que se me hizo un nudo en la garganta.

—¿Qué llevas en la bolsa? —me preguntó.

—La cena. ¿Has hecho el arroz?

Aunque ella había insistido en que nos reuniésemos en su casa, no dejamos que hiciese nada, salvo el arroz macrobiótico, el nuevo ingrediente de su dieta actual.

—Lo ha hecho Kirby —dijo ella—. Ahora no está, tenía que actuar en una obra esta noche. Me ha dicho que os transmita su cariño.

—Es un gran tipo —dijo Emma mientras preparaba la ensalada—. No muchos hombres «transmiten su cariño». Deben de creer que es poco varonil.

—Es verdad —dije—. Lo más que hace Henry es dar «recuerdos». ¿Qué es eso, Emma? ¿Espinacas?

—Sí.

—Isabel no puede comer espinacas.

—Oh, lo siento.

—Bueno, eso es en teoría —dijo Isabel encogiéndose de hombros.

—También tengo achicoria —dijo Emma a la defensiva—. De eso puedes comer, tiene mucho yang; en cambio el ruibarbo es totalmente yin, ¿lo sabías? De modo que no lo comas.

—¡Cuánto sabes! —ironizó Isabel.

Todas habíamos comprado libros de cocina macrobiótica, y nos turnábamos para llevarle algunos platos a Isabel varias noches por semana. De paso, liberábamos un poco a Kirby de las tareas culinarias.

—Rudy se está retrasando —señaló Emma—. Para variar. A lo mejor ni siquiera viene.

—¿Habéis hablado con ella?

—La verdad es que no —dijo Isabel—. Viene a verme de vez en cuando, pero nunca se queda. Además, no me cuenta nada.

—Es impropio de ella —musitó Emma.

Isabel y yo nos miramos. Estaba claro que lo que le ocurriese a Rudy preocupaba mucho a Emma. Hasta entonces, que yo supiera, siempre se lo habían contado todo. No podía evitar pensar que Rudy no sólo se había alejado del grupo sino también de Emma. Desde luego, Rudy tenía problemas. Pero ¿quién no los tiene? Fuese lo que fuese —porque lo cierto era que yo no tenía ni idea— no podía ser peor que el estado en que se encontraba Isabel. Nunca habíamos pasado por un momento que exigiese tanta unión. No debíamos compadecernos entonces por las propias neurosis.

No lo expresé en voz alta, por supuesto. Habría infringido una de nuestras reglas, una regla tácita que ni siquiera habíamos comentado: si una dice algo negativo acerca de otra en el grupo (que la actitud de Rudy últimamente era «impropia de ella», por ejemplo) no hay que echar leña al fuego con otro comentario negativo. Porque eso desequilibra la balanza, y sería tanto como conspirar. No ha ocurrido nunca, aunque creo que la regla se flexibilizó un poco durante la época en que fuimos cinco. Pero, como digo, nunca ha ocurrido. Sin embargo, bien pensado, creo que aún fuimos más homogéneas cuando éramos cinco (a las cuatro de siempre, me refiero), como si hubiésemos cerrado filas para enviarle un mensaje a la pobre quinta persona, la transeúnte: que haría mejor en no criticar a ninguna de nosotras ante las demás.

—Por lo menos no bebe —dijo Emma, como si quisiera compensar su negativo comentario anterior—, que sepamos... Aunque, ¿cómo vamos a saberlo?

—No es feliz, Emma —dijo Isabel.

—Ya lo sé —asintió Emma, que pulverizaba rítmicamente un ramito de brócoli—. ¿Y quién es feliz? ¿Conoces a alguien que lo sea?

—¿Qué tal va tu libro, Emma? —preguntó Isabel, mirándome de una manera que me hizo temer que mi comentario no había sido muy oportuno.

—Lo he tirado a la basura —contestó Emma con expresión de fastidio.

—¿La novela de misterio?

—¿Era de misterio? Pues gracias por decírmelo, porque nunca lo he tenido claro.

—¿Tienes otra entre manos? —preguntó Isabel.

—No sé, quizá una historia de amor.

Me eché a reír.

—¿Tú? —exclamé, aunque enseguida reparé en que Emma no bromeaba—. Perdona —añadí—. Es que he pensado que quizá tú seas demasiado...

—¿Qué? ¿Demasiado qué?

—Cínica, quizá. Para escribir una historia de amor, me refiero. Pero ¿qué voy a saber yo?

—Sí, eso, qué vas a saber tú.

—No creo que seas demasiado cínica —dijo Isabel en tono reflexivo—. En realidad no creo que seas en absoluto cínica.

Emma se ruborizó.

Al cabo de un momento, me sorprendió al darme un golpe con la cadera mientras seguíamos cortando los ingredientes de la ensalada.

—Ahora te toca ti. ¿Cómo van tus cosas, Lee-Lee? —me preguntó.

«Lee-Lee» es un apelativo cariñoso que Emma utiliza conmigo en muy raras ocasiones, por lo general cuando ha bebido demasiado, o cuando cree haber herido mis sentimientos.

—¡Oh! —exclamé—. Pues estoy perfectamente.

—¿De verdad?

—De verdad —contesté—. Básicamente porque me siento aliviada.

Entonces les conté lo de las dos niñas del coche y que no me había echado a llorar.

—¿Y estás convencida de haber hecho lo más conveniente? Yo creo que sí lo has hecho, la verdad —dijo Emma—. Lo creo de verdad, lo único que me preocupa es que luego te arrepientas y lo lamentes.

—Bueno, lo hemos intentado todo —me dije, consciente de que hay lamentaciones y lamentaciones—. Ya no podemos hacer nada más.

—Exacto. De modo que ahora debes olvidarte de ello por completo.

—Sólo nos quedaba recurrir a una donante de óvulo.

—Pero si habéis dicho basta... pues basta.

—Eso pensamos nosotros. Creemos que ha llegado el momento de renunciar.

—¿Y cómo lo ha encajado Henry?

—También se siente mejor. Los dos estamos mejor ahora —dije riendo—. Empezamos a recordar por qué nos gustamos al conocernos.

—Ah, pues me alegro —dijo Emma dándome con su hombro (otro gesto afectuoso poco común en ella)—. Dale recuerdos a tu cachas.

—¿Esperamos a Rudy, o empiezo a preparar ya el primer plato? —dije, porque ya lo tenía todo a punto para saltear el panaché de calabaza, nabos, raíz de loto y garbanzos (no sabe tan mal como parece).

Isabel dijo «Esperamos» casi al mismo tiempo que Emma decía «Empieza».

—Esperaré unos minutos más —dije.

Me senté frente a Emma e Isabel con una copa de vino para mí y una taza de té para Isabel (Kirby prepara unos cuantos litros todas las mañanas, e Isabel asegura que le está yendo muy bien).

—¿Qué tal va tu vida amorosa? —le pregunté a Emma, aunque me sentí un poco cohibida por sacar a relucir un tema tan frívolo.

Probablemente teníamos que haber hablado de temas más serios, como el significado de la vida. Pero lo cierto es que nunca lo hacíamos. Hablábamos de los temas de siempre. A Isabel no parecía importarle. Lleva una temporada sin hablar mucho, pero nos escucha con una sonrisa complacida y apacible cuando hablamos. Aunque a veces no estoy muy segura de que preste verdadera atención, porque parece sumida en una ensoñación, como si sólo estuviera atenta al sonido de nuestras voces pero no a su significado.

—¿Mi vida amorosa? —exclamó Emma dejando resbalar los hombros por el respaldo de la silla—. Es un oxímoron.

Emma iba vestida aquella noche totalmente de negro: vaqueros, jersey y botas. Espero que se vistiese de negro sólo para variar, porque no es su color.

—Creía que estabas saliendo con el de la inmobiliaria.

—¿Con Stuart? Ya no salgo con él.

—¿Y el abogado? Bill, o Willy...

—Se llama Phil. No funcionó.

Suspiré.

—Pues no sé qué voy a hacer —dije mirándola risueña—. Ya hace un año que me he quedado sin hombres para colocarte.

—Mejor estar sola que mal acompañada.

—Ingrata.

—Alcahuetilla —me dijo. No era precisamente un piropo. Pero ya estaba acostumbrada a su léxico.

—O sea que ahora no sales con nadie, ¿no? —dijo Isabel, en un tono más ligero. Aunque no sé por qué.

Deslizó el índice por el dorso de la mano de Emma como diciéndole: seamos serias por un momento. Desvié la mirada al ver su huesuda muñeca asomar de la manga de su sudadera. Tenía la piel muy blanca y estaba pálida como la cera.

—¿Estás segura, Emma, de que no sales con nadie? —insistió Isabel.

Emma la miró alarmada, como si temiese que Isabel supiera algo que ella no quería que supiese. Luego agachó la cabeza y miró la copa de vino que había dejado en equilibrio sobre su estómago. Como no contestó, me decidí a preguntárselo más directamente.

—¿Que ha ocurrido con aquel casado?

—¿Aquel de quien dije que no quería hablar? —me espetó Emma.

—Bueno, perdona.

—Oh, Lee, perdona tú —dijo sonriéndome, para tratar de hacerme sonreír—. Estoy muy susceptible. Es que lo de esa persona... —añadió meneando la cabeza.

—Pero de eso hace meses; fue la pasada primavera. ¿Todavía no lo has superado? Pues lo siento, Emma. No lo sabía. Tenías que habérmelo dicho.

Porque lo cierto era que jamás nos había dicho ni siquiera cómo se llamaba.

—Quizá tenía que habéroslo comentado —dijo Emma mirando a Isabel—. Pero precisamente porque está casado me resulta un poco violento hablar de ello.

—Pero si no habéis hecho nada —señalé yo—. ¿O sí habéis...?

—No, en absoluto —me atajó Emma, aunque no parecía muy satisfecha de que no hubiese ocurrido nada.

—De manera que todavía estás enamorada de él, ¿no es así?

—Sí, pero no quiero hablar de eso. Como nada va a cambiar, no tiene sentido comentarlo. ¿No crees? —contestó dirigiéndole a Isabel una mirada inquisitiva—. ¿No vas a decirme nada que me sirva de algo? —añadió con un dejo de ironía pero con expresión esperanzada.

Isabel le apretó cariñosamente la mano a Emma.

—Menudo lío —le dijo quedamente—. Pero real como la vida misma.

—Sí —asintió Emma esforzándose por sonreír—. Mi destino.

—Puede que aún llegue a funcionar.

—Lo dudo. Creo que es más saludable reconocer que he perdido.

Estábamos sentadas en círculo, cariacontecidas y en silencio.

—¿Por qué nos estará ocurriendo todo lo malo al mismo tiempo? —dije a la vez que, al igual que Emma, miraba a Isabel como si ella tuviese la respuesta—. ¿Será el karma? ¿Algún pecado colectivo que cometimos hace mucho tiempo y que no recordamos?

—¡Ya lo sé! —exclamó Emma risueña—. Es por haberle mentido a aquella (ya no me acuerdo cómo se llama), aquella que nos trajiste tú, Lee, y le dijimos que el grupo iba a deshacerse, sólo para poder... deshacernos de ella.

Isabel se echó a reír.

—No creo que cometiésemos ningún pecado. El karma (caso de existir tal cosa) —dijo Isabel para tranquilizar la conciencia de Emma— no es un castigo, es una lección. Y siempre tenemos alguna que aprender. Si no en esta vida en... —Dejó la frase a medias y nos sonrió.

—Ya. El currículum kármico —ironizó Emma.

—Exacto.

—Pues no me gusta —dije—. Son lecciones *horribles*, que preferiría no aprender nunca.

Isabel se limitó a sonreír, pero Emma puso cara de circunstancias.

—Opino como tú —dijo.

Y en ese momento me sentí más cerca de ella, más cerca que de Isabel.

Al final, optamos por cenar sin Rudy. Pero justo cuando estaba salteando el panaché sonó el timbre de la puerta.

—¡A buenas horas! —exclamó Emma refunfuñando pero aliviada (se lo noté)—. Ya abro yo.

Mientras el aceite chisporroteaba en la sartén la oí exclamar: «¡Oh, Dios mío! ¿Qué ha ocurrido?» Y me di la vuelta.

Isabel se rebulló en la silla y miró hacia el salón, asustada.

Rudy asomó por el vano de la puerta de la cocina seguida de Emma. Apagué el fuego y corrí hacia ella.

—¿Que ha pasado, Rudy? ¿Has tenido un accidente?

—¿Qué?

Me miró llorosa. Estaba roja como un tomate y sollozaba.

—¡Que qué te ha pasado! —la urgió Emma tirándole de la manga del abrigo salpicado de nieve.

Isabel se levantó y fue también hacia ella.

—Estoy bien. No ha muerto nadie ni ha resultado nadie herido —dijo al fin Rudy, para alivio de todas.

—Siéntate —le ordenó Emma a la vez que le quitaba el abrigo y le acercaba una silla—. Dinos qué ha pasado. Pero... has tenido un accidente, ¿no?

—Ahora mismo. Justo delante de tu casa.

—¿De mi casa? —exclamó Emma sorprendida.

—Había olvidado que teníamos la reunión. He salido a pasear con el coche y he dado vueltas y más vueltas hasta que he decidido venir a tu casa, y al intentar aparcar golpeé una boca de incendios. Pero es igual, era el BMW de Curtis —explicó alcanzándose la copa de vino de Emma y bebiendo dos largos tragos.

Nos miramos un tanto perplejas. ¿Estaría borracha? Cogí una caja de kleenex que había en el alféizar y me senté frente a ella, que sacó tres pañuelos y hundió la cara en ellos. Tenía un aspecto horrible: desgreñada, con los ojos enrojecidos y desorbitados. Hizo una pelota con los pañuelos y tragó saliva.

—Bueno. Os cuento lo que ha pasado —dijo—. Curtis me ha dicho que tiene cáncer y que va a morir.

—¡¡No!! —grité.

Emma se quedó sin aliento.

—¡Oh, Dios mío! ¡¡Dios mío!! —exclamó Isabel dejándose caer hacia el respaldo de la silla.

—No, Isabel —dijo Rudy tomando su mano y apretándosela con fuerza—. No, no tiene cáncer. Está bien.

—¡Pero! ¡Oh, Dios! —exclamó Isabel mirándola, desconcertada.

Rudy se echó a reír y le soltó la mano. Su risa sonó tan extraña que me hizo estremecer.

—Lo he dejado. ¿Puedo quedarme contigo?

—¿Que lo has qué...? —dijo Emma atónita.

—¡Por el amor de Dios, Rudy! —dijo Isabel—. ¡Dinos qué ha pasado de verdad!

Emma y yo nos agachamos y nos quedamos en cuclillas, una a cada lado de Rudy, que hipó y volvió a echarse a reír, aunque de un modo más natural esta vez.

—Doy gracias a Dios por teneros a vosotras... —dijo sonándose otra vez—. Veréis, os cuento: el pasado noviembre, Curtis me dijo que le habían diagnosticado una leucemia linfocítica crónica, una enfermedad que no tiene cura, pero que no siempre es mortal. Me explicó que, en su caso, la enfermedad avanzaba con lentitud y que aún podía vivir entre cinco y diez años y que, para entonces, acaso hubiese cura. Estaba muy esperanzado.

—Un momento. Pero has dicho que no tiene leucemia —dije yo para aclararlo—. Que no la tiene...

—No, no la tiene.

—¡Hay que joderse! —exclamó Emma llevándose la mano a la frente y mirando hacia arriba como si clamase al cielo.

—A mí me extrañaba que fuese tan pocas veces al médico y que nunca me dejase acompañarlo —nos explicó Rudy—. Según él, era para no hacerme pasar un mal trago. Tomaba unas píldoras todas las mañanas, pero eso era todo —añadió mirándonos con expresión de impotencia—. Creo que eran vitaminas.

—¡Santo Dios!

—A mí me parecía que estaba bien y con buen ánimo. Pensé que estaría tomando Prozac o qué sé yo, incluso *speed* o algo parecido, para no caer en la depresión. De vez en cuando me decía que se sentía débil y que se mareaba porque tenía pocos glóbulos blancos, y recuerdo que una vez en el cine veía doble.

—¿Que veía doble? ¡La leucemia no provoca que se vea doble! —exclamó Emma.

La incredulidad de Emma nos hizo reír a todas, pero de momento la historia no tenía nada de divertida, ni me pareció que pudiera tenerlo más adelante.

—Me contó que, según los médicos, sus síntomas eran normales, que tendría crisis de vez en cuando, y que no debía preocuparme. Pero ahora caigo en que sólo tenía crisis cuando nos peleábamos. Bueno, no eran realmente peleas sino discusiones cuando no conseguía salirse con la suya en algo. O cuando yo le rogaba que por lo menos me dejase decírselo a Eric, y a vosotras, porque no quería que os lo dijese. Me lo hizo prometer...

Rudy se interrumpió y volvió a echarse a llorar.

—Oh, Rudy... —exclamó Emma rodeándola con sus brazos—. Vamos, vamos, no importa, te perdono —añadió. Y entonces reparé en que eso era exactamente lo que quería Rudy: que la perdonásemos.

—De modo que fui a ver al doctor Slater —prosiguió Rudy—, nuestro médico de cabecera. Presentía que Curtis no me contaba toda la verdad, y quería saberla, por dura que fuese. Pensé que podía ser peor de lo que Curtis me había dicho y que por eso se mostraba tan reservado, para no hacerme sufrir. ¡Dios mío! —exclamó llevándose las manos a las mejillas.

—Ten —dijo Emma sirviéndole más vino y acercándole la copa.

Pero Rudy se abstuvo de beber y siguió contándonoslo.

—Pues, como digo, fui a ver al doctor Slater, es decir, he ido esta tarde, pero es que tengo la sensación de que hace semanas.

Puede que algún día me ría de todo esto, al recordar la cara que puso Slater al preguntarle cuánto tiempo le quedaba de vida a Curtis.

Emma resopló y luego se echó a reír (todas nos echamos a reír, incluso la propia Rudy, aunque con cara de espanto).

—Y Slater me dijo que no tenía ni idea de qué estaba hablando. ¡Qué lenta y estúpida soy! ¡Si hasta me puse a discutir con él!

—No... —dijo Isabel, pero Rudy la atajó con un ademán.

—Espera, espera, que la cosa es peor —dijo Rudy. Le brillaban los ojos. Torció el gesto con una sonrisa amarga y añadió—: ¿Preparadas? ¿Sabéis lo que me ha contestado cuando le dije que dejé de intentar quedarme embarazada al decirme Curtis que tenía leucemia? ¿Sabéis lo que me dijo?

—¿Qué?

—Que Curtis se había hecho una vasectomía.

—¡No!

—El año pasado. ¿Recordáis que os comenté que durante todo diciembre no hicimos el amor ni una sola vez?

—Sí —dijo Emma.

—¡Pues fue por eso! ¡Porque se le estaba cicatrizando! ¡Y justo después va y me dice que quería que tuviésemos un hijo!

Rudy se recostó en el respaldo para tomar aliento, visiblemente aturdida. Pero ya no lloraba. Daba la impresión de haberse quedado inconsciente y empezar a recuperarse.

Isabel y yo estábamos demasiado atónitas para hablar, pero Emma soltó una retahíla de juramentos lo bastante larga para dejarnos a gusto a todas.

—Me pregunto qué pensaba ese cabrón que iba a hacer cuando se le acabasen los cinco años de vida. Eso me gustaría saber a mí. ¿Y cómo creía que iba a poder ocultarle una vasectomía a su propia esposa, que encima tiene el mismo médico de cabecera? ¿No se le ocurrió pensar que algún día podías preguntarle al doctor Slater por qué no te quedabas embarazada? ¡A eso se le llama ser necio!

—¿Y cómo reaccionó cuando le dijiste que lo sabías? —terció Isabel—. ¿Cómo se defendió?

Rudy la miró a los ojos.

—Ah, pues... es que todavía no he hablado con él. Sólo le he escrito una nota y me he marchado. Tenía que haber hecho la maleta, pero ni en eso pensé. Me he largado con su BMW —añadió conteniendo una risa mezclada con sollozos.

—Eso le escocerá —dijo Emma.

Todas estábamos decepcionadas pero ninguna lo dijimos. Volvimos a comentar lo ocurrido desde el principio, los increíbles detalles del engaño de Curtis y de la credulidad de Rudy; lo mucho que había sufrido durante los tres últimos meses.

Al cabo de un rato Rudy dejó de sollozar y temblar. Le hice comer un poco de pan, para que tuviese en el estómago algo más que vino, y enseguida recuperó el color, porque se había quedado lívida. Pero seguía teniendo los ojos irritados y llorosos.

—Creo que deberías volver a casa, Rudy —dijo Isabel, que llevaba un rato sin hablar.

El comentario nos sorprendió y, tras un tenso silencio, empezamos a hablar todas a la vez.

—¡Ni en broma! ¡Dejar a Curtis es lo más sensato que ha hecho en muchos años! ¿Estás loca? ¡Cómo va a volver!

—¿Qué vas a hacer si no? —la atajó Isabel—. Quedarte con Emma una temporada, ya lo sé. Pero ¿y después qué?

—Pues me buscaré un apartamento.

—¿Con qué?

—Curtis.... —empezó Rudy.

—Yo tengo dinero —dijo Emma en tono beligerante.

—Yo también —dije, aunque enseguida empecé a pensar si... en fin.

Permanecimos en silencio unos momentos.

—No se trata sólo de dinero —dijo Isabel en tono paciente.

—Ya, porque se lo quedará él, ¿no? —aventuró Emma—. Se quedará con la casa, con las tarjetas de crédito, con todas tus acciones.... ¡Hasta con tu póliza de seguro!

Nos temíamos que así fuese, como le ocurrió a Isabel.

—Como mínimo lo intentará, y con ventaja —dije furiosa—. Es un cabrón de abogado.

Se quedaron tan boquiabiertas que temí que se fuesen a dar con el mentón en la mesa. No es que yo sea incapaz de soltar un juramento sino que, a diferencia de la mayoría, los reservo para cuando la ocasión lo merece.

—¡Mierda! —exclamó Rudy al reparar en que el hecho de ser abogado le daba a Curtis una gran ventaja.

—Además, serás tú quien lo haya abandonado —le recordó Emma.

—No se trata sólo de dinero —repitió Isabel.

—¿De qué se trata entonces?

Isabel deslizó dos dedos por el borde de su taza de té, ya vacía, describiendo un semicírculo.

—Siempre he lamentado haber sido yo quien abandonase a Gary; no haberme divorciado, sino haberlo dejado. Yo era la parte ofendida y me dio una pequeña satisfacción marcharme y dejarlo solo. Pero él me traicionó y nunca lo ha afrontado, ni siquiera lo ha reconocido, por lo menos hasta la fecha. Es algo al margen del hecho de que yo lo haya perdonado.

—Ya. Te dio todo un curso en el programa de estudios kármicas... —ironizó Emma.

—Cierto —dije al ver que Isabel miraba a Emma con expresión de reproche—. Te engañó, Isabel, y nunca lo ha pagado.

—Sí —dijo Emma—, ese cabrón hijoputa te mentía, te engañaba, se tiraba a toda la que se prestaba y se salió con la suya.

—Como Curtis —dije.

—No es un caso comparable —dijo Rudy.

—Ya lo creo que sí.

—Lo que ha hecho Curtis es peor —afirmó Emma mirando a Isabel—. En cierto modo, por lo menos, ¿no os parece? De que está enfermo no me cabe duda, pero ninguna enfermedad mental puede eximirlo de lo que le ha hecho a Rudy. Gary pensaba con la polla y mentía. Y ojalá se pudra en el infierno, pero no era una persona malvada.

—Tampoco Curtis... No. No voy a defenderlo.

—Más te vale —le advirtió Emma.

—Bueno —dijo Isabel—, lo que he querido decir antes es que Gary traicionó mi confianza. No quiero decir que «pecase».

—¿Qué entonces?, ¿que no vivía de acuerdo a su potencial humano?, ¿que no estaba suficientemente autoactualizado? —dijo Emma parafraseando las muletillas de moda entre los adeptos a la New Age.

—Pues mira, sí, gracias —dijo Isabel con cierto retintín—, llámalo como quieras. El caso es que nunca tuvo que afrontarlo, y tenía que haber pagado por ello. Y otro tanto digo en el caso de Curtis.

—En eso tienes toda la razón.

—Pero no por venganza —matizó Isabel al ver el fulgor de la mirada de Emma—, sino para equilibrar...

—Lo que tú digas.

—Tiene razón, Rudy —dije—. Por muchísimos motivos, lo que tienes que hacer es que sea él quien se marche. ¿Está ahora en casa?

—No, está de viaje. Vuelve esta noche.

—¿A qué hora?

—Tarde.

Nos quedamos pensativas.

—Le tengo un poco de miedo —dijo Rudy con voz queda.

Isabel y yo nos miramos un tanto inquietas.

—¿Por qué? —pregunté.

—Nunca me ha pegado ni nada parecido, salvo una vez, pero de eso hace mucho tiempo. Es más... no sé, puede que sea yo...

Nos rebullimos en las sillas, expectantes. Rudy cerró los ojos.

—Oh Dios, escuchadme —prosiguió—. No sé cómo lo consigue, cómo consigue que haga lo que él quiere. No es con violencia. Pero le tengo miedo. Me asusta. Y la verdad es que me avergüenza decíroslo.

—Dinos la verdad, Rudy —la urgí posando mi mano en la suya—. ¿Todavía lo quieres?

—No lo sé, Lee. No debería —dijo un tanto sonrojada—. Creo que el amor que pueda quedar agoniza. Lo siento, como si fuese a tener un aborto.

—Te acompañaré a casa si quieres —se ofreció Emma—. Porque a mí ese cabrón no me asusta.

—Yo también te acompañaré —dije, aunque enseguida pensé que primero llamaría a Henry.

—Iremos todas —dijo Isabel, que se apoyó en el bastón y se levantó trabajosamente—. Pero será mejor que vayamos en dos coches.

La miramos perplejas.

—Porque después Rudy no va a ir con Emma. Se quedará en su casa.

26

Rudy

Mis últimos años de estudiante universitaria fueron años locos (no los primeros porque, por la razón que fuese, todo el veneno que ingerí durante mi infancia no llegó a mi torrente sanguíneo hasta después de los veintiséis años). Es asombroso que aún siga viva. Nadie que me conozca ahora, salvo Curtis, sabe cómo era yo entonces (aún no conocía a Emma, y nunca se lo he contado, por lo menos no todo). No tuve más remedio que echarme a reír cuando Lee nos contó que una vez tuvo un ligue «de una noche». Me enterneció oírselo contar entre desafiante y avergonzada. ¡Ojalá tuviese yo un dólar por cada ligue de una noche! ¿De una noche? ¡Y de una hora!

Es curioso que nadie me tuviese por una calentorra en aquellos tiempos (o al menos eso creo). Nunca tuve fama de putón verbenero, como decíamos entonces. Quizá sea por mi apariencia (tengo aspecto de persona respetable), un don heredado de mi madre, un talante que proyecta esa dignidad tan característica de Nueva Inglaterra pese a su caos emocional. Mi madre... —traten de imaginar a Katherine Hepburn en un papel para Olivia de Havilland—. No pueden, claro. Pues ahí está el quid.

Tampoco era que me pasase sólo con el sexo, aunque el exceso fue de lo más... aparatoso. Me acostaba con tipos degenerados, violentos, casados, locos. Utilizaba el sexo como un analgésico (y, además, a conciencia, porque entendía perfectamente la razón terapéutica). Pero lo hacía de todas maneras. Me ayudaba el hecho de que los hombres me deseasen de verdad y, por lo tanto, podía tirarme a quien quisiera. Nunca me planteé saber estar sola, no entregarme así como así. Y, como he dicho, no se trataba sólo de sexo sino también de drogas y alcohol. Yo estaba en tratamiento psicológico (desde los trece años), pero el psiquiatra que tenía por entonces en Durham era un incompetente. Todo lo que sabía hacer era recetar psicofármacos y, por lo tanto, yo tomaba un montón de drogas legales, además de las ilegales.

Lo que yo hacía era ir a toda velocidad: utilizar las recetas para combatir el mono, el sexo para distraerme, el alcohol para no pensar, todo ello para escapar al creciente terror de que me había convertido, o no tardaría en convertirme, en una esquizofrénica o una maniacodepresiva en toda regla. No se trataba de una aprensión paranoide, porque ambas enfermedades van de la mano. Pero está claro que había elegido un medio de lo más disparatado para evitar la locura. Estoy convencida de ello, pero la verdad es que no he cambiado mucho. Eric dice que sí, pero no le creo. Mi mayor temor... en fin, no quiero ni pensarlo. Pero el caso es que es siempre el mismo. En realidad no ha cambiado nada.

Verán cómo conocí a Curtis. Por entonces, salía con un tal Jean-Etienne Leutze, un suizo que decía estudiar arte dramático en Duke, aunque lo que de verdad hacía era matarse a base de alcohol. Y, como es natural, me sentí atraída por él. Éramos tal para cual. Los «lanzados» nos llamaban nuestros amigos comunes, pero no sabían ni la mitad de la mitad. Una noche Jean-Etienne y yo tuvimos una pelea en su desvencijado y sucio apartamento de una sola pieza, de un barrio de estudiantes ruinoso y colorista bastante lejos del campus. Hasta aquella noche habíamos sabido estar a la altura de nuestras peleas, realmente imaginativos con los insultos que nos intercambiábamos y los objetos que nos lanzábamos. En aquellas escenas me sentía exultante, como si abriese las ventanas de par en par para que entrase aire fresco, aunque fuese un aire peligroso. Creía que Jean-Etienne era el hombre perfecto para mí, por lo menos allí y en aquellos momentos.

Pero no podía durar. La violencia era cada vez mayor. Una noche me pegó una paliza y me echó de su apartamento, literalmente (me arrastró hasta la puerta y me lanzó escaleras abajo hasta el siguiente rellano de un empujón). No me hirió, no me rompió ningún hueso, pero yo estaba muy borracha y casi desnuda. No llevaba más que las bragas.

Curtis vivía al lado. Yo lo había visto un par de veces, sólo de pasada, pero lo suficiente para pensar: Tú no encajas en estos barrios. Tenía un aspecto demasiado pulcro y digno. Era rubio, de ojos azules, serio, y siempre llevaba libros o un maletín. Él también había reparado en mí, aunque yo pensaba que se debía a habernos oído pared de por medio (haciendo el amor o gritándonos) y que debía de sentir curiosidad por saber quién era la degenerada compañera de Jean-Etienne.

Salió de su apartamento y me encontró acurrucada en el rellano, semidesnuda y muy confusa. Era más de medianoche, pero Curtis estaba prácticamente vestido de calle, con pantalones de pana, polo y zapatillas (porque estaba estudiando). Al mirarme, tocarme, ayudarme a levantarme y entrar en su apartamento, en ningún momento me pareció que me mirase con interés sexual. Aquello era nuevo para mí. Y atractivo. Es un don que tiene y que ha utilizado con mucha eficacia innumerables veces.

Pero aquella noche fue una novedad para mí, y me colé por él de inmediato.

Me trajo su albornoz y me preparó café para que me despejase. Recuerdo que quiso llamar a la policía y eso me conmovió, hizo que me sintiese agradecida como si acabara de toparme con un caballero andante. Estuvimos horas hablando o, mejor dicho, estuve hablando yo y él me escuchó absorto (algo que también me resultó muy atrayente).

Por entonces estaba más delgado y era más ingenuo y menos sabihondo, pero ya tenía ese autocontrol que tanto me atraía, precisamente porque yo no tenía ninguno.

Cuando llegó la hora de acostarse di por sentado que dormiríamos juntos. Pero me sorprendió sacando sábanas, una manta y una almohada y arropándome del modo más solícito en el sofá. Ni siquiera me besó.

Por la mañana me desperté yo primero. Me duché en su inmaculado cuarto de baño —muy distinto del de Jean-Etienne, que estaba hecho un asco— y luego fui a su dormitorio y me metí en la cama a su lado. Esa era la idea que yo tenía de un regalo de agradecimiento, un pequeño favor por un pequeño favor.

Pero me rechazó. Me deseaba (dormía desnudo, de modo que eso era obvio), pero no quiso poseerme; y su manera de apartarme, sin palabras, sin más que una leve sonrisa pero con firmeza, hizo que me sintiese avergonzada y... en su poder.

Y entonces se disparó un círculo vicioso (lo veo ahora con toda claridad) en el que yo ofendía y Curtis me perdonaba. Tardamos semanas en hacer el amor. Yo estaba frenética, consciente de que era yo quien más lo deseaba. Y cuando lo hicimos tuve el convencimiento de que Curtis se las componía para que lo siguiese creyendo así. Y me gustaba. Entré en el juego. No tardé en convertirme en adicta a su control. Era distinto a todos los hombres que había conocido. Era una persona de ideas fijas y claras y, a diferencia de mí, sabía exactamente lo que quería: medrar en la política. Sólo estudiaba derecho para que le sirviese de trampolín.

Nuestra relación nunca fue un camino de rosas, ni siquiera al principio. Desde fuera nos veía como la típica pareja en la que el hombre mandaba y la mujer obedecía. Pero las cosas no son siempre lo que parecen ni tan sencillas.

Poco antes de dejar Durham le dije que no quería seguir viviendo con él, que cuando llegásemos a Washington quería mi propio apartamento. Y no se lo dije porque quisiera romper sino porque necesita «respirar», como suele decirse. Además, quería frenar un poco le evolución de nuestra relación. En un extraño momento de lucidez comprendí que su actitud posesiva, absorbente, era perjudicial para mí y que aceptarla bordeaba lo patológico.

Por otra parte, yo no estaba preparada para un compromiso total. Seguía necesitando mucha autonomía, mucha libertad para autodestruirme, y no me interesaba la estabilidad que ofrecía el lado bueno de Curtis o, mejor dicho, sí me interesaba pero temía que me diese la vuelta como un calcetín y me anulase.

No podía creer lo que ocurrió a continuación. Trató de disuadirme, por supuesto, mostrándose razonable y metódico como sólo Curtis sabe hacer. Pero, por una vez, me mantuve firme. Replicó burlándose de mí y ridiculizándome, y eso me resultó más difícil de encajar, pero lo encajé. No estaba dispuesta a ceder.

Y entonces se dio a la bebida.

Es el vicio familiar de los Lloyd. Un mal vicio, sin duda, pero ¡qué lujo!, había pensado yo siempre, proceder de una familia cuyo único vicio fuese la bebida. Pero Curtis apenas bebía; a lo sumo una cerveza los sábados por la tarde o una copa de vino en un restaurante, que casi siempre me terminaba yo.

Curtis tenía que presentarse a los exámenes del Colegio de Abogados de Washington, para poder actuar ante los tribunales en casos de mayor cuantía (faltaban sólo tres semanas), y llevaba meses recluido como un monje, estudiando. Al día siguiente de nuestra fuerte agarrada, por lo de seguir o no seguir viviendo juntos, regresé de la facultad (aún no había terminado mi master en historia del arte) y lo encontré sin conocimiento en el sofá. Pensé que estaba enfermo, pese a ver una botella de whisky vacía asomar entre los cojines. Cuando caí en la cuenta, me dije que aquello era impropio de él, le solté un rapapolvo, lo obligué a beber café y lo llevé a la ducha.

No protestó ni dijo una palabra. Pese a estar como una cuba seguía dominándose. Cuando se hubo despejado lo bastante para valerse, se cambió de ropa y se marchó, sin decir palabra (hay que ver qué arma tan potente es el silencio). Volvió con cinco botellas de vodka y, durante los seis días siguientes, se las trajinó en su dormitorio, encerrado con llave.

Yo estaba frenética.

Como he dicho, teníamos muy pocos amigos comunes, y ninguno con quien tuviese bastante confianza. De modo que llamé a sus padres, que viven en Savannah. Fue una conversación fútil y un tanto surrealista, como si tratara de interesar a un pez en el hecho de que una de sus crías se estaba ahogando.

En cierta ocasión, mientras Curtis estaba en el cuarto de baño, corrí al dormitorio para tratar de quitarle su reserva de alcohol. Pensaba que se estaba matando, que se estaba intoxicando. Y la verdad es que así era, porque tenía un aspecto horrible. Se había abandonado; iba siempre sucio, y eso llamaba la atención en un hombre que había sido tan pulcro y meticuloso con su aspecto.

Pero Curtis me pilló in fraganti antes de que yo pudiera quitarle las botellas y, por primera y única vez, me pegó. No muy fuerte, porque estaba demasiado borracho, pero perdí el equilibrio y me hice un corte en la frente al golpearme con el canto de la puerta.

Al ver la sangre, Curtis se echó a llorar. Volvió al cuarto de baño y vomitó. Pensé que entonces lo dejaría, pero volvió tambaleándose a su dormitorio y empezó a beber otra vez.

De modo que desistí de disuadirlo.

—No voy a dejarte —le dije, mientras llorábamos los dos a lágrima viva—. Buscaremos un apartamento en Washington, un bonito apartamento en Capitol Hill; seremos ricos y felices y tú te harás famoso; llegarás a presidente y yo seré la primera dama, y siempre estaremos juntos.

Pero él no podía dejar de temblar y sollozar. Tuvo unas horribles arcadas que nunca olvidaré, entre otras cosas porque no ha vuelto a suceder. Cuando se hubo serenado volvió a la normalidad, y de nuevo se comportó con su seriedad y sobriedad acostumbradas.

Y eso me aterró tanto como me entusiasmó porque, hasta entonces, me había parecido inimaginable que yo pudiese tener ningún poder sobre él. Me parecía increíble que pudiera destrozar su vida con sólo alejarme. Pensé que era una enorme responsabilidad y que, en adelante, tendría que mostrarme muy solícita y amorosa, y muy delicada con él.

Tardé años en caer en la cuenta (y aun así de un modo vago y fugaz) de que aquello no era más que otro juego, que era él y no yo quien seguía controlando la situación, como un niño que hiciese pucheros para salirse con la suya.

Pues bien, nunca como ahora se me antoja más acertada esa analogía. Porque Curtis me ha amenazado nada menos que con su propia muerte para salirse con la suya. Pero esta vez ha ido demasiado lejos. Y, al fin, a él se le ha caído la careta y a mí la venda de los ojos.

Se acabó.

Creo que se acabó.

¿Cómo voy a poder seguir viviendo con un hombre que está mucho más loco que yo?

—Creo que deberías tirarle toda su ropa a la calle.

Miré a Lee, que pisó a fondo y pasó al carril rápido de la autopista Rock Creek. Pensé que quizá no hubiese sido muy buena idea dejarle conducir el BMW. Pero ella lo sugirió, Isabel la secundó, y en ese momento me pareció lo más sensato, porque yo estaba muy afectada y presa de un ataque de hipo. Pero jamás había visto a Lee tan furiosa. Conducía de un modo tan temerario que me pasé el trayecto sujeta a la manecilla de la puerta, y echando de menos que el coche de Curtis no tuviese *air bag* para el acompañante. Tenía que haber ido con Emma, que nos seguía a duras penas, tratando de no perdernos de vista con su pequeño Mazda.

—Y, por supuesto, has de llamar al cerrajero —añadió Lee—. Deberías llamarlo ahora mismo. Has de cambiar todas las cerraduras de la casa. Puedes llamar con mi móvil; lo llevo en el bolso.

Saqué el móvil, pero me sentía incapaz de llamar al cerrajero. Me giré para ver qué pensaba Isabel.

—Puede que no sea mala idea —me dijo desde el asiento de atrás—. Pero quizá sea mejor que esperes hasta que llegues allí.

—De acuerdo —asintió Lee, aunque como diciendo «luego no digas que no te lo advertí»—, pero a lo mejor no puede venir hasta mañana. El tiempo es esencial. Y otra cosa: en cuanto llegues a casa, has de empezar a llamar a las centrales de todas tus tarjetas de crédito. Si Curtis se pone en plan vengativo, intentará dejarte sin recursos. De modo que has de adelantarte con una maniobra defensiva. En estos momentos tienes ventaja, porque sabes algo que él ignora, pero en cuanto lo sepa las cosas podrían ponerse muy feas. ¿Conoces a buenos abogados? Yo llamaré a mi madre, que conoce a todo el mundo. ¿Es buen abogado el que te representó ante Gary, Isabel? Aunque, con franqueza, creo que Rudy necesita a alguien más duro. Necesitamos un tiburón.

Lee lo dijo apretando los dientes, y lo remató con *un abogado de lo más cabrón*. La expresión me dejó estupefacta, porque jamás le había oído decir un exabrupto a Lee. Pero me alegró que estuviese de mi parte.

—Dame el teléfono —me pidió—. He de llamar a Henry.

—Ya marco yo —dije, porque Lee estaba tomando las curvas a cien kilómetros por hora y no quería que soltase el volante ni en broma.

—No llames a mi casa porque no lo encontrarás. Está en casa de su madre —dijo Lee.

Me dio el número y lo marqué. Pero me temblaban tanto los dedos que reparé en que me había equivocado. Tuve que volver a marcar. No sabría decir si estaba tan nerviosa de puro entusiasmo, de miedo o de impaciencia. Probablemente era todo a la vez y envuelto en una vaga sensación de náuseas, al pensar en lo que me había hecho mi marido, mi mejor amigo, la persona en quien más confiaba yo en este mundo.

—Comunica —le dije a Lee—. Déjame llamar a Eric. —Marqué el número y, al oír que respondía el contestador automático, aguardé a que sonase el tono y dejé el mensaje—: Soy Rudy, Eric. Como notarás, tengo hipo. Voy a toda velocidad en un coche con Lee e Isabel. Emma va en su coche justo detrás del nuestro. Vamos a mi casa para impedirle la entrada a Curtis. *Hip.*

Lee e Isabel dejaron escapar una risita (todas estábamos un poco histéricas).

—No te lo vas a creer —proseguí—. Curtis me dijo que tenía leucemia (no había tenido ánimo de decírtelo antes) y hoy he descubierto que es mentira.

—Dile lo de la vasectomía —dijo Lee al tomar la curva para enfilar Independence Avenue.

—Y resulta que hace un año se hizo una vasectomía. No creas que estoy borracha ni que he tomado nada. ¡Es real como la vida misma! De modo que voy a dejarlo; o, mejor dicho, iba a dejarlo. Pero lo que voy a hacer ahora es echarlo. Tengo a las Gracias conmigo. Me gustaría que estuvieses con nosotras. Si llegas pronto a casa llámame a la mía. Pero llámame de todas maneras, llegues a la hora que llegues. Necesito hablar contigo.

—Cuelga ya, que he de llamar a Henry —me apremió Lee.

—De acuerdo —dije al teléfono—. He de colgar. Deséame suerte —añadí dejando caer el móvil al suelo—. ¡Oh, Dios! Estoy hecha un lío. ¿De verdad seré capaz de hacerlo?

—Pues claro —dijo Isabel, que se agachó para recoger el teléfono—. A ver, Lee, di otra vez cuál es el número de tu suegra.

Resultó que Henry tampoco estaba en casa de su madre. Lo habían llamado a casa de Jenny, por una avería que urgía arreglar, y había ido él en lugar de su madre a arreglarla.

Isabel marcó y le pasó el teléfono a Lee, que le explicó a Jenny sucintamente el problema, y Jenny le dijo que trataría de darle el mensaje a Henry enseguida.

—Sí, por favor —le encareció Lee—. Es muy importante. ¿Adónde ha tenido que ir exactamente ese hijoputa para esa avería?

Isabel y yo pusimos ojos como platos. Porque Lee estaba batiendo aquella noche todos sus récords de tacos.

—Ha tenido que ir nada menos que a Burke —nos informó Lee—. Pues, en cuanto pueda, dígale que vaya a casa de Rudy. Sí, ya sabe dónde vive. Sí, en Capitol Hill. Lo sabe, Jenny, gracias. Sí, bueno... no lo sabemos. Es posible. Adiós—. Desconectó y añadió mirándonos—: Dice que tengamos cuidado. Ojalá intente algo ese cabronazo... No, mejor que no. ¿Creéis que convendría que escondiese el coche?

—¿Esconder el coche?

—Sí, porque si lo ve, se lo quedará. ¿Qué preferís que le deje, el BMW o el jeep? —le pregunté—. Aunque —añadí al caer en la cuenta—, la verdad es que este coche es suyo; y me parece que los dos son suyos.

—¿Están los dos a nombre de Curtis?

—Creo que sí, pero no estoy segura. Quizá el jeep esté a nombre de los dos.

Lee farfulló una retahíla de tacos.

—Pues entonces ¡a hacer puñetas! —dijo mientras aparcaba frente a la casa en doble fila—. Confío en que te guste desplazarte en metro.

Al bajar del coche vi que la luz del porche estaba encendida.

—Oh, no.

—¿Ha llegado ya? —dijo Isabel tocándome el brazo.

—Sí.

De modo que habría leído mi nota. «He ido a ver al doctor Slater —pensé recordando lo que le había escrito—. Lo sé todo. Voy a dejarte.»

Emma llegó con su Mazda y se apresuró a aparcar al otro lado de la calle.

—¿No habrás dejado las luces encendidas, Rudy?

—No.

—Hummm.

—Sí que está en casa —confirmó Lee.

El resplandor de la luz de las farolas me permitió ver en sus ojos una expresión de impaciencia.

Emma tomó mis manos entre las suyas.

—Tienes las manos heladas y entumecidas —me dijo a la vez que me las frotaba para calentármelas—. Ahora escúchame bien, Rudy. Si quieres, nos quedamos fuera.

—¿Cómo? —exclamó Lee.

Pero Emma la ignoró.

—Como tú quieras —prosiguió Emma—. Si quieres hablar

con él a solas es cosa tuya. Pero, en cualquier caso, sabes que nos tienes a mano.

—No; quiero que entréis conmigo.

Todas respiraron aliviadas.

—Lo puedes hacer. Eres fuerte —me dijo Emma mirándome a los ojos—. Piensa que dentro de unos minutos habrás superado lo más difícil.

—Y sabes que estamos contigo —dijo Isabel—. No te será tan difícil sabiendo que todas estamos a tu lado.

—Exacto —remachó Lee—. Sólo te será la cuarta parte de difícil, porque estamos unidas.

—¿De acuerdo? —me dijo Emma, y por un momento pensé que iba a invitarnos a juramentarnos y sellar el pacto con un apretón de manos—. Así que, venga. ¿De acuerdo? Pues manos a la obra.

Fuimos por la acera como un pelotón de aguerridos soldados, aunque a paso lento porque Isabel tenía que caminar apoyada en el bastón (aparte de que tuvimos que separarnos en los escalones del porche, porque eran demasiado estrechos para que cupiésemos las cuatro).

Pero seguimos con paso marcial como si marchásemos hacia la batalla; las cuatro a enfrentarnos a un enemigo listo, peligroso, de reacciones imprevisibles y de quien, incluso entonces, parte de mí podía seguir enamorada.

Saqué la llave y abrí la puerta de la entrada. La luz del vestíbulo estaba encendida y vi a Curtis bajar por las escaleras desde la planta superior. Al verme, se detuvo perplejo a mitad del tramo. Estaba pálido y desencajado pero me sonrió.

Y de inmediato empecé a ablandarme, a fundirme como la nieve con el sol. Al abrir del todo la puerta pudo ver quiénes me acompañaban. Una expresión de hostilidad sustituyó a la cara de alivio que había puesto al verme. Pero eso no hizo sino reafirmar mi decisión.

—¿Qué significa esto? —dijo él—. ¿Una encerrona?

Vale, vale, pensé. Cuanto más impertinente te pongas más me facilitarás las cosas. Lee entró la última y cerró la puerta. Casi nada más bajar del coche se me había pasado el hipo.

—Curtis —dije con voz aflautada—, quiero que salgas de esta casa ahora mismo.

Era pura pose, desde luego. Porque, por dentro, oscilaba entre el pánico y una especie de extraño distanciamiento. Ver a Curtis y saber lo que sabía resultaba desconcertante, como si me costase encajar su imagen con su oscura sombra.

—Tenemos que hablar, Rudy —me dijo como si no me hubiese oído.

— No pienso hablar contigo —repliqué—. Sólo quiero que te marches. Te vas a un hotel, con tu amigo Teeter o con quien quieras.

—Mira, Rudy, diles a tus amigas que se marchen —dijo entre dientes—. Tengo que decirte muchas cosas, pero no en público —añadió, tendiéndome la mano a modo de sutil capitulación—, por favor.

Mis amigas me miraron. Aunque a regañadientes, se marcharían si yo se lo pidiera; por lo menos Lee e Isabel (sobre Emma ya no estaba tan segura).

—No se van a marchar —repuse con firmeza y, por su expresión y su manera de erguirse, noté que mis amigas se sintieron orgullosas de mí—. No se va a ir nadie más que tú —añadí envalentonada.

Le noté un tic bajo el párpado izquierdo.

—Te equivocas. Ya hablaremos después —replicó a la vez que subía escaleras arriba.

Emma, Lee e Isabel me miraron.

—¡Curtis! —lo llamé—. ¡Quiero que te marches!

No me contestó y desapareció tras el primer rellano.

¿Cómo se me habría ocurrido pensar que aquello iba a ser tan fácil?

—¿Y ahora qué? —dije mirando en derredor con expresión de impotencia.

—Has estado formidable —dijo Emma zarandeándome un poco el hombro.

—Desde luego que sí —secundó Isabel.

—Sí, ¿verdad? —asentí quedamente—. No me he acoquinado.

—Pero aún no has conseguido que se marche —me recordó Lee.

—¿Y qué quieres que haga?

—Has de hablar con él —dijo Isabel.

No creía que fueses tan ingenua, pensé.

—Y nosotras te acompañaremos —añadió Isabel.

—¿Todas?

Mis amigas asintieron con la cabeza.

Resultaba un poco grotesco, pero preferí no pensarlo.

—De acuerdo, pues. Vamos —dije.

La cara que puso Curtis al vernos a las cuatro resultaba indescriptible. Estaban inclinado frente a su armario abierto. Se había quitado la corbata y empezaba a desatarse los zapatos.

—¿Qué significa esto? —exclamó con una risa ahogada y expresión airada.

Yo agité el índice señalando el saco de viaje que había tirado encima de la cama.

—No te molestes en deshacer el equipaje, porque tendrías doble trabajo.

Curtis me miró como si no me reconociese. Luego respiró hondo con aquella expresión condescendiente que tan buen resultado le había dado conmigo hasta entonces.

—No es el momento de hablar de ello, Rudy.

—Cierto. No pienso hablarlo. Quiero que salgas de esta casa. Sé lo que has hecho y espero que no te atrevas siquiera a negarlo. No soy yo quien ha de marcharse sino tú.

Isabel estaba a mi derecha y Lee a mi izquierda. Emma se había sentado en el borde de la cama, a modo de avanzadilla, ocupando más territorio enemigo. La posesión es el noventa por ciento de la ley.

Curtis hizo un amago de mirarnos con ironía; él, un hombre sensato, frente a la irracionalidad de un grupo de mujeres.

—¿No podrías aconsejarles a tus amigas un poco de sensatez? —dijo Curtis dirigiéndose a Isabel.

Ella dio dos pasos hacia Curtis, alejándose de nosotras. Con una mano empuñaba el bastón y con la otra el bolso. Llevaba el abrigo puesto, igual que las demás.

—Lo único que pide Rudy es lo justo: un poco de generosidad por tu parte. ¿No crees que por lo menos se la debes? Para empezar a equilibrar la balanza un poco, ¿no te parece?

La hubiese abrazado. Era la mejor valedora. Sin duda su sencilla honestidad afectaría a Curtis, contribuiría a que viese su mal comportamiento con claridad.

Él le sonrió. Aspiró por la nariz y ni siquiera se molestó en contestarle.

Lee se aclaró la garganta.

—No creerás que vas a salir de esto ileso, ¿verdad? No te habrá pasado por la cabeza que, después de lo que has hecho, ella te va a perdonar y vais a volver a la normalidad como si tal cosa, ¿verdad?

—¡Largo de aquí! —le espetó Curtis.

Lee se irguió muy digna.

—No nos vamos a largar. Tú te lo has buscado. Rudy no necesitaría que estuviésemos aquí si no fueses tan violento.

—¿Yo violento?

—Sí, emocionalmente violento.

—Curtis... —empecé. Me miró esperanzado, desistiendo de razonar con mis amigas—. No hay nada que hablar. No puedes darme ninguna explicación. Sé lo que hiciste e incluso por qué, de modo que no necesitas explicarme nada. Lo único que te pido es que te marches.

Curtis se adelantó y me encaró, tan cerca que tuve que armarme de valor para no retroceder.

—Pues entonces hablaremos luego —dijo quedamente pero con firmeza, dirigiéndose sólo a mí—. Me marcharé si eso es lo que quieres, pero volveré cuando tus guardaespaldas se hayan marchado y hablaremos. Sabes perfectamente que tenemos que hablar, Rudy.

¿Era pedir mucho por su parte? Después de cinco años de vida en común y seis años de matrimonio, ¿era pedir mucho? La verdad era que sí teníamos que hablar, ¿no?

El tenso y dubitativo silencio se prolongó. Vi en el espejo del armario que Emma bajaba la vista con los hombros caídos. Comprendió que yo iba a ceder. Y estaba segura de que si Curtis se quedaba a solas conmigo se saldría con la suya.

—No —dije con un inmediato suspiro de alivio—. Lo siento, Curtis. La próxima vez que hablemos será en el despacho de un abogado.

—No lo dices en serio —replicó él meneando la cabeza—. Te avendrás a razones en cuanto lo pienses mejor. Tú sola. Te conozco, Rudy...

—Ya me estoy aviniendo a razones. Y me resulta muy reconfortante. De modo, Curtis, que haz el favor de marcharte.

—Escúchame —se apresuró a decirme—. Iba a decírtelo esta

noche. Ya no podía soportar más los remordimientos. Sólo lo hice para conservarte, aunque sabía que no estaba bien, que no era justo. Esta noche iba a decirte la verdad, en serio, Rudy, y proponerte que recurriésemos a terapia matrimonial, con Greenburg si quieres.

—Oh, Curtis —exclamé sin poder evitar reírme.

Emma y Lee rieron a carcajadas, e incluso Isabel sonrió. Si no llega a mencionar a Eric quizá lo hubiese creído.

—¡Anda y que os jodan a todas! —espetó Curtis, que al fin se quitó la careta enseñando los dientes y dirigiéndonos una mirada de odio—. ¡Quitaos de en medio!

Salió con cajas destempladas de la estancia, tropezó con Lee y bajó por las escaleras.

Pero escuchamos con atención y no oímos que la puerta de la calle se abriese ni se cerrase.

—¿Y bien? —dijo Lee.

—Tú dirás —dijo Emma—. Yo estoy dispuesta a no acostarme en toda la noche.

—Nos dispersaremos para ocupar toda la casa —propuso Isabel.

Yo estaba confusa.

—Tiene gracia la cosa, ¿no? —dije mirando a Emma, retorciéndome las manos.

—Todavía no la tiene, pero la tendrá —repuso Emma.

—¿Estás segura?

—Por completo.

—De acuerdo.

Emma agarró la bolsa de viaje de Curtis y salimos todas del salón.

Lo encontramos en la cocina tratando de hacerse café. Isabel, Emma y Lee se situaron hombro con hombro de espaldas a la repisa y yo frente a ellas. La luz amarillenta de la cocina le daba a nuestros tensos rostros un tono espectral. Cuatro cazadoras y una presa.

Curtis parecía haber recobrado el dominio de sí mismo. Torcí el gesto, porque su aplomo es más peligroso que su ira.

—Es inútil, Curtis —dije porque sentí la necesidad de recordárselo a él y de recordármelo a mí misma—. Has pretendido hacerme creer que tienes leucemia.

Curtis terminó de llenar la medida de su descafeinado, la vertió en el depósito y accionó el interruptor. Luego se dio la vuelta. Se llevó las manos a las sienes, como si se pusiese anteojeras, como si no quisiera ver a mis amigas sino sólo a mí.

—No me pongas en evidencia —dijo él en un tono que por primera vez me sonó sincero—. Sólo te pido que me des la oportunidad de explicarte por qué lo hice.

Noté que volvía a ablandarme peligrosamente.

Gracias a Dios, Isabel se decidió a intervenir.

—Pero esa no es la única mentira que has dicho —le dijo.

¿Cómo pude haberlo olvidado? Me sentó bien notar que la incredulidad y la indignación volvía a mí con un rugido ensordecedor. Y Curtis tuvo al fin la decencia de bajar la vista.

—Eso, por sí solo, me parece que basta para pedir el divorcio —dijo Lee—. ¡Decirle a tu mujer que querías tener un hijo cuando acababas de hacerte una vasectomía! —exclamó mirándolo con incredulidad—. ¿Qué pretendías? ¿Querías que lo descubriese? ¡Por el amor de Dios! ¿No ves que Rudy y tú vais al mismo médico de cabecera?

Curtis se quedó boquiabierto. Se estaba transformando lentamente ante mis ojos en un hombre a quien no sólo ya no amaba sino que ni siquiera me gustaba. Al fin encontró palabras para replicarle a Lee.

—Eso no es asunto tuyo —le dijo.

Patético. Y, por extraño que parezca, me hizo sentir en ridículo.

—No me explico por qué te he querido durante tanto tiempo —dije.

—Porque se da mucha maña para lo que le interesa —se adelantó Lee—; o sea, para manipular a los demás. Eres... —añadió mirando a Curtis— eres despreciable.

—¡Anda y que te den por el culo! —le espetó él.

Cada vez parecía más patético. Tenía dos burbujitas de saliva en la comisura de los labios.

—¿Quieres hacer el favor de decirles que se larguen? —insistió.

—No, eres tú quien va a largarse.

Se echó a reír y me dio un empujón, no muy fuerte pero lo suficiente para soliviantar a Emma.

—¡Eh, eh! —exclamó ella.

Las tres nos rodearon de inmediato.

Y justo entonces sonó el timbre de la puerta. Quienquiera que fuese estaba muy impaciente. El grupo que se había formado en la cocina empezó a dispersarse. Curtis hizo amago de ir a abrir, pero Lee se le adelantó, y entonces recordé que había llamado a Henry.

Emma me dirigió una mirada inquisitiva al ir todas hacia el salón. ¿Estás bien?, venía a preguntarme.

La verdad es que yo temblaba de pies a cabeza. Pero cuanto más se alargaba la situación, mejor me sentía. El empujón de Curtis fue como si me hubiese tomado una anfetamina de efecto inmediato, tan fuerte que casi me aturdió. Me produjo una excitación artificiosa, pero eficaz en aquellos momentos.

Pero no era Henry quien llamaba sino su madre.

Nunca había visto a Jenny con la indumentaria de trabajo. Las descripciones de Lee no le hacían justicia. Llevaba un mono de algodón y una camisa roja de franela, una riñonera de piel con las herramientas y botas de goma hasta las rodillas, una gorra de visera que cubría su moño y que decía PATTERSON & HIJO y en la pechera, en letras amarillas, «Jenny».

Al vernos, ella y Lee interrumpieron la conversación que mantenían en voz baja en la entrada.

—Tengo entendido que tenéis un problemita —dijo con su marcado acento sureño.

—¡Ja ja!

Curtis rió de un modo tan artificioso que sentí pena por él.

—¡Es increíble! ¡Menuda guerra! ¡Movilizáis hasta a las lesbianas!

—¡Cuidado con lo que dices, monín! —le advirtió Jenny con aplomo.

La llegada de Jenny fue como una bocanada de aire fresco en una atmósfera viciada.

Curtis lo notó. Tras un tenue velo de desdén se sabía copado. Y de inmediato adiviné lo que iba a hacer a continuación.

—¡No! ¡No lo hagas, Curtis! —exclamé.

Curtis agarró con ambas manos la vitrina de cristal y bronce contigua a la ventana. Como no pudo levantarla la empujó con violencia y, casi dos metros de vitrina con las estanterías llenas de objetos de cerámica se hicieron añicos contra el parquet. Mis jarrones, mis cuencos, todo roto; todo el suelo sembrado de esquirlas de cristal y fragmentos de cerámica. Todo a hacer puñetas.

Nadie se movió. Curtis masculló entre dientes algo ininteligible, sulfurado, observándonos, desafiándonos a reaccionar. Emma emitió un ruido gutural, furioso. Con el rabillo del ojo vi que Isabel la sujetaba por el brazo tratando de retenerla.

La actitud soliviantada de Emma me envalentonó aún más. Me alejé unos pasos del círculo protector de mis amigas y me encaré a Curtis. Me acerqué tanto que casi nos tocamos. No sentí miedo en absoluto y me alegraba de que hubiese roto mis piezas de cerámica. Porque, al igual que el empujón, aquello no hizo sino ayudarme a ver aún con más claridad.

Con todo, mi voz no parecía realmente mía. Las palabras me salieron entrecortadas y agudas.

—Márchate. Sal de aquí o llamo a la policía.

Se echó a reír.

—Y se lo diré a Teeter. Le contaré lo que has hecho.

Se puso pálido. Por fin había encontrado la estaca adecuada para clavársela en el corazón.

—Y si tratas de perjudicarme de alguna manera, despídete de tu carrera como abogado. ¡Despídete, sabandija!

Curtis meneó la cabeza como si no pudiera dar crédito a lo que oía.

—¡Sabandija! —le espeté para remachar mi actitud.

Una de ellas se echó a reír (creo que fue Jenny).

Curtis giró en redondo. Las cinco cerramos filas. Creo que habría sido capaz de agredirnos, por lo menos a mí, de destrozar más cosas de la casa, como había hecho con la vitrina. Pero éramos cinco y se acobardó. Además, una llevaba un bastón y otra una llave inglesa de casi medio metro.

—Lárgate —le espeté por enésima vez.

Y se marchó.

Jenny encendió el fuego en la chimenea. Lee sirvió el café que Curtis había preparado y Emma nos miró risueñas.

—Podríais felicitarme por haberme mordido la lengua, ¿no? —dijo.

Yo había dejado de temblar y me había tranquilizado lo bastante para llamar a Eric, pero no estaba en casa. Le dejé un mensaje incoherente que terminé así: «Me alegro de no haberte encontrado, de verdad, porque así no has podido ayudarme y he tenido que componérmelas sola.»

No era cierto, claro. Porque de no ser por mis amigas no habría podido.

—Mira, aquí hay una pieza que no se ha roto —dijo Isabel tendiéndome un pequeño jarrón glaseado en forma de berenjena.

Era una de mis primeras piezas y no muy buena, pero siempre me había gustado. Quizá se había salvado porque pesaba bastante.

—Y hay un par que creo que podrás pegarlas, Rudy; me parece, vaya —añadió.

—Ten cuidado con los cristales —le dijo Lee desde el sofá—. Ven aquí junto al fuego, Isabel.

—Estaba segura de que si se me ocurría abrir la boca se iba a enfurecer demasiado. De modo que me he callado —dijo Emma.

—Has estado formidable —la felicitó Lee.

—No, pero no ha sido como cuando rescatasteis a *Gracia* y yo no hice nada. Esta vez no he hecho nada *a propósito*. Pero me ha costado lo mío dominarme, no vayáis a creer.

La abracé y ella me sonrió, ya apaciguada.

—Has estado magnífica —reafirmé por mi parte—. Y ya sé cuánto ha debido costarte.

—No, quien ha estado extraordinaria has sido tú —me dijo—. Oh, Rudy, ¡cómo lo has puesto!

—Lo de sabandija me ha encantado —dijo Lee risueña.

—Lo que no entiendo es que te dejases engatusar por semejante chiflado —dijo Jenny, recostándose en el respaldo del diván.

Jenny se había quitado las botas y la riñonera de las herramientas y se había puesto la gorra al revés, con la visera hacia atrás. Tenía toda la pinta de esas amas de casa tan avispadas que presentan en algunas series cómicas de televisión.

—Menuda cara ha puesto cuando nos ha visto a todas entrar en el dormitorio —dijo Lee frotándose las manos—. De foto, vaya...

—Tú también has estado magnífica —le dijo Emma—. «Eres... despreciable» —añadió remedando la voz de Lee.

—Sí. Y se ha quedado sin habla; no ha sabido cómo justificarse. ¿No te sientes mucho mejor, Rudy? Espero que no tengas el menor remordimiento. Has de estar orgullosa de ti.

—Y lo estoy, ya lo creo que sí —dije, aunque aún me castañeteaban un poco los dientes y me estremecía.

El fuego de la chimenea, el café caliente, la manta con la que Emma me había arropado, no bastaban para que desapareciese el frío interior. Quizá debería tomarme una copa.

—No hará nada —dijo Emma—. Me refiero a que no tratará de perjudicarte. Lo has puesto en su sitio llamándolo sabandija.

—Sí —asintió Lee—, amenazarlo con decírselo a sus socios ha sido brillante. De modo que ahora tienes la sartén por el mango y podrás sacarle lo que quieras.

—No quiero sacarle nada.

—Bueno... eso dices ahora.

—No, de verdad. Me conformo con ir tirando hasta que vea claro cómo encarrilar las cosas —dije abrazándome bajo la manta, de nuevo estremecida.

—Mira, Rudy, como no le ajustes bien las cuentas a ese cabrón no vuelvo a hablarte en la vida —dijo Emma entre bromas y veras.

Empezaron a hablar de cambiar las cerraduras y de llamar a los bancos, a las compañías de seguros, y de informarse sobre qué abogado podía convenirme. Lee era quien más consejos me daba, como si se hubiese divorciado seis veces. Pero ella es así, siempre cree saberlo todo.

Poco a poco empecé a rehacerme. Pero me preguntaba si todo aquello iba a servir de verdad para algo. Parecía que sí. Sin embargo, aunque así fuese, me asustaba la perspectiva. Sería lógico que, durante los primeros días, estuviese un poco asustada, porque aún había muchas posibilidades de que todo se volviese en mi contra. Quizá por eso sentía el extraño y poderoso impulso de llamar a mi madre. No me lo explicaba. Y como no me lo explicaba me levanté para llamar a Eric otra vez.

—He de marcharme ya —dijo Lee adelantándoseme—. ¿Con quién volvemos? ¿Con Emma? A Jenny no le pilla de camino —añadió, porque Henry había llamado desde su coche hacía una hora y, al decirle que no lo necesitábamos, había ido directamente a casa—. ¿Estás lista, Isabel?

Isabel no contestó.

—Se ha quedado dormida —dijo Emma—. Se ha quedado dormida en el suelo.

Lee se acercó sin hacer ruido hasta donde Isabel yacía de costado, con medio cuerpo en la alfombra y el otro medio en el parquet.

—¿Estás despierta, Isabel? Es que ya nos vamos —dijo arrodillándose a su lado—. ¿Isabel?

Emma y yo nos quedamos sin aliento. Nos acercamos atraídas por el tono alarmado de Lee. Pero entonces Isabel abrió los ojos y sonrió, y yo respiré aliviada al desechar el negro presentimiento que me había asaltado.

—Anda, levanta, dormilona —le susurró Lee.

—Me temo que no voy a poder —dijo Isabel apoyando la mano, lívida, en la rodilla de Lee.

—¿Por qué? ¿Te encuentras mal? ¿Qué te pasa? —dijo Lee mirándonos—. ¡Llama a una ambulancia, Rudy!

—No, no —protestó Isabel humedeciéndose los labios—. Llamad a Kirby —añadió quedamente—. ¿Me oyes, Lee? Sólo llama a Kirby.

27

Isabel

Febrero...

Al releer cartas y papeles encontré mi última agenda, una que había utilizado durante quince años antes de la actualizada que uso ahora. Leí los nombres que había escrito pulcramente, junto a recordatorios sobre cuál era el nombre de pila del cónyuge y las fechas de los cumpleaños de sus hijos. No sé cómo interpretar el hecho de que muchas de estas personas, casi una tercera parte, no pasaran a la agenda actualizada. ¿Puro desgaste? Frías palabras para una de las pequeñas tragedias de la vida. Las personas se alejan, desaparecen o se quedan por el camino.

Cuando Gary y yo nos separamos, muchas amistades desaparecieron completamente. Pero hay alejamientos que resultan un tanto extraños.

Fay Kemper, por ejemplo, que vivía en Thornapple Street. Coincidíamos en el parque paseando a los perros, en el mismo lugar en que conocí a Lee. A las dos nos gustaba la jardinería y nos visitábamos. Tenía una hija de la edad de Terry y hablábamos por teléfono durante horas acerca de nuestros hijos. Sin embargo, se esfumó. Nuestros maridos nunca simpatizaron (ese fue un obstáculo) pero no lo explica todo. Yo apreciaba mucho a Fay, pero no hice nada por conservar su amistad, ni ella por conservar la mía; simplemente, nos alejamos. Y hay muchas más como ella. Ya sé que este tipo de amistades superficiales van y vienen en la vida de todas las personas; es una consecuencia inevitable debida a las circunstancias, a los gustos de cada cual, a la ocasión, la apatía... y sin embargo, pese a ser consciente de ello, me entristece.

Durante toda mi vida he deseado expresarles mi cariño a los demás. A veces me ha retenido el temor de que mi cariño les tuviese sin cuidado, que no les importase ni poco ni mucho, que se aprovechasen de mí al saber la estima que les profesaba.

Ahora es distinto. Los años se acumulan como la nieve en el alféizar. Y no tengo un momento que perder.

Esta hora del día me aterra. No quiero morir en invierno. No quiero que mi última imagen de este mundo sea la del tristón crepúsculo a través de la ventana de mi dormitorio; ver cómo se balancean las ramas bajo el cielo del ocaso. Porque el viento es muy frío y cruel y lo imagino llamándome entre su áspera respiración.

Quiero despedirme con un tiempo cálido y un cielo azul. Me gustaría oír el zumbido de una mosca, un avión rugir bajo un cielo despejado, una conversación que me llegue desde otra habitación. Risas. Olor a hierba.

No puedo perdonarle a mi cuerpo que me haya traicionado. Soy mi mejor amiga, y me he dejado en la estacada. ¿En quién puedo seguir confiando? Es una tontería, ya lo sé. Pero sigo teniendo arraigado el mito de mi inmortalidad, aunque inevitablemente empiece a desdibujarse. Eso me produce accesos de pánico. Voy a morir, recuerdo de pronto tras unos días de inexplicable olvido de mis inexorables perspectivas, y se me dilatan las venas de puro pánico. Se me hace un nudo en el estómago y me echo a llorar de un modo compulsivo, jadeo, me desmorono bajo el peso de una tristeza insoportable; por mí misma, por todos los seres humanos que, un día u otro, habrán de pasar por el mismo trance. Qué carga tan pesada nos vemos obligados a llevar a la sombra de la muerte que aguarda, bajo el ala del negro pájaro de la muerte.

¿Por qué es la muerte tan misteriosa? Es un tabú, como el sexo para una virgen, un secreto celosamente guardado bajo llave. He pasado mi vida creyendo que todo moriría... salvo yo.

Supongo que es de la única manera que podemos vivir. Se debe a creer que somos nuestros cuerpos. No es natural considerar nuestra carne, nuestra sangre y nuestros huesos como una morada temporal de la que pronto nos echarán. Pero últimamente estoy más cerca de descubrir el secreto, creo yo, la lección: que la muerte no es algo anómalo, detestable, una catástrofe indescriptible sino un círculo, no una línea recta, cuanto más largo mejor; un círculo que jamás termina sino que se ensancha.

Marzo...

Emma viene a verme casi todos los días. Y siempre me hace reír. En lugar de la exclamación cristiana «Oh, Dios», exclama un ateo «Oh, mierda».

Nunca me ha mencionado a Mick Draco. De modo que el último día que me visitó saqué yo el tema a colación (aguardar al «momento oportuno» es un lujo que ya no me permito). Pareció impresionada y aliviada, aunque no especialmente sorprendida, por que yo supiese quién era.

—Suponía que acabarías por adivinarlo —me dijo—. Y por eso he estado muchas veces tentada de contártelo.

—Pero imaginabas que lo desaprobaría, porque es un hombre casado, ¿no?

—No, no creía que lo desaprobases ni nada de eso, Isabel. Ni en mi caso ni en el de ninguna otra persona a quien quieras.

—Digamos entonces que no me gustase.

—Eso sí; que no te gustase.

—Cierto —dije—. El adulterio, así *in abstracto*, es algo que me desagrada, incluso podría decir que lo detesto.

—Pues ya somos dos.

—Pero en los casos concretos es un poco más complejo, ¿no?

—Te adelantaré que Mick y yo no nos hemos acostado nunca.

—¿Y habéis terminado?

—Sí. Yo he roto. Me pedía que lo esperase. Trata de librarse de su matrimonio sin hacerle daño a su esposa —dijo con expresión sarcástica—. Algo que no me parece posible, sobre todo teniendo en cuenta que, según Lee, llevan cinco años yendo al psicólogo. O sea que digámoslo de otro modo: no estoy dispuesta a esperar a que rompan.

—¿Y ahora te sientes bien?

—Qué va. Estoy fatal.

—Quizá debiste decirle que lo esperarías —dije, porque últimamente reparto consejos a diestro y siniestro; soy como una fuente de sabiduría.

—Pero esperar es sufrir, Isabel. Y ya he agotado mi capacidad de sufrimiento.

Leí entre líneas que se refería al sufrimiento debido a mí. La cosa tiene cierta gracia, porque paso más tiempo consolando a quienes me quieren que compadeciéndome. Resulta agotador, aunque también me conforta. Porque, a fuerza de tratar de convencer a los demás de que lo que me ocurre no es una tragedia, casi llego a convencerme a mí misma.

Lee no es fácil de consolar, e imposible de convencer. Se siente muy desgraciada. La solución a uno de sus problemas me parece sencilla pero ni siquiera yo albergo la pretensión de podérselo solucionar.

Hace unos días fuimos de excursión en su coche. Hacía semanas que yo no salía del apartamento más que para ir al médico, al acupunturista o al fisioterapeuta. Cuando voy a verlos tomo un taxi y me acompaña Kirby. Pero aquel día me sentía inusualmente fuerte, y resultó una excursión muy agradable para Lee y para mí. Puro placer. Nos llevamos a *Gracia*.

Al fin se ha terminado el invierno, y di gracias a todos mis dioses por ello. Ya podía eliminar la preocupación por morir en la desabrida estación. Me sentó de maravilla ir a buena velocidad en el coche, con las ventanillas bajadas y el viento dándonos en la cara. Fuimos hasta Virginia, por esas preciosas carreteras estrechas de la zona de Purcelville y Philomont. *Gracia* iba con el hocico asomado a la ventanilla dejando que el viento le echase las orejas hacia atrás. Parecía una perrita voladora.

—¿Querrás quedártela?

Lee fingió no oírme.

—Kirby se la quedaría, si se lo pidiese. Pero preferiría que fueses tú.

Pensé que Lee lo dejaría correr y se limitaría a no contestarme, pero al cabo de un rato me dijo: «Sí, me la quedaré.» Luego las dos fingimos que era el viento el que nos hacía lagrimear.

Gracia es una perrita muy cariñosa. En la actualidad *gracia* significa algo más para mí. Me ha sido concedida la gracia de ver...

en fin, nuestro mutuo entendimiento. Es casi primitivo, de puro fácil. Literalmente, estamos todas juntas en esto, y mi ira casi se ha disipado por completo. Tengo la sensación de que somos una unidad que lo abarca todo y a todos.

Un don.

Pero aun así, sería todo más fácil si pudiésemos abandonar este mundo acompañados de un amigo, un compañero. Ah, si pudiéramos llevarnos a un amigo con nosotros. No sería tan triste.

Una mujer de los servicios sociales vino a hablar conmigo y me dijo que, a partir de entonces, vendría una enfermera los martes y los jueves por la tarde para echarme una mano. Se llama Roxanne Kilmer. Tiene veintisiete años y me temo que ha equivocado la profesión o accedido a ella demasiado joven. Creo que una mujer debería tener más experiencia, saber más de la vida antes de ver las cosas que Roxanne ha de ver.

Pero me cae bien y soy lo bastante egoísta para querer que siga viniendo. Me ayuda a bañarme, me cambia la cama, organiza mi dieta y cuida de que tenga y tome los medicamentos que me recetan. Me gusta su competencia y desenvoltura, que se muestre amable conmigo pero sin compadecerme. La verdad es que debo considerarme afortunada: tengo a Roxanne; tengo a la señora Skazafava, que saca a pasear a *Gracia* todos los días a las cuatro de la tarde, y lo hace encantada; y tengo a mis amigas del grupo de las Gracias.

Una de las cosas que se les hace más cuesta arriba a las personas que están en mi situación (el temor a morir solas) se ha disipado. Ya no figura en mi lista de todo lo que me angustia.

Y además tengo a Kirby. La funcionaria de los servicios sociales anotó en su informe que él es la «persona que más la cuida», algo tan obvio y evidente que ni siquiera me he percatado de ello ni aceptado. Supongo que se debe a la poca importancia que Kirby se da, y porque ha entrado en mi vida como de puntillas; como uno de esos arbolitos que se plantan en primavera y a la siguiente se han convertido en un arce exuberante, tan perfectamente asentado que ya no recuerdas cómo era el rodal del jardín cuando no estaba. Lo único que me preocupa es que distraiga demasiado tiempo de su trabajo para estar conmigo. Pero no me deja ni hablar de ello, y mucho menos que lo reconvenga. Lo considera asunto de su exclusiva competencia.

De todas maneras, ya me fatiga hablar demasiado, de modo que ahora hemos invertido los papeles. Por una vez, Kirby habla más que yo. Al principio le costaba. Pero, aunque nunca será una persona muy locuaz, habla mucho más de lo habitual en él, porque sabe que me encanta escuchar. Me habla de su padre, que fue uno de los más altos oficiales del ejército que murió en Vietnam; y acerca de su madre, que fue bailarina en comedias musicales en los escenarios de Nueva York. Noto estas contradictorias influencias en Kirby, que camufla su lado creativo y poco convencional con una conformidad engañosamente apacible y tristona.

Le pregunté por qué seguía conmigo.

—Porque te quiero —me contestó muy serio—. Así de sencillo.

¿De veras? ¿Importa? ¿Debo yo —debería cualquiera— preocuparse porque el hecho de que seguir conmigo no sea más que una manera de decirme adiós?, ¿un modo apropiado, humano y digno de despedirse, que no pudo utilizar con su esposa y sus hijos porque un trágico accidente se los arrebató? Sea como fuere, el motivo es el amor. ¿Qué importa entonces?

Kirby me ayuda a escribirles una carta a las Gracias. Yo se la dicto y él la escribe con su ordenador portátil. Por las noches me la lee. Yo me echo en el sofá bajo la manta afgana y *Gracia* a mi lado en la alfombra. Kirby se sienta en el sillón junto a la lámpara, con sus largas piernas cruzadas y la cabeza ligeramente hacia atrás para ver a través de sus lentes bifocales. Su voz es algo teatral pero muy expresiva. Podría escucharlo durante horas. Me lee obras clásicas, comedias de Shakespeare, Ibsen, Molière y Oscar Wilde; y novelas que me encantaron de pequeña y que me localiza en la biblioteca: *Girl of the Limberlost*, *The Secret Garden*, *Mujercitas*. Y la Biblia, y el Corán. Poesía.

Esas lecturas me resultan muy reconfortantes; esas otras voces, los mundos de otras personas. Siento un profundo agradecimiento porque consigan sacarme del mío.

Kirby también me ayuda con la correspondencia. Recibo muchas postales deseándome que me recupere; muchísimas notas amables, nerviosas, simpáticas, torpes, faltas de tacto o elegantes; algunas de personas con quienes no he tenido contacto y ni siquiera he pensado en ellas desde hace años. Pero me resulta tanto o más interesante reparar en quienes no me escriben, no me llaman ni se dan por enterados de mi enfermedad de ninguna manera. Los perdono y, últimamente, me he dedicado a escribirles pequeños mensajes para decírselo, aunque no con estas palabras. Me hago cargo de que a algunos les resulte imposible decirme nada en mi estado. No pueden evitarlo. Y no lo tomo a pecho. Antes sí. Pero ahora no tengo tiempo.

Gary es uno de los que se siente incapaz de decirme nada. Lo llamé por teléfono, esperando algo, unas palabras para despedirnos sin rencor. Pero no hubo opción. De modo que Gary y yo moriremos por separado y distantes. Ahora estoy segura de ello, y me entristece pensar que, a la postre, nuestros votos fueron en vano.

Abril...

Kirby y yo ya no tenemos relaciones sexuales. Simplemente porque no es posible. Pero hacemos el amor. Existe una ceremonia o ritual hindú de sanación que consiste en el lavado de pies y en la aplicación al cuerpo de aceites aromáticos. Él me lo hace y entona en voz baja las palabras que acompañan el rito. Y hace que me sienta como si mi cuerpo, ya tan débil y marchito, fuese un templo.

Por la noche nos acostamos y hablamos de cómo han sido nuestras vidas. Antes hacíamos planes para viajar, pero ya no; desde hace poco hemos abandonado tal fantasía. Ya no soy tan ambiciosa como antes; ya no le pido a Dios que me deje vivir cinco años más, ni tres, ni dos. Mi ambición ha menguado. No quiero morir en invierno ni tampoco en un hospital; eso es todo. Cómo cambian las cosas, ¿eh? ¿Te has fijado, Dios, en lo modesta que soy?

Pienso en escribir unas palabras, una alusión a algo que hayamos compartido —aunque no sé todavía qué es— para que Kirby las lea cuando yo me haya ido, y las recuerde. Sería como seguir un poco viva.

Es sorprendente. Queda algo cuando ya no queda esperanza. Algo que una se inventa. La aceptación —créanme— entraña cierta alegría. Sí, y a partir de ahí no se está muy lejos de la celebración.

Anhelo estar con mis queridas amigas. Hoy tengo muy buen día y puede que mañana también lo tenga. Quiero llamar a Lee, a Emma y a Rudy y pedirles que celebremos nuestra habitual reunión aquí mañana por la noche. Ya hace mucho que no la celebramos y tengo muchas cosas que decir. Ja. La palabra más difícil es adiós; sin embargo, casi creo poder decirla ya. Creo que podría decirla.

¿Qué es lo mejor que puedo decir de mí misma? Que he amado y me han amado. Todo lo demás es secundario. Me doy por satisfecha.

28

Emma

Isabel murió mientras dormía después de la medianoche del 10 de abril. Tuvo una embolia, un coágulo de sangre que le bloqueó una arteria del pulmón y la mató al instante; o por lo menos eso espero. Kirby estaba durmiendo en el sofá del salón porque ella había estado muy inquieta un rato antes, y pensó que se quedaría dormida más fácilmente si estaba sola.

La encontró por la mañana, de costado en la cama y con los ojos cerrados. Me alegro, porque eso demuestra que estaba dormida cuando expiró.

Dice Kirby que la ropa de la cama no estaba revuelta y que Isabel tenía un aspecto plácido. Seguramente estaba soñando; un dulce sueño en el que aparecerían todas sus amigas, todas aquellas que la amamos. Intuyo que fue así, soñando, como se alejó de este mundo.

No quería un funeral ni que la enterrasen. Especificó en su testamento que, cuando la hubiesen incinerado, quería que su hijo Terry recogiese las cenizas para que dispusiera de ellas como quisiera.

A nadie le gustó su deseo, sobre todo a Terry, que no tenía ni idea de qué era mejor hacer con los restos de su madre. Nosotras lamentamos que no hubiese velatorio, ni ceremonia, nada. De modo que tres semanas después de su muerte, invité a cuantos amigos, familiares y conocidos de Isabel pude localizar y organizamos una reunión en su memoria en mi casa.

Asistieron tantas personas que sólo cupimos de pie. Ocupaban por completo el comedor, el pasillo, el vestíbulo y medio tramo de las escaleras que comunican con la planta superior. No asistió ningún pastor ni representante religioso (porque Isabel había profesado la mayoría de las religiones principales y todas las menores); ¿cuál íbamos a elegir? Pero sí asistió Kirby, y fue aun mejor. Porque Kirby tiene un talante solemne y sacerdotal que venía muy bien para ejercer de maestro de ceremonias, por así decirlo, en el último rito en honor de Isabel. Además, siempre me pareció que había algo misterioso en Kirby, sobre todo al principio, antes de conocerlo. Pero el misterio resultó no ser más que su amor a Isabel, que la quería con todo su corazón; y en eso no hay misterio que valga.

Me hubiese gustado conocerlo más a fondo en vida de Isabel, y haber sido más amable. No es que me mostrase esquinada, en absoluto, pero creo que tenía celos de él. Lo consideraba un extraño, un entrometido. Un hombre. Nosotras, las Cuatro Gracias, no siempre somos muy hospitalarias o sociables con los recién llegados. Pero Isabel lo quería mucho, y sé, estoy convencida de ello, que eso no significaba que nos quisiera menos a nosotras, ni a mí, claro. Isabel tenía amor para dar y tomar.

Tenía muchísimos amigos. Muchos tuvieron que sentarse en el suelo del salón porque no tengo bastantes sillas. Hice café y saqué bandejas de repostería. Cuando los invitados empezaran a marcharse pensaba sacar whisky y hacer un velatorio más de acuerdo al talante de sus más allegados. Creo que a Isabel le hubiese gustado.

Kirby trajo varios de sus compacts favoritos y escuchamos la monocorde música New Age, Mozart, Emmylou Harris. La concurrencia iba disminuyendo pese a que llegaban otros. Asistieron vecinos, condiscípulos y profesores de la facultad, socias del club de bridge que frecuentaba Isabel, miembros de un grupo de ayuda a enfermos de cáncer, personas que participaron en el círculo de sanación y vecinos de su antiguo barrio. Me asombró comprobar cuántos se levantaban, se aclaraban la garganta y hablaban con emocionada sencillez acerca de lo que Isabel había significado para ellos, deshaciéndose en elogios.

Me dio un vuelco el corazón al ver llegar a Mick. Sin Sally. Se abrió paso entre la concurrencia hasta donde yo me encontraba, en el arco que separa el salón y el comedor. Titubeó durante lo que a mí se me antojó una eternidad pero que no fue más que una fracción de segundo. Luego se inclinó hacia mí y me besó en la mejilla.

—Lo he sentido mucho —me dijo, como la cincuentena de personas que había recibido hasta entonces.

—Te agradezco que hayas venido —farfullé emocionada.

Entonces se alejó y fue a sentarse en el suelo del salón.

Al ladear la cabeza vi a Rudy mirar en mi dirección. Arqueó una ceja ligeramente, de un modo que lo decía todo. Luego siguió escuchando a la señora Skazafava, que comentaba que Isabel cuidaba de su parcela de jardín con tal primor que hacía palidecer de envidia a los demás.

La perrita de Isabel, *Gracia*, estaba echada a los pies de Rudy con su blanco hocico apoyado en su empeine. Ahora es la perrita de Rudy. Tenía que habérsela quedado Lee, pero *Lettice*, su cocker spaniel estaba demasiado mimada y se habría muerto de celos. Rudy había tenido que mudarse a un apartamento en el que permiten tener animales de compañía. Es bueno para Rudy y para *Gracia*, porque se aportan lo que ambas necesitan.

Lee se pasó toda la velada llorando. Henry la consolaba tomándola de la mano, pasándole un pañuelo grande y rojo que llevaba en el bolsillo de la pechera de la chaqueta, la rodeaba con el brazo y dejaba que sollozase en su hombro.

Uno de los asistentes leyó un poema. Una mujer que había formado parte del círculo de sanación se levantó y cantó una canción que había compuesto especialmente para Isabel. La cantó *a capella*. Y consiguió que todos la secundásemos en cuanto nos aprendimos el estribillo.

Rudy y yo volvimos a mirarnos. Grave error. Tuve que darme la vuelta y llevarme las manos a la cara abrumada por la emoción. Me eché a llorar a lágrima viva. Luego me soné y conseguí recobrar la compostura.

Terry se desplazó en avión desde Montreal al día siguiente de la muerte de Isabel y aún seguía aquí. Su novia, una preciosa joven negra llamada Susan, se había reunido con él días atrás y lo había acompañado a nuestro singular funeral. Pensé que Terry diría unas palabras acerca de su madre, pero no lo hizo. Creo que por temor a no poder contener el llanto (por eso tampoco hablé yo). Había traído una cajita ovalada de madreperla con las cenizas de

Isabel y la dejó en la repisa de la chimenea. Podía parecer inadecuado, pero no lo era. En absoluto. Yo dispuse unas azucenas alrededor de la preciosa cajita y todos los asistentes se fijaron en ella. Resultaba un símbolo muy digno, dulce y apacible. Como Isabel.

Gary no asistió. Pero envió unas flores y escribió una nota breve pero hermosa que Kirby leyó en voz alta. Yo no albergaba el menor deseo de ver a Gary ni de hablar con él, pero me pregunté cómo debía de sentirse tras la muerte de Isabel. Esperaba que sufriera. Que sufriera mucho; que sufriera por lo menos una décima parte de lo que sufría yo.

Los discursos improvisados empezaron a remitir. Kirby se levantó. Era la primera vez que lo veía con traje. Se había puesto un terno gris, con camisa blanca y sin corbata. Le sentaba bien. Estaba algo demacrado, pero no tenía mal aspecto. La belleza de Isabel, la pureza de su rostro, por así decirlo, se había acentuado a medida que se agravaba su enfermedad. Resultaba extraño, pero lo mismo le había ocurrido a Kirby.

—No tengo mucho más que añadir a lo que varios habéis dicho —dijo Kirby, con las manos entrelazadas a la espalda en postura de descanso militar—. Isabel nunca perdió la esperanza, pese a que desde el principio supo lo que le iba a ocurrir. Le gustaba mucho un poema de Walt Whitman, sobre todo la estrofa que dice:«Todo fluye hacia delante y hacia fuera / Nada se desmorona / Morir es algo distinto / A lo que todos suponen / y más afortunado.» Trató de creerlo así y estoy seguro de que le sirvió de consuelo. Siempre fue una mujer muy valiente. Disimulaba su angustia y su tristeza. Porque ella no iba a perder sólo a una persona muy querida, como nosotros, sino que iba a perderlas a todas.

Kirby sacó el pañuelo del bolsillo y se sonó sin avergonzarse por dejarse llevar por la emoción.

—Isabel creía que la muerte era un proceso, no un final —prosiguió Kirby—. Decía que tenía la obligación de aferrarse a la vida cuanto pudiese y lo mejor que pudiese (su deber kármico, lo llamaba ella). Pero también tenía fe en que había algo más allá, algo mejor, aunque no tenía ninguna prisa por llegar —añadió con un amago de triste sonrisa—. Hablaba sin rodeos de sus temores, de su pesar. Pero su convencimiento de que la muerte no era el fin evitaba que se desesperase. Simplemente deseaba no tener que marcharse sola.

Kirby miró en derredor con expresión de impotencia y ojos llorosos.

—Bueno... quiero daros las gracias a todos. A Isabel le hubiese emocionado vuestra presencia, vuestros buenos deseos y elocuentes palabras. Gracias, muchísimas gracias a todos.

Kirby daba por terminada la parte formal del acto sin que ninguna de nosotras hubiésemos dicho una palabra acerca de Isabel.

Lee se tapaba la boca con el pañuelo de Henry y apoyaba la cabeza en su pecho. Era evidente que estaba destrozada. Le dirigí a Rudy una mirada apremiante: ¡Levántate y di algo! Pero se limitó a sonreír contrita y a menear la cabeza. Me dieron ganas de estrangularla.

—Quisiera decir algo —anuncié azorada y con voz tan nasal como si hubiese pillado un constipado.

Quienes ya habían empezado a levantarse volvieron a sentarse. Al ver los rostros de los invitados, tan serios y expectantes, empezó a latirme el corazón con más fuerza.

—Sólo quiero agradeceros yo también que hayáis venido, y a Kirby todos sus desvelos. Y también quiero decir...

Quería decirles lo mucho que iba a echar de menos a mi amiga, lo mucho que la quería, y cuánto significaba para mí. ¿Cómo empezar? Mi mente se deslizaba hacia atrás, buscando el principio de lo que debía decirles acerca de ella.

—... que también debo expresarle mi agradecimiento a Lee, a Lee Patterson, porque hace once años tuvo la idea de formar nuestro grupo de mujeres, las Cuatro Gracias.

Echada en el suelo a los pies de Rudy, *Gracia* alzó la cabeza y la ladeó mirándome al oír su nombre.

—Así es como conocí a Isabel —proseguí—. En realidad, nos vimos por primera vez en su casa; y también aquella noche te conocí a ti, Terry. ¿Te acuerdas?

Terry me sonrió y meneó la cabeza.

—Tenías dieciséis años y eras un trasto.

Risas.

—Por entonces —continué— éramos seis en el grupo de las Gracias, pero con el tiempo quedamos cuatro, y cuatro seguimos siendo, prácticamente. Isabel y Lee, Rudy Lloyd (Rudy Surratt, en la actualidad, perdonen) y yo. Yo... si pudiese... —farfullé antes de poder expresarme con claridad—. Si tratase de explicar lo que las Cuatro Gracias han significado para mí, nos pasaríamos aquí toda la noche y no lo conseguiría. Isabel era la mayor, y era diferente. Pero no lo digo porque fuese mayor, sino porque era única. Siempre he tenido la sensación de que no nos la merecíamos, por lo menos yo. Era la persona más gentil que he conocido. Siempre apacible. Sabía escuchar como nadie. Observaba a los demás, pero no los juzgaba. Jamás juzgó a nadie. Y siempre supe el gran cariño que me tenía. Me quería mucho.

Por un momento temí estropearlo todo poniéndome a llorar a moco tendido.

—Creo que la amistad nos enseña mucho —proseguí aguerridamente—, contribuye a que maduremos y a que cambiemos. Las Gracias nos enseñamos muchas cosas: a saber aceptar nuestra diferencia; cómo funciona un buen matrimonio; cómo entender las ambiciones espirituales de los demás; un sentido del humor más alocado y puede que una mayor ironía. Y muchísimas otras cosas. Isabel no era exactamente nuestra líder, pero sí era el alma del grupo. Era ella quien estaba detrás de todo lo bueno y generoso que hiciésemos. No sabría explicarlo muy bien pero creo que, en el mejor de los sentidos, Isabel era como nuestra madre. Y sin ella me siento perdida. Me siento huérfana.

Seguí hablando sin mirar a Lee ni a Rudy, porque era consciente de que si lo hacía nos desmoronaríamos.

—Me parece increíble que Isabel ya no esté con nosotros. Desde su muerte he sentido cientos de veces el impulso de llamarla y decirle algo, algo que sólo ella entendiese y le importase. Incluso he llegado a descolgar el teléfono y empezado a marcar su número. Enseguida he vuelto a colgar, claro. A Lee le ha ocurrido lo mismo, según me ha dicho. Hemos perdido a nuestra amiga más querida, a la amiga más desprendida y cariñosa. Intento pensar en algo bueno, en algo que me lo haga soportable, pero no puedo. Isabel ha muerto antes de llegar a la fase terminal que produce más sufrimiento; es lo único bueno que ha ocurrido. En fin... Ya está. Doy gracias a Dios por ello. En los últimos tiempos era difícil ir a visitarla. Yo nunca sabía qué decirle. Decirle adiós era imposible. Porque entonces ya no hay esperanza. Si uno no dice adiós, siempre queda algo por decir, aún cabe remedio. Un nuevo intento. Creo que así es como vivimos todos... dándonos largas para enderezar las cosas, diciéndonos que quizá la próxima vez. Y entonces, cuando ya no va a haber próxima vez, nos resulta insoportable. De modo que yo no podía decirle adiós a Isabel. No sé si ella lo hubiese preferido así o no. Era tan generosa que pensaba más en nosotras que en sí misma. Creo que murió como creía que iba a ser más fácil para las personas que la queríamos. Era muy típico de ella. Además, Isabel era una persona muy fácil de complacer —proseguí—. Al final, cuando acabé por aceptar que ya no había nada que yo pudiese hacer para cambiar las cosas, nada para sanarla; cuando comprendí que iba a perderla sin remedio, todo fue mucho más sencillo. Puesto que ya no había futuro, todo debía concentrarse en el momento. Podía hacer que se le iluminase la cara al verme llegar a su casa; que riese con un chiste. Podía decir «te quiero, Isabel» y hacerla sonreír. Era todo lo que podía hacer, y parecía suficiente. En realidad, eso es lo que podemos hacer siempre los unos por los otros. Pero vivimos con el espejismo de que el tiempo es infinito, de que somos inmortales y de que no hay necesidad de tratar de que todo sea perfecto, aquí y ahora. Isabel me enseñó muchas cosas, pero creo que esa fue la más importante. En fin... —Tomé aliento, hice una pausa y añadí—: No quería que estas palabras fuesen tan... terapéuticas. Quería hablar de ella, no de mí. Pero creo que ahora mismo nos sonríe. Y debe de pensar: «¡Mira tú por dónde! ¡Si ni siquiera bebe!» Isabel solía decir que en cuanto bebía un copa de más se me soltaba la lengua. Y es verdad. De modo que terminaré ya. Sólo diré: Te quiero, Isabel, y te echaré mucho de menos. Rudy cuida mucho a tu perrita y todas velaremos por Terry. Y por Kirby; también cuidaremos de él porque va a sentirse muy solo. Espera que estés ahora en un lugar maravilloso, en algún lugar que te merezca. Y donde estés en paz. Y nunca te olvidaremos. —Agaché la cabeza y musité—: Adiós, Isabel.

Y como ese adiós me resultaba insoportable, añadí para mí: «Luego hablaremos.»

Rudy y Lee se levantaron y me abrazaron. Formamos un sollozante trípode en el centro del salón, y creo que esa fue la señal que esperaban los demás para indicar que el acto había terminado.

Muchos se marcharon, pero otros se quedaron a comer, beber y charlar. Es algo que me saca de quicio (que podamos hacer tales cosas en velatorios, funerales y actos similares). Yo también lo hago, y no digo que esté mal sino que me parece asombroso. He asistido a más de un velatorio, con el difunto a la vista en su féretro y, salvo los familiares más próximos (y a veces también ellos), todo el mundo se comportaba como si de una reunión de amigos se tratase. En fin, debe de ser la costumbre; nuestra manera, primitiva y cobarde, de afrontar un dolor excesivo o una presencia demasiado inmediata de la muerte. Pero si alguien puede entender eso y perdonarlo es Isabel.

De modo que, como por ensalmo, me transformé en anfitriona y me dediqué a preparar bebida y a pasar bandejas de comida dándoles las gracias a todos, que me decían que había sido muy valiente al hablar, que había hecho muy bien en organizar aquel acto, porque era lo que a Isabel le hubiese gustado.

Con todo, en ningún momento dejé de tener presente que Mick estaba allí. Lo vi hablar con Lee y Rudy, y luego con Henry durante un buen rato. Siempre que dirigía la mirada hacia donde él se encontraba lo veía mirarme.

Habían pasado cuatro meses desde la noche que rompimos en mi dormitorio. Desde entonces no lo había visto ni una sola vez. Lee ya no tenía tanto contacto con Sally como antes y, por lo tanto, esa fuente de información se me había secado.

Mick estaba como siempre, es decir, muy atractivo. Con mejor aspecto que el pasado invierno, no tan pálido. Como el pelo le había crecido, ya no se notaba aquel corte tan horrible que le habían hecho, pero se le veían más canas. Le daban un toque de distinción. Me temblaban las rodillas al mirarlo. De modo que ¿nada había cambiado? Puede que fuese la fuerza de la costumbre. Un pavloviano reflejo condicionado que determinaba que se me hiciese la boca agua sin nada que llevarme a la boca. La verdad es que nuestra relación no podía haber sido más absurda, patética y sin esperanza, desde el principio.

¡Deja de mirarme con esa cara, condenado!

Debió de leerme el pensamiento, porque se dio la vuelta.

Terry me pidió que saliésemos un momento al jardín para hablar en privado. Está hecho un hombretón, muy alto y apuesto. Tiene los ojos de Gary, aunque con algo de la dulzura de Isabel en la mirada. No coqueteamos, pero le encanta que bromee diciéndole que me gustaría que tuviese quince años más.

—Gracias de nuevo por haber organizado esto —me dijo—. Ha significado mucho para mí.

—Me alegro. Pero la verdad es que no he hecho nada.

—Yo hubiese preferido que hubiese tenido un funeral como todo el mundo.

—Ya. Pero no es eso lo que ella quería —dije, aunque la verdad es que yo también hubiese preferido que tuviese un funeral.

—Lo sé. Escucha, Emma —dijo apretándose la nariz con dos dedos (un varonil gesto de indecisión). La verdad es que no acabo de hacerme a la idea de verlo tan mayor.

—¿Qué?

—Pues... que no sé qué hacer con las cenizas —dijo desviando la mirada.

—Pues vaya...

—Es que no tengo ni idea. ¿Debo enterrarlas? Hay jardines funerarios donde mucha gente las entierra. Pero ¿le habría gustado a mamá?

Meneamos la cabeza a la vez. No, no le habría gustado.

—¿Sabes si tenía algún lugar preferido? Se lo he preguntado a mi padre, pero me ha dicho que no lo sabe. ¿Qué crees que debo hacer? He pensado en dárselas a Kirby, pero no sé.

—Hummm —dije.

La verdad es que era un problema. Terry regresaría a Montreal, probablemente se casaría con Susan y seguramente vendría a ver a su padre de tanto en tanto. ¿Qué iban a hacer las cenizas de Isabel en Canadá?

—Me he dicho que quizá a vosotras, las del grupo, quizá... que quizá os gustase asumir esa responsabilidad.

Yo pensaba lo mismo, pero me lo callé.

—No sé, Terry —dije—. Ella ha querido que fueses tú quien dispusiera. Alguna razón debía de tener.

—Ya. Pero dijo que hiciese con ellas *lo que considerase más adecuado.*

—Huuummm —dije. Estaba claro que Terry había reflexionado a fondo sobre la cuestión—. ¿Se lo has comentado a Lee? —añadí, porque estaba más acostumbrada a que fuese ella quien tomase las grandes decisiones del grupo.

—Está muy hundida —dijo meneando la cabeza—. Por eso he pensado preguntártelo a ti.

—Ajá. —Me sentí un poco halagada porque me considerase la más entera—. Pues creo poder decir en nombre de todas, de

Rudy, de Lee y de mí, que lo consideraríamos un honor. De modo que de acuerdo, pero te llamaré o te escribiré para informarte de lo que pensemos hacer antes de hacerlo.

—Eso está muy bien.

Me sonrió aliviado, y reparé en que se le había hecho una montaña de algo que en el fondo no era tan complicado. Era curioso, aunque comprensible, que nosotras la conociésemos mejor que su propio hijo, y que él fuese ya lo bastante maduro para entenderlo así. Confiaba los restos de su madre a las personas en quienes su madre más confiaba para que hiciesen lo más adecuado. ¿Era triste? ¿O era un consuelo? Tendría que pensarlo.

Terry y yo nos abrazamos sollozantes. Volví a decirle que su madre lo adoraba y que estaba muy orgullosa de él. Terry me dijo que lo que más lamentaba era que no hubiese llegado a conocer a Susan y yo le aseguré que a ella también le habría gustado.

Al volver a entrar, ya empezaban a desfilar muchos y sólo quedaban los más allegados. Los que se marchaban me dieron las gracias y yo se las di a ellos por venir.

Quizá por la fuerza de la costumbre miré en derredor buscando a Mick y vi que estaba justo detrás de mí.

—He de marcharme ya, Emma —me dijo.

Lo acompañé hasta el porche. Ya se ponía el sol, rojizo y dorado, por detrás de los edificios de la calle Diecinueve. Estábamos a finales de abril, o sea en plena primavera, pero abril seguía siendo el mes más cruel; las marchitas azaleas que flanquean el sendero de mi casa se estremecían con la brisa y en la parte delantera del jardín había más barro que césped. Me abracé los hombros, algo destemplada, y le di las gracias a Mick por haber venido.

—No he querido dejar de hacerlo —me dijo.

La ausencia de Sally flotó entre ambos como una humareda. ¿Dónde está tu mujer?, sentí el impulso de preguntarle. ¿Sabe que has venido?

A Mick siempre le había caído bien Isabel, por supuesto, pero no la conocía muy a fondo. Había venido por mí.

—Me ha gustado mucho lo que has dicho.

—Creo que me he extendido demasiado —dije.

—No.

—Y me ha resultado un poco embarazoso. Porque soy escritora, no oradora.

—¿Qué tal va tu...?

—Mejor no lo preguntes.

Me sonrió y yo, tonta de mí, noté que se me encogía el corazón.

Un matrimonio (Hilda y Stan o Sam no-sé-qué) salió al porche. Él había formado parte del grupo de apoyo de Isabel.

—¿Han de marcharse ya? Bueno, pues muchas gracias por venir.

—Gracias por invitarnos.

—Buena suerte.

—Que Dios la bendiga...

Mick aguardó a un lado, algo cohibido, pendiente de hacer otro aparte conmigo.

Cuando al fin Stan y Hilda se marcharon, Mick y yo nos quedamos frente a la barandilla del porche mirando los coches que se alineaban junto a los bordillos.

—La echarás de menos —me dijo.

—Creía estar preparada, pero no lo estoy. Ya la añoro.

—Por lo menos te quedan tus otras amigas.

—Sí —dije suspirando.

—Siempre te lo he envidiado.

—¿Qué? ¿Mi amistad con las Gracias?

—Cada primavera voy a pescar truchas a los Catoctins con un amigo. El resto del año apenas lo veo tres o cuatro veces. Y lo considero mi mejor amigo.

—Bueno, pero eso es porque eres un hombre. Los hombres no cultiváis las amistades como nosotras. Tenéis a vuestras esposas o a vuestras novias como mejores amigas.

Resultaba mortificante que Mick pudiera pensar que estaba dando rodeos para volver a plantearle la cuestión de Sally, pese a que la verdad era que había dicho lo primero que me había pasado por la cabeza.

—¿Puedo llamarte, Emma? —me preguntó de pronto. Ya echaba de menos oírlo pronunciar mi nombre.

—¿Para qué?

Se echó a reír y se miró las manos, apoyadas en la barandilla. Llevaba una chaqueta de pana marrón y una camisa azul. Desvió la mirada y observé su perfil, la curva que formaba el nacimiento de la barba en la mejilla. Su proposición no me entusiasmó en absoluto. Sólo me sentí desfallecer.

—¿Acaso ha cambiado algo? —dije, aunque me repateaba preguntarlo, porque ya podía ver la respuesta en su cara—. No, por favor, no me llames. No quiero verte. Lo estoy pasando muy mal por lo de Isabel, Mick; sólo me faltarías tú....

—De acuerdo, Emma. Lo comprendo.

Jamás había anhelado tanto que alguien me abrazase. Pero no nos tocamos, ni siquiera las manos. Y al cabo de un rato lo asimilé perfectamente. La ausencia de Isabel había dejado un vacío en mi vida que no tenía la menor esperanza de poder llenar.

Pero ver a Mick con la cabeza gacha y expresión abatida me conmovió. Tenía un pelo tan precioso que turbaba. Me separé un paso hacia atrás y él alzó la vista. Su boca me atraía de un modo irresistible. Tuve que dominarme para no besarlo.

Por suerte varias personas salieron entonces al porche, personas a las que tenía que saludar.

—Adiós —le dije a Mick a modo de auténtica despedida.

Y así lo interpretó él. Me di la vuelta y me dirigí debidamente a uno de los matrimonios que se marchaba, buena gente, una de las instructoras de Isabel y su esposo. Al volver a darme la vuelta, Mick ya se había marchado.

Volví a entrar y dije todo lo que se esperaba de mí que dijera a la veintena de personas que aún seguía en casa. Cabría pensar que le habría cogido el tranquillo, que me sería más fácil, más sencillo, despedirme de todos, pero apenas me salían las palabras; sólo adiós, a diestro y siniestro.

Rudy reparó en ello.

Oh, Dios, Rudy, ayúdame, pensé. Y como si me hubiese leído el pensamiento, enseguida me relevó en las funciones de anfitriona con los últimos asistentes, y luego se quedó a dormir.

—Quizá debería comprar un gato —dije al observarla con *Gracia*; su fácil relación, admirable, su armonía «humano-perruna».

—Pues sí —dijo ella en tono amable. Encendió un cigarrillo y me lo pasó—. Eso es lo que vamos a hacer enseguida, Emma. Traerte un gato.

29

Rudy

Nadie pensó que dispersar las cenizas de Isabel exigía un plan concreto.

«Las echaremos al mar», dijimos sin detenernos a pensar más allá de esas cuatro palabras, que sonaban perfectamente lógicas e incluso románticas.

Convinimos en que a Isabel le hubiese gustado. Le gustaba el mar y, sobre todo, la costa de Outer Banks y del cabo Hatteras, que era el lugar preferido de las Gracias. Además, Isabel era de un signo de agua, Acuario, y creía en estas cosas, en la astrología y todo eso. De modo que echar sus cenizas al mar estaría bien.

Pero en la práctica no se puede hacer, por lo menos desde la orilla. Porque el viento devuelve las cenizas hacia tierra, que es justo lo contrario de lo que se pretende.

Por suerte nosotras —aunque debería decir Lee— caímos en la cuenta antes de abrir la caja de madreperla, y evitamos que las cenizas de Isabel fuesen a parar a las dunas de Carolina, algo que no habría sido tan terrible, pensaba yo. Pero queríamos que sus cenizas fuesen a parar realmente al mar.

Lee propuso alquilar una barca para adentrarnos en el mar antes de esparcir las cenizas (comentó que lo había visto en una película y que había funcionado bastante bien). Por su parte, Emma sugirió ir hasta el final del espigón de Frisco, donde van los pescadores, y echarlas al mar allí. Pero al final ambas propuestas fueron rechazadas por la misma razón: implicaban la presencia de otras personas, y nosotras queríamos que decirle adiós por última vez a Isabel fuese un ritual privado.

La solución que adoptamos resultó mucho mejor en teoría que en la práctica. Nos pondríamos los bañadores y nos adentraríamos en el mar cuanto pudiésemos. El plan era decir cada una unas palabras, que Lee abriera la caja y el viento se llevara las cenizas y las esparciera suavemente por el mar. Y así lo hicimos, aunque no tuvimos tiempo de pronunciar las palabras de despedida previstas, porque Emma casi se ahoga. Nos habíamos alejado demasiado de la orilla, sin tener en cuenta que nadar no es lo suyo. Esos fueron nuestros dos errores.

—¡He de dar media vuelta! —farfulló Emma nadando estilo perro y tragando agua—. No puedo alejarme más. ¡Abre ya la caja, Lee!

A diferencia de Emma, Lee nada como un delfín (había nadado hasta allí con los brazos por encima de la cabeza para no sumergir la caja de las cenizas).

—De acuerdo —dijo—. La abriremos aquí... Está bastante...

—¡Vamos, date prisa, que no puedo adentrarme más! —clamó Emma.

—De acuerdo, de acuerdo. Aquí entregamos las cenizas de nuestra querida amiga al mar que tanto amaba cuando estaba entre nosotros. Isabel, nosotras...

—¡Socorro!

Agarré a Emma del pelo antes de que se hundiese.

—¡Date prisa, Lee! ¡Vamos! —grité a la vez que trataba de cargarme a Emma a la espalda—. Tú no te muevas, que te tengo bien sujeta, ¿entendido? ¡Di algo!

—¿Qué? —dijo Emma atragantándose con el agua que tenía en la boca.

—Di algo por Isabel.

—¡Adiós, Isabel!

Lee la fulminó con la mirada.

—Entregamos estas cenizas al mar. Vale. Voy a abrir la caja. ¿Rudy?

—Te echaré de menos, Isabel. Te quiero. Descansa en paz.

La verdad es que había pensado decir algo mejor, pero si no tenía cuidado Emma se iba a ahogar y me iba a ahogar a mí.

Lee abrió la caja y el viento levantó una nubecilla de cenizas que, como prismas minúsculos, refractaron la cegadora luz del sol durante unos momentos, y luego se fundieron como copos de nieve. Al llegar la siguiente ola desaparecieron.

—Voy a tirar también la caja —dijo Lee.

—¡Oh, no! —exclamé—. Pero... bueno, sí. No sé... Emma, ¿crees que debería...?

—¡Por Dios santo!

Lee dejó caer la caja y yo empecé a nadar hacia atrás en dirección a la orilla sujetando con un brazo a Emma por el pecho, tirando de ella como una socorrista, aunque ni siquiera sabía si era capaz de hacerlo. Lee se quedó rezagada un par de minutos y luego nos siguió.

Después una se ríe de cosas así, e incluso entonces lo intentamos, pero lo cierto es que nos llevamos un buen susto. Quizá si hubiésemos esperado un poco más, un año en lugar de dos meses, después del fallecimiento de Isabel, la perspectiva del tiempo hubiese amortiguado nuestra sensación de haber fallado. Pero nos sentamos en la arena mientras el sol se ponía a nuestras espaldas, silenciosas y tristes (aunque Lee estaba más bien furiosa). No habíamos estado muy afortunadas, que digamos. Lo que pensamos que sería un rito emocionante, importante e incluso catártico se había convertido en un fiasco poco digno que no estuvo a la altura de lo que merecía Isabel. Teníamos la sensación de haberle fallado.

Fue la primera de las dos noches que pasamos en Neap Tide. Como no habíamos tenido tiempo de comprar para la cena, fuimos a Brother's que es nuestro restaurante preferido en la zona. Pero ni siquiera la suculenta parrillada estilo Carolina nos levantó el ánimo. Nos asaltaban demasiados recuerdos. Y, como yo llevaba tres meses sin beber y pensaba perseverar, ni siquiera me cupo el recurso de achisparme.

Volvimos al chalet cariacontecidas. Ninguna lo dijimos pero sé que todas pensamos: ¿Se puede saber por qué nos ha parecido esto divertido alguna vez?

¿Qué interés tiene sentarnos a jugar al remigio o a ver estúpidos programa de televisión que ni muertas veríamos en casa, atiborrándonos, leyendo libros en los que no podemos concentrarnos porque nos interrumpimos constantemente con comentarios?, ¿charlar sobre cosas superficiales o absurdas, sobre las que en realidad no querríamos hablar, simplemente porque una ya ha dicho lo que tenía que decir durante el interminable trayecto hasta aquí, y ya no queda más que hablar de tonterías?

Pero antes no nos parecían tonterías. Quizá no hablásemos de temas muy profundos, pero no nos parecían conversaciones absurdas cuando Isabel estaba con nosotras. Puede que, simplemente, sin ella fuésemos incapaces de nada mejor. Quizá su muerte significase también la muerte del grupo.

Quizá siguiéramos reuniéndonos durante una temporada y luego, de modo gradual, imperceptible, lo fuésemos dejando correr, fingiendo que todo seguía igual, hasta que un día lo dejásemos del todo.

Siempre había creído que era Lee, mandona y formal, quien imponía el orden en el grupo, la que hacía que siguiésemos unidas. Pero ¿no sería Isabel, pese a ser la más callada? Según Emma, era el alma del grupo. Puede que sin ella nos sintiésemos perdidas.

—Creo que voy a acostarme —dije pasadas las diez.

Emma y Lee me miraron como lechuzas, inexpresivas, y luego desviaron la mirada. No dijeron «¿Tan temprano?». Nos limitamos a darnos las buenas noches desmayadamente y yo bajé al dormitorio que utilizaba en la planta baja.

En aquella ocasión tuve la habitación para mí sola, la de las literas que Emma y yo compartimos el pasado verano. Me sentí sola. Echaba de menos a *Gracia*. Hubiese querido traerla, pero le pedí a Kirby que cuidase de ella durante el fin de semana. Como tiene artritis en las patas traseras no habría podido subir y bajar las escaleras.

Echada en la cama me pareció un buen síntoma desear estar en mi casa, teniendo en cuenta que ya no tengo casa propiamente dicha, porque se la dejé a Curtis (sí, ya lo sé, pese a todo). Ahora vivo en un apartamento grande y muy soleado en la zona oeste de Georgetown.

Curtis no se muestra muy exigente en el asunto del divorcio, aunque la verdad es que le pido muy poco; sólo lo suficiente para ir tirando hasta que empiece a ganar un sueldo, aunque no sé en qué trabajo. Y después se acabó. Matrimonio liquidado.

A Lee y Emma no les satisface en absoluto mi magnanimidad. Incluso Eric cree que me precipito. Pero merece la pena, con tal que todo transcurra con suavidad. Me aterra pensar que me salga el tiro por la culata. Porque todo va demasiado bien y no creo en mi buena suerte. Es como si caminara con pies de plomo por un sendero sembrado de minas, temerosa de pisar una y saltar por los aires. Tuve que esforzarme tanto psicológicamente para dejar a Curtis que me he quedado exhausta. Pero, poco a poco, voy reponiendo fuerzas. Estas cosas requieren tiempo.

Aún no he vuelto a clase de jardinería. Pero volveré a asistir en otoño. ¿Qué hago ahora? Pues volver a trabajar con la cerámica. Me gusta tanto que no comprendo por qué lo he dejado durante tanto tiempo. También llevo un diario. Voy a la consulta de Eric. No bebo. Doy largos paseos con *Gracia*. Y realizo algunas tareas de voluntariado.

Casi todos los días descubro un nuevo aspecto en el que Curtis... ¿me explotaba? No. No es la expresión adecuada. ¿Me engañaba? Sea como fuere, referiré un pequeño ejemplo.

Teníamos gustos diferentes en materia de programas de televisión. Curtis sólo quería ver la CNN, la CNBC y la C-SPAN. Punto. Nada más. En cambio a mí me gustaban los espacios dramáticos (obras teatrales, películas, series de hospitales, telecomedias y el espacio *Teatro clásico*), todo aquello que entrañase una historia. Él lo sabía, naturalmente, pero lo ignoraba, sin hacer nunca concesiones. Las personas inteligentes tenían que ver al secretario del Interior dirigirse al Senado o al de Fomento dar una conferencia de prensa. Y, cuando había terminado, las personas inteligentes apagaban el televisor.

El modo que tenía Curtis de agradecer mi pasiva complicidad era burlarse de los programas que a mí me gustaban. Decía que eran sensibleros, melodramáticos, banales, mal interpretados, absurdos, vulgares, escabrosos y siempre venía a dar por sentado que yo estaba de acuerdo con él, que estábamos los dos por encima de aquella telebasura. Sé que era una cobardía por mi parte, pero su desdén era tan cortante y descalificador que le decía que estaba de acuerdo con él. Pero mentía. No sé explicar cómo conseguía hacerme esto. Todo lo que puedo decir es que me sentía impotente. Si él me lo hubiese pedido, mientras estuve bajo su influjo habría jurado que lo blanco era negro.

Ahora, como ya no está, veo *Urgencias* y películas antiguas y nuevas versiones de cine clásico. ¡Soy carne de sofá! En realidad no es porque me pirre por esos programas sino por el placer que me produce verlos sin sentimiento de culpabilidad. Me siento como una delincuente a quien acabasen de soltar del reformatorio. Como estoy en libertad condicional he de andarme con cuidado, sin pasarme. Pero ahora tengo algo que no recuerdo haber tenido desde hace siglos, o acaso nunca: esperanza.

—Buenas noches, Emma.

»Buenas noches, Lee.

Las oí cuchichear unos momentos. Luego cerraron las puertas de sus dormitorios sin hacer ruido para no molestarme. ¿Se quedarían despiertas como yo, frustradas, rumiando acerca de sus preocupaciones y preguntándose por qué ahora parecíamos no conectar? Tras la muerte de Isabel ya no tenemos confianza en el grupo. Es como si una tuviese cuatro piernas y le hubiesen amputado una. Se sentiría una muy mal hasta que aprendiese a caminar con tres, si es que llegaba a conseguirlo. Y probablemente no estaría muy satisfecha de sí misma, porque se sentiría cohibida, muy des-gracia-da.

Recuerdo la última vez que me acosté en esta litera y Emma en esa otra. Estuvimos despiertas hasta tarde hablando de nuestra vida. Justo entonces las cosas empezaban a cambiar para mí, empezaba a sentirme más fuerte.

«¡Qué valiente eres!», exclamó Emma, cuando le conté lo de que había fumado delante de Curtis.

Entonces debió de ser cuando él notó el cambio en mí. De modo que eso significa que debió de pasar seis meses temiendo perderme (de perder a la que yo era antes, la mujer dependiente cuya vida giraba exclusivamente a su alrededor), antes de dar el paso fatal de decir que iba a morir.

¡Qué decisión más desesperada, Dios mío! Todavía me cuesta trabajo entenderla. Eric opina que fue algo patológico y que Curtis necesita someterse a terapia mucho más que yo.

En fin, la verdad es que creo que siempre lo ha sabido. Éramos aliados de conveniencia, aunque no fuésemos conscientes de ello. Era un espejismo que fuese él quien dominaba. Nos apoyábamos. Quizá puedan considerar que nuestra relación fue enfermiza, pero las personas hacen las cosas más inverosímiles para sobrevivir. Por lo menos, jamás le hicimos daño a nadie, salvo a nosotros mismos. No le guardo resentimiento ni le odio.

Eric y yo seguimos analizando lo que siento pero, en cualquier caso, no es odio, ni siquiera rabia. Entiendo a Curtis perfectamente, porque me parezco mucho a él y, honestamente, no puedo ensañarme vilipendiándolo por lo que me hizo.

Pero no puedo volver con él, y eso demuestra que se ha producido de verdad un cambio en mí. Durante mucho tiempo pensé que jamás cambiaría o, más exactamente, lo he pensado durante toda mi vida. Creo que el colmo de la desesperación es precisamente ese: no poder creer en el cambio.

Ahora no sólo he comprobado ese cambio sino que lo he provocado. Soy, ciertamente, una mujer valiente. Paso de la euforia al pánico, pero no es la típica oscilación de los maniacodepresivos sino más bien de la locura corrientucha; una variedad de neurosis de estar por casa, podríamos llamarla. O sea, algo que teóricamente resulta reconfortante.

Pero estoy asustada. Necesito mucha ayuda y me aterra pensar que las Gracias acaso no puedan proporcionármela. No sé si es así. Estamos las tres demasiado pesarosas. La ausencia de Isabel es la pena que compartimos, pero tenemos otras más personales. La mía es Curtis, la de Emma es Mick y la de Lee es el hijo que no llega.

Quizá sólo necesitemos tiempo para adaptarnos a nuestras tres piernas. Pero tengo miedo. No todo cambio es positivo.

¡No sabes cómo me gustaría que siguieses aquí, Isabel! No nos dirías lo que tenemos que hacer, pero si estuvieses con nosotras lo sabríamos.

30

Lee

Cuando vamos a la casa de la playa solemos comer gambas salteadas (o por lo menos las dos últimas veces que estuvimos allí).

Ahora estábamos allí por quinto año consecutivo y necesitábamos una tradición que reforzase nuestros lazos, aunque fuese una tradición culinaria. De modo que insistí.

—Vosotras dos empezad a pelar las patatas —dije a Emma y a Rudy.

Yo había traído dos kilos y medio de casa. ¿Por qué comprar patatas nuevas si ya tenía las de mi huerto?

—Yo iré a comprar gambas frescas. Estaré de vuelta dentro de veinte minutos.

Luego resultó que fueron cuarenta, pero aún estaban pelando patatas cuando regresé, sentadas a la mesa de la cocina, con las cabezas casi tocándose, dejando caer las mondas en una bolsa de papel que tenían en el suelo.

¿Cuántas cenas habremos preparado en nuestras respectivas cocinas en los últimos quince años? ¿Cuántos vasos de vino habremos bebido? ¿Cuántos secretos habremos compartido?

Alzaron la vista, me sonrieron y siguieron con la labor, en silencio, un silencio cómodo y natural. Parecían un viejo matrimonio. Les envidiaba que ambas conservasen a su mejor amiga (porque, pese a Isabel, la mejor amiga de Rudy era Emma, y viceversa).

Últimamente Rudy está más delgada y Emma más taciturna. ¿Y yo? Yo estoy más triste.

—¿Has traído las gambas? —me preguntó Rudy, extrañada por mi retraso.

—Sí —repuse dejando la bolsa encima de la repisa—. Es que he ido también a correos. A veces hay alguna factura en el apartado, o avisos de pago de impuestos del ayuntamiento. Se los envío a mi madre.

—¿Y? —dijo Emma mirándome ceñuda—. ¿Y eso qué es?

—Una carta —contesté dándole la vuelta al sobre—. Es de Isabel.

Me miraron perplejas, echaron la silla hacia atrás y se levantaron.

—¿Cómo has dicho?

—No es su letra.

—Pero sí es su remite.

—Déjame ver. ¿Qué fecha lleva el matasellos?

Me senté frente a la mesa con el sobre en la mano.

—Es letra de Kirby. Y el matasellos es del 8 de mayo.

—El 8 de mayo... Pero ella...

—La ha enviado Kirby —dije—. Después. Es para las tres y con las señas de Neap Tide. Debió de tener la seguridad de que vendríamos. Querría que la leyésemos aquí.

Dejé el sobre en la mesa y lo miramos. Kirby había escrito pulcramente los nombres de las tres como destinatarias, y el remite de Isabel en una esquina.

—¿Debemos abrirla? —preguntó Rudy, muy erguida, con las manos entrelazadas bajo el mentón.

—¿A ti qué te parece? ¿Qué vamos a hacer?, ¿tirarla a la basura y seguir pelando patatas? —exclamó Emma.

Rudy le sacó la lengua.

—Me refiero a si la abrimos ahora o esperamos hasta después de cenar.

—¿Por qué?

—No sé. Es como más...

—Ya. Como una ceremonia —dije—. Para concentrarnos sólo en eso. Saldremos al porche y la leeremos.

—Está lloviendo, y además habrá oscurecido —señaló Emma.

—Puede que luego ya no llueva, y podemos sacar velas.

Emma alzó las manos y volvió a dejarlas caer dándose una palmada en los muslos.

—*¿Pretendéis cenar antes de leer la carta de Isabel?*

De modo que la leímos antes de cenar. Pero primero Rudy bajó a la planta y trajo un paquete de cigarrillos. Emma abrió la mejor botella de vino, el chardonnay que reservábamos para las gambas, y sirvió dos copas, una para mí y la otra para ella. Rudy se preparó un té helado. Yo fui al cuarto de baño y me llené los bolsillos de kleenex.

—¿Quién la lee?

—Yo —dije.

Emma arqueó las cejas pero no dijo nada.

Como seguía lloviznando nos sentamos en el suelo del salón, con los ceniceros, las copas y los kleenex estratégicamente situados frente a nosotras. Introduje el índice bajo la solapa del sobre y....

—Espera un momento —me dijo Rudy—. He de ir al aseo.

Emma frunció el ceño y bebió unos sorbos mientras aguardábamos, sin mirarme. Daba la impresión de hacer acopio de entereza para cuando yo leyese la carta. Porque no le gusta exteriorizar sus sentimientos ante los demás. Y tanto mejor, porque si Emma se echase a llorar sería el fin del mundo.

Rudy regresó enseguida, encendió un cigarrillo y tras dejar la cerilla en el cenicero exhaló una bocanada de humo.

—Vale. Ya estoy.

El sobre contenía tres hojas mecanografiadas y una cuarta hoja escrita a mano.

—Esta es de Kirby.

—Léela.

—«Queridas Emma, Lee y Rudy.»

—Nos nombra por orden alfabético —señaló Emma.

—«Durante las últimas semanas de su vida, Isabel empezó a sentirse alejada de las cosas que había conocido e incluso de las personas que había amado. Decía que era un regalo morir rodeada de seres queridos. Me dijo que le resultaba difícil reconocerse, preocuparse o hablar acerca de muchas de las cosas que consideraba tan vitales en otro tiempo. Pero quería escribirles una carta a las Gracias y, por lo tanto, tenía que recapitular, retrotraerse al pasado. Era un viaje que no siempre quiso hacer; un viaje de vuelta al amor, decía arrellanada de costado entre los cojines del sofá, la única postura en la que estaba cómoda últimamente. Y fue dictándome con lentitud esta carta, que yo copiaba con mi ordenador. Me la dictó a lo largo de varios días y no de un tirón, porque, como sabéis, por entonces sus fuerzas se habían debilitado mucho. Sé que lo único que deseaba era abandonar ya este mundo y, en realidad, parte de ella ya lo había abandonado. Permanecía largos ratos en silencio, pero no dormía; quizá soñaba, alejándose de esta vida, adentrándose en lo que pueda haber después. Creo que su galopante deterioro físico en la fase terminal la pilló por sorpresa. Creía disponer de más tiempo. Cuando se percató de la realidad ya no tuvo más alternativa que utilizarme para decir las cosas que aún quería decir. Confío en que no os importe que yo haya intervenido en esto. Era inevitable. Me enorgullece y me produce una honda satisfacción que Isabel me confiase la misión de intermediario. Vosotras tenéis el privilegio de haberla conocido durante mucho más tiempo, pero no creo posible que la hayáis querido más que yo. Con mi más cordial saludo. Kirby.»

—Bueno —dijo Rudy quedamente, y empecé a leer la carta de Isabel.

—«Queridas. Espero no equivocarme y que estéis las tres en Neap Tide. Quiero pensar que estáis juntas y que oís esto (léela tú, Lee) al mismo tiempo. ¿Hace buen día? Os imagino en el porche a última hora de la tarde, con el sol poniéndose sobre las aguas del estrecho. De modo que ahora Emma está a salvo de una excesiva exposición al sol. Debe de llevar sus vaqueros recortados y su descolorido jersey rojo. Ha debido de estar todo el día con la nariz pegada a un libro y está deseando tomar una copa y tener un rato de conversación. ¿Y tú, Rudy?, estilizada como una pantera, ¿qué has estado haciendo? Dibujar en la playa, seguro. Pasear sola. Pero ahora estás tomando coca-cola o algo así, dispuesta también a un rato de conversación. Tú, Lee, supongo que habrás preparado unos originales entremeses, o quizá un cóctel de tu cosecha. Seguro que estarás tan atractiva como siempre, con cualquier trapito sencillo y de buen gusto que te hayas comprado en Saks, del color de moda que te sienta de maravilla.»

—Si vas a echarte a llorar, será mejor que no sigas leyendo —advirtió Emma.

Pero proseguí como si no la hubiese oído.

—«Había pensado escribiros una carta a cada una, pero lo pensé mejor. A lo largo de estos años, casi siempre lo hemos compartido todo en grupo. De modo que os escribo a las tres a la vez.

»Tú, Rudy, eres mi heroína. Jamás me había sentido más orgullosa de nadie que la noche que echaste a Curtis de tu casa. ¡Qué valiente! Espero que seas consciente de lo fuerte que eres. Dijiste que no te habrías atrevido sin nosotras, pero yo no lo creo. Y, aunque así fuese, para eso están las amigas, ¿no? Fíjate en cómo es ahora tu vida; en lo a gusto que estás. Aunque ya sé que no me crees. Espera que Emma y Lee traten de convencerte. Tú, Rudy, eres tan amable, estás tan exenta de malicia hacia los demás... Admiro tu fortaleza y tu valor, tu coraje para afrontar una infancia, una herencia que, a estas alturas, habría destrozado a cualquiera que careciese de tu valor. Siento decir que dudo que llegue a serte nunca fácil sobrellevarlo, por lo menos no en esta vida, pero saldrás adelante pese a ello. Nunca olvides a tus fieles amigas, que siempre estarán a tu lado y siempre te querrán.

»Respecto a los hombres, espero que aprendas a confiar en otro. Sé que sabrás hacerlo, y espero que sea pronto, porque tienes mucho que dar. La próxima vez trata de compartir tu vida con alguien que te merezca. Y ten cuidado. Pertréchate con parte del escepticismo de Emma, sin pasarte. Y reza por tener un poco de la buena suerte de Lee.

»Me queda otro pequeño consejo que darte (espero que reconozcáis que mi "elevada" posición me da derecho a ello). Por poco que puedas, haz las paces con tu madre. Haz que cicatrice la herida. No estoy segura (probablemente Eric sí sabrá decírtelo, pregúntale) pero creo que no podrás progresar de verdad hasta que lo intentes. Puedo decirte esto desde mi posición de hija y de madre. Quizá no resulte, pero basta con intentarlo. Nunca podrás evitar los desequilibrios de tu familia, pero no te afectarán porque te has inmunizado. De eso estoy segura, Rudy. Ya no eres aquella niña que se quedó en el cuarto de baño con su madre, echada con ella en las ensangrentadas baldosas, aguardando a que llegasen los mayores. Eres Rudy Surratt, una mujer madura, inteligente, creativa y encantadora, con un corazón enorme e indulgente.

»Te quiero, Rudy. Tengo mucha confianza en ti. Te observaré, porque tu nueva vida será interesante. Cuídate mucho. Sólo con que te trates con el cariño con que tratas a los demás, saldrás adelante.

Hice una pausa.

—Eso es todo —dije—. Lo que sigue es para Emma.

Rudy se echó boca arriba, entrelazó las manos y se tapó los ojos.

—Sigue —dijo con voz entrecortada—. ¿Qué le dice a Emma? Tuve que sonarme antes de seguir.

—«¿Sabes qué voy a echar más de menos de ti, Emma? Tu manera de callarte que piensas que todas esas cosas en las que creo, sobre lo New Age, son bobadas. ¡A eso se le llama ser indulgente! Me encanta cuando ladeas la cabeza y pones los ojos en blanco sin decir palabra. La tolerancia es la esencia de la amistad. Tu tolerancia, gracias a Dios, procedía del amor, no de la indiferencia. ¡No sabes cuánto te quiero!

»También para ti tengo un consejo, naturalmente. Muchos, en realidad. No sé por qué pero me han salido en forma de aforismos, unos de mi cosecha y otros apropiados.

»El miedo mata. Defenderse acaba por volverse en contra de una. El fracaso no es un fracaso, es un paso; y la vida no es más que una sucesión de pasos. O de fracasos, con ocasionales y muy espaciados éxitos. Si no la pifias bien pifiada es que no vives. Y el dolor tampoco es lo que se da en suponer. Hablo por experiencia. Y vivir con miedo al dolor es un no vivir.

»¿Me captas?

»Concretando: ¿cómo puedes no saber acerca de qué escribir? Dices no haber encontrado aún tu tema (y cuando me has contado alguna de tus probaturas debo confesar que no puedo dejar de estar de acuerdo contigo). Veo el problema con gran claridad: Te has estado escondiendo detrás de las historias. Pueden ser buenas historias, pero no son reales y por eso las detestas. Y luego te detestas a ti misma. Deja de hacer eso. Ya sé que decir la verdad asusta, pero tienes bastante valor para hacerlo. En serio, Emma, ¿de verdad no sabes acerca de qué escribir? Pues... acerca de nosotras, cariño. ¿No crees? Escribir un libro acerca de nosotras.

»En cuanto al hombre del que estás enamorada, acaso te sorprenda este consejo: Probablemente creas que no me simpatiza la otra mujer, teniendo en cuenta mi historia matrimonial. Creo que el buen comportamiento es importante, como lo son la honorabilidad y la honestidad. Pero si una persona cae una y otra vez en el mismo error, por mejores que sean sus intenciones, sigue siendo un error. El hijo a quien pretendéis proteger no puede ser protegido, tal como vosotros pretendéis protegerlo, ni tampoco la esposa. Ha llegado el momento de actuar, Emma. Deja que la vida siga su curso. Es muy corta, ah, cortísima. Puedes tomar lo que quieres ahora. Creo que realmente puedes hacerlo.

»Trata de no tener tanto miedo. Me dijiste que ya no podías soportar más sufrimiento (refiriéndote al que te producía mi enfermedad). Bueno, pues ahora yo ya no estoy, y te he dejado un poco más de espacio. Ja. No puedo negar que el amor implica a veces sufrimiento, pero si ese hombre es el que te está destinado, será digno de ti.

»Oh, ¿debo seguir llamándolo "ese hombre"? Por el amor de Dios, dile a Lee quién es. Y te aseguro que no va a escandalizarse.

»Gracias por todo lo que me has regalado: tantas risas, tu encantadora inseguridad, tu lealtad. No hay nadie como tú. Quererte ha sido para mí un privilegio. Y, ahora, sé valiente. ¡Sigue el ejemplo de Rudy! Y todo irá bien.»

—Bueno, pues ya está —dije alzando la vista—. ¿Quién es él?

Emma tenía cara de echarse a llorar. Me sentí tan violenta que opté por bromear.

—Se trata de Henry, ¿no?

Emma se quedó sin aliento. ¡Creyó que lo decía en serio! Asombroso (porque suelo ser yo quien toma en serio lo que ella dice en broma). Pero enseguida cayó en la cuenta y se echó a reír.

—Oh, Dios —exclamó dejándose caer de espaldas en el sofá junto a Rudy.

Me las quedé mirando. Sus estómagos subían y bajaban rítmicamente entre risas y llanto. Estaba claro que Rudy ya lo sabía.

—O sea ¿que soy la única que no lo sabe?

Emma volvió a sentarse.

—Lo siento... Era muy delicado, Lee. No podía decírtelo.

—Bueno, ¿y bien? Dímelo ahora.

Emma se encogió de hombros con fingido desenfado. Pero noté que estaba nerviosa.

—Pues... es Mick.

—¡Mick! ¿Mick Draco? —exclamé sorprendida—. Pero ¡si creía que no te caía bien! —añadí. Esperaba que Emma me lo contase con detalle, pero primero quería leer la parte de la carta dirigida a mí—. ¿Y por qué no me lo has dicho antes? Apenas veo ya a Sally, si es eso lo que te preocupaba.

—Pues sí, en parte sí.

—Aunque Henry sí habla bastante con Mick —dije—. ¿Sabes que Sally ha vuelto a Delaware para quedarse a vivir allí?

Emma se quedó tan boquiabierta que comprendí que no lo sabía.

—¿Cómo dices? —exclamó Rudy incorporándose.

—Se han separado. ¿No lo sabíais? Y probablemente Mick vaya a Baltimore a estudiar arte en el Instituto Maryland.

—Pero Jay... ¿qué han hecho con él? —dijo Emma con voz entrecortada. Primero se había quedado lívida y ahora estaba sonrojada.

—Lo están estudiando. De momento está con Sally, piensan compartir la custodia. Es muy reciente, según Henry. Debe de hacer cosa de una semana.

—¿Y por qué no me lo has dicho? —Antes de que yo pudiese contestar a su ridícula respuesta se llevó las manos a la boca y musitó—: ¿Por qué no me lo ha dicho él? Claro que... yo le aseguré que no lo esperaría. Puede que ya no le importe. Sin embargo, en la reunión que organizamos en memoria de Isabel, estuvo tan... ¿Por qué creéis que no me lo ha dicho? ¿Debo llamarlo? ¿O sería presionarlo? Quizá ya no le intereso. ¿Y si ya se ha marchado? ¿Y si ha encontrado a otra?

—¿En una semana?

—¡Es posible!

—En tal caso lo vas a pasar mal —dijo Rudy.

—Dice Isabel que el sufrimiento merece la pena —repliqué.

Emma apartó las manos de la boca.

—Está bien. Lo llamaré —dijo empezando a levantarse.

—¡Eh! —exclamé.

—¡Oh! —exclamó ella a su vez. Y volvió a sentarse, riendo, y visiblemente azorada—. Perdona. Termina la carta.

—Bueno... si no es mucha molestia para ti. Por nada del mundo querría... ¡Quieta! ¿Quieres estarte quieta? ¡Basta ya!

Pero no pude contener la risa porque me había rodeado con sus brazos y empezado a besarme en toda la cara. Rudy se partía el pecho de risa. Pero me pone de los nervios que Emma haga eso, y precisamente por eso lo hace.

Pero nos vino bien. Y enseguida volvimos las tres a tranquilizarnos. Fue el mejor rato que habíamos pasados desde la muerte de Isabel.

—Bueno, voy a seguir leyendo, ¿de acuerdo? Pero comportaos.

—Descuida —dijo Rudy.

—Vale. Ya estamos serias. Lee —dijo Emma, que levantó las rodillas y se las abrazó.

Le había cambiado la cara. Su expresión era más vivaz, como si el cutis se le hubiese estirado o tuviese los pómulos más prominentes que hacía cinco minutos. Parecía un alambre tenso. Si lo hubiesen pulsado habría producido un sonido agudo y prolongado.

Volví a la carta de Isabel. Hubiese preferido leer para mí sola, pero no habría sido justo.

—«A ti, Lee, mi querida y dulce Lee, ¿qué puedo decirte? Hemos hablado tantísimo en estos últimos días que queda poco que decir, salvo que voy a echarte mucho de menos. ¿Te han dado las gracias Emma y Rudy por haber inspirado la idea de formar el grupo? Deberían dártelas. Por lo menos una vez por semana, digo yo.»

Emma y Rudy me miraron risueñas pero llorosas.

—«Tú eres la sensata, siempre lo hemos dicho. Y, a veces, debido a eso olvidábamos ser más gentiles contigo, pensando que ya eras bastante fuerte y no necesitabas de nuestra gentileza. Y es verdad que eres fuerte, pero también tierna en el fondo. No podría imaginar los doce últimos años de mi vida sin ti. Has sido mi amiga, y como una hija. Una delicia para mí.»

Aunque me interrumpí y permanecí en silencio durante un minuto, Emma y Rudy no dijeron nada.

—«Ya ha pasado cierto tiempo desde que tú y Henry desististeis de intentar tener un hijo. Ya habéis pasado el duelo, por así decirlo. Y como ya no estoy, ahora no mezclarás estas dos pérdidas tan fácilmente. Puedes ver las cosas con mayor claridad. Verás, Lee, tengo una buena noticia que darte. ¿Sabes que hay un bebé que os busca? He intentado decírtelo antes, pero no encontraba el modo de hacerlo adecuadamente. He estado pensando mucho en ello. Emma no querrá oír cómo lo he sabido y por lo tanto no lo diré... pero he sabido a ciencia cierta que, ahora mismo, en algún lugar, hay un bebé que os busca a ti y a Henry. Debéis tratar de encontrarlo (sea niño o niña, porque ni siquiera yo conozco ese detalle, Emma). Y cuando lo encontréis (porque lo encontraréis) tendréis que quererlo con todo vuestro corazón. Y lo querréis. Me alegro mucho por ti. Me alivia y consuela mucho saber esto de ti. Y tu bebé... —ah, qué madre más maravillosa tendrá—, será un bebé realmente afortunado. Podría deciros muchísimas más cosas, mis queridas Gracias; Lee, Rudy, Emma, mis amigas del alma. Pero, por otro lado, no hay realmente nada más que decir. Me siento muy cerca de vosotras. Y he pensado en algo que podéis hacer por mí. Es más: os lo ruego. No admitiré discutirlo. Debéis buscar un nuevo miembro para el grupo que no sea algo transitorio sino permanente. Tenéis que intentarlo, pero no con desgana ni acogerla con disimulado retintín. Y aún sería mejor si incorporaseis a dos. No podemos dejar que nuestro grupo languidezca, lo sabéis perfectamente. Hacedlo por mí, por favor. Porque en realidad no es por mí, sino por vosotras. Y deseo que lo hagáis.

»Os agradezco en el alma todo lo que me habéis dado. Lee, Emma, Rudy... os quiero. Os agradezco que hayáis estado conmigo hasta el final. ¿Sabéis qué lamento? No estar a vuestro lado cuando os llegue la hora, para poder corresponder un poco a todo el amor, el consuelo y la dulzura que me habéis dado.

»Aunque... (supongo, Emma, que esto ya te lo veías venir) quizá sí podré estar a vuestro lado. Sí, creo que sí. En realidad, ahora que lo pienso, cuento con ello. Pero, sobre todo, Dios, que no sea pronto. Con todo mi amor. Isabel.»

31

Emma

Les pedí a Rudy y Lee que saliesen al porche cuando decidí llamar a Mick. Porque sólo hay teléfono en la cocina y habrían podido oírme.

Aunque el porche estuviese mojado, ya no llovía. De modo que podían estar allí perfectamente.

Pero ¿a que no saben qué? Pues que comunicaba. ¿Con quién estaría hablando? Una infinidad de posibilidades —todas ellas indeseables— cruzó por mi mente.

—Comunica. De modo que ya podéis volver a entrar.

Entraron y enseguida pusimos la mesa y acabamos de preparar las gambas.

—Mirad, ¿sabéis qué os digo? Que volváis a salir. Voy a llamar otra vez. Hala —dije. Y como temí que se sublevaran le acerqué una bolsa de *pretzels* a Rudy—. Si tenéis hambre, id picando.

Salieron de nuevo protestando por lo bajo y yo volví a marcar el número de Mick.

—Diga.

En adelante asociaré las grandes emociones, el temor, el pánico y el alivio que te deja sin aliento con el olor a gambas salteadas.

—¿Mick? Soy...

—¿Emma?

—Sí. Hola. Estaba hablando con Lee y me...

—¿Estás en casa?

—No, en Hatteras.

—¿Habéis llegado hoy?

—Ayer. Llegamos ayer.

Se echó a reír de un modo extraño.

—Ahora me lo explico —dijo.

—¿Qué?

—Pues que anoche te estuve llamando sin parar. Pensé que estarías con un ligue, con alguno de tus omnipresentes pretendientes.

Empezaron a temblarme las piernas. Dejé resbalar el cuerpo hasta el suelo sin soltar el teléfono.

—¿Pretendientes?

Me sentí eufórica. Noté el mentón, la mandíbula y los labios como si los tuviese hinchados. No me reconocía.

—Te he llamado hace un momento —dije—, pero comunicabas. He pensados que hablarías con tu nueva novia.

De nuevo se echó a reír.

—No; hablaba con Jay.

—Ah —exclamé aliviada—. ¿Dónde está?

—Con su madre, que está con mis suegros en Wilmington, mientras busca apartamento, para ella y para Jay.

—Ajá. O sea que...

—Nos hemos separado. Hace unos diez días. Tengo muchas cosas que decirte. —Hizo una pausa y luego añadió—: ¿Por qué puñeta estás tan lejos, Emma?

—Oh, Mick. Pero... ¿por qué has esperado diez días para llamarme?

—Pues, entre otras cosas, porque estaba convencido de que iba a dar igual.

—¿Y cómo se te ha ocurrido pensar eso?

—Porque la última vez que hablamos dejaste las cosas muy claras. Acerca de nosotros. ¿Lo recuerdas?

—Claro que lo recuerdo —dije. ¡Cómo no iba a recordar aquellos mortificantes momentos en el porche!—. Pero fue porque no me dabas ninguna esperanza. No veías que nada fuese a cambiar.

—Ya lo sé. Ha sido todo muy repentino. La otra razón era que no estaba seguro de que ella se marchase; de que se marchase para no volver. Ahora estoy seguro, pero si hubiese vuelto, las cosas habrían sido muy negativas. Para ti.

—¿Por qué? —pregunté medrosa.

—Si ella hubiese vuelto yo me habría marchado, Emma. Porque lo nuestro está realmente terminado.

—Oh.

—Pero no quería mezclarte en la ruptura, si al final se producía de verdad, como así ha sido. Por eso no te he llamado.

—Oh —volví a exclamar. Esa era una buena razón. Me hizo sonreír como una hiena y di un silencioso puñetazo en el suelo—. ¿Y cómo ha sido? Bueno... si quieres contármelo. Ya sé que tú siempre...

—Claro que quiero contártelo. Y verte. ¿Quieres que vaya a verte esta noche?

Eso sí que me pillaba desprevenida.

—Bueno, como venir... podrías. Pero es que mañana vuelvo a casa.

—Mañana. No sé. Es mucho tiempo.

—Ya lo sé.

—Podríamos encontrarnos en Richmond —dijo.

Nos echamos a reír como dos adolescentes.

—O en Norfolk.

—Aunque supongo que no tendría mucho sentido.

—Supongo que no.

—En Fredericksburgh, aunque...

Más risas.

—Oh, Mick. Esto es... —dije. O sea, lo que siempre quise. Decirle bobadas por conferencia.

—¿Qué?

—Estupendo. Estupendísimo.

—Sí.

Un largo y sonriente silencio.

—¿Qué hacías ahora? —me preguntó—. ¿Dónde están tus amigas?

—Estoy sentada en el suelo de la cocina. Rudy y Lee están fuera, en el porche. Las he echado... Es broma. Están muy bien, y ha dejado de llover. ¿Dónde estás tú?

—Pues también en la cocina. No has estado nunca en mi casa.

—No. ¿Es bonita?

—Ven y la verás.

—Iré —dije y sonreí—. De modo que estás bien, ¿no? ¿Y Jay?

—Mucho mejor de lo que creí que estaría, a no ser que me engañe a mí mismo. Lo echo de menos, eso es lo peor. Quizá me traslade a Baltimore para intentar ingresar en el Instituto de Maryland. Digo intentar porque es una de las mejores facultades privadas de artes plásticas del país.

—Lo conseguirás. ¿Piensas licenciarte?

—Sí. Y así estaré más cerca de Jay. Sally me ha sorprendido. No ha exigido la custodia para ella sola sino que quiere que la compartamos.

—Gracias a Dios. Eso era lo más importante.

—Sí. Y podrás reprochármelo diciéndome que podía haberlo hecho hace años. Pero dudo que las cosas se hubiesen podido precipitar antes.

—Nada de reproches. Seré un modelo de contención.

Noté que sonreía (lo noté por sus breves silencios).

—¿Qué te parece lo de Baltimore?

—Estupendo. Está a sólo una hora en coche. Ya veremos cómo nos organizamos.

—Eso confiaba oírte. Verás, es que...

—¿Qué?

—Que resulta difícil pasar de pronto de la ensoñación a la realidad.

—¿A qué te refieres? —le pregunté, aunque lo sabía perfectamente. Pero quería oírselo.

—Pues... a todo lo que está sucediendo. Lo que está a punto de suceder. Lo he estado imaginando todo, casi desde el primer momento en que te vi.

—¿De verdad?

—Temía albergar falsas esperanzas.

—Lo sé. A mí me ocurría lo mismo.

—Pero ahora todo me parece factible.

—Asusta un poco. Porque parece demasiado bueno para ser verdad.

—O para que...

No terminó la frase, pero también adiviné el resto: o para que funcione. Ciertamente, cabía la posibilidad de que no funcionase. Mick no tenía un historial de relaciones fracasadas (solamente una que yo supiese) pero yo sí lo tenía. Y los dos llevábamos deseándonos más de año y medio. De modo que si eso no era hacer oposiciones al desastre, no sé cómo llamarlo.

—Lo que me sorprende es que no estemos más asustados —dije—. Por lo menos yo, debería estar paralizada de miedo. Sin embargo, tengo... (ya sé que suena ridículo) tengo fe. Ya sé que es una tontería decirlo. Pero es lo que siento. Nunca me ha ocurrido nada parecido. Oh, Mick, no sé cómo expresarte estas cosas por teléfono.

—Lo sé. Mañana.

—Mañana. De acuerdo. Me siento... lujuriosa. Así, de pronto...

—Lujuriosa —repitió él en un tono que se me antojó sorprendido, risueño y expectante. Huummm.

—Lujuriosa —repetí. La palabrita empezaba a sonar onomatopéyica.

—Llámame en cuanto llegues a casa —me dijo.

—Descuida.

—¿Quieres venir aquí?

—No sé...

¡Ah el encanto de los obstáculos!

—No. Mejor ven tú a casa. ¿Te importa? —le propuse.

—No.

Seguimos hablando un poco más. Pero nos sabía a poco. Teníamos demasiado que decirnos y, además, gravitaba entre los dos demasiada lujuria. Y ni siquiera podíamos decirnos cosas subidas de tono porque no estaba sola.

Mick explicó muy por encima cómo se había producido la ruptura con Sally; que, mientras cenaban en el Yatching Palace en Connecticut, le había preguntado si la quería. Mick podía haberle dicho que sí por pura compasión, como había hecho tantas otras veces. Pero le dijo la pura verdad: que no.

Sally se echó a llorar pero no se desmoronó. Y según me dijo Mick, puede que incluso se sintiese aliviada.

—A no ser que yo me esté engañando —volvió a repetir como respecto a Jay.

Sea como fuere, el caso es que fue Sally quien dijo que volvía a Delaware; que, al principio, Jay estaría más con ella que con él. Y Mick no puso prácticamente pegas.

—Jay quiere mucho a sus abuelos, que lo adoran. Creo que estará bien. Y pienso verlo con mucha frecuencia. Ya sé que esto lo digo sólo con la cabeza...

—No. Lo verás, Mick, tanto como quieras.

—Pero no será lo mismo.

—No, no será lo mismo. Pero, al cabo de cierto tiempo, puede que sea mejor.

¿De verdad le dije eso? Sentí el impulso de levantarme y mirarme en el espejo; de comprobar si también mi aspecto había cambiado.

—De acuerdo —dije—. Te dejo ya. Rudy y Lee deben de estar muertas de hambre.

Vi el perfil de mis amigas a través de la tela metálica de la puerta. Estaban echadas en las tumbonas. La roja brasa del cigarrillo de Rudy parecía hacerme guiños en la oscuridad.

—De acuerdo —dijo Mick a regañadientes.

Parecíamos dos adolescentes. Aún tardamos diez minutos en colgar. Y me dije que así íbamos a estar quién sabe cuánto tiempo en adelante. Quizá no funcionase (aunque creo que sí). Pero estos ratos de felicidad nadie podrá quitárnoslos.

—Te quiero —musité. *¿Has visto qué valiente soy, Isabel?*

Él también me lo dijo:

—Te quiero, Emma.

Me sonó a música celestial. Poco iba a tardar en garabatear su nombre en mi libro de geografía.

—Nos veremos mañana —dije.

—Buenas noches, Emma.

—Buenas noches.

—Hasta mañana.

—O me llamas luego.

—De acuerdo.

Guardamos silencio unos momentos, sorprendidos de nuestro entusiasmo, y nos reímos de la sencilla solución. Nos hizo la despedida mucho más fácil.

—¿Y bien?

—Eso: ¿y bien?

—Pues... hemos hablado —contesté flotando hasta la barandilla. Estaba demasiado sensible, ensoñada y romántica para sentarme.

Rudy se levantó y se me acercó.

—¿Habéis hablado?

—Eso ya lo sabemos —dijo Lee, que se levantó a su vez y se puso al otro lado.

—Allí —dije inclinándome sobre la barandilla—. Bueno, desde aquí no se ve.

—¿Qué?

—Allí, un poco más allí, es donde nos besamos por primera vez.

Rudy suspiró.

—¿Aquel fin de semana? —preguntó Lee.

—Sí.

—Ah... pues quiero que me lo cuentes todo, hasta el último detalle.

—De acuerdo.

No había problema. Nunca me había sentido más generosa.

—Pero primero dime una cosa: ¿he de ir con él?

—¿No es eso lo que te dijo Isabel que debías hacer?

—Sí, claro....

—¿Y te irás?

Sonreí. ¿Acaso no lo leían en mi cara? A veces Lee se atiene excesivamente a las palabras.

—¿Os vais a decidir tú y Henry por la adopción? —contraataqué.

—Oh, Emma —exclamó Lee abrazándose los hombros—. Que hay un bebé que me busca... —musitó mirando al cielo, que se había despejado y aparecía tachonado de estrellas que titilaban.

—¿Significa eso que sí?

Lee asintió con la cabeza con expresión ensoñada.

—¿Por qué he esperado tanto a decidirme?

Rudy y yo nos miramos.

—Pues... eso: ¿por qué has esperado tanto? —dije.

—No sé. Ahora me parece la solución obvia, pero antes..., la descartamos sin siquiera reflexionarlo a fondo. Henry decía que deseaba tener un hijo propio, y yo... lo asumí como una razón concluyente, una más que añadir a mi larga lista de razones para que fuese un hijo propio, aunque no tuviesen demasiado sentido. Isabel intentaba hacérmelo comprender, pero yo no la escuchaba.

—Porque tenías una idea fija.

—Y, además, en las clínicas que aplican tratamientos de fertilidad nunca te hablan de la adopción. Me he pasado los dos últimos años en consultas de médicos, y ni una sola vez ha salido a relucir la palabra adopción. Ni una sola vez. Parece asombroso, ¿no? Ni siquiera las enfermeras. De modo que... tampoco he pensado en ello.

—¿Y estará de verdad de acuerdo Henry?

—Por supuesto que sí.

Me hubiese gustado haber tenido valor para decirle antes una cosa a Lee, o que se lo hubiese dicho Rudy. Pero quizá no queríamos pecar de falta de tacto ni contribuir a agravar su obsesión.

—Dice Rudy que deberíamos intentar que fuese un bebé extranjero, porque los trámites son más rápidos —dijo Lee—. Quizá un huérfano ruso o rumano. Y yo he pensado en un judío ucraniano —añadió mirando al cielo—. En cuanto terminemos de cenar he de llamar a Henry.

—Y si es una niña, la llamarás Isabel —dijo Rudy.

—Desde luego que sí —asentí—. Y si es un niño, Isidoro.

Sonreímos las tres en la oscuridad.

—¿No os parece que deberíamos invitar a otra a formar parte del grupo cuanto antes?

—Sí, pero para que siga, no como las otras —matizó Lee—. Así nos lo dijo Isabel.

Suspiramos.

—Tengo una compañera de trabajo... —dijo Lee.

Rudy y yo torcimos el gesto.

—Creo que esta noche voy a llamar a mi madre —dijo Rudy tirando la colilla a la arena—. Hummm, ¡menos mal que a Isabel no le dio por pedirme que dejase de fumar!

No sé por qué lo hice, pero ladeé el cuerpo y la estreché entre mis brazos.

—Hummm —exclamó Rudy complacida—. Cada vez abrazas mejor.

—¿De veras?

—Sí, yo también lo he notado —dijo Lee.

—Bueno... ¿no estáis muertas de hambre? —exclamé. Pero no se movieron. Aún no acabábamos de decidirnos a entrar.

—¿Sabéis qué sería bonito? —preguntó Rudy—. Que envejeciésemos todas juntas.

—¿Y por qué no vamos a envejecer juntas?

—Me refiero a estando juntas.

—Sí, en una residencia de ancianas —ironicé, aunque más de

una vez había pensado en ello en serio, como una fantasía—. Nos sentaríamos en nuestras mecedoras en el porche de una pulcra residencia en el campo.

—Conservaríamos todas nuestras facultades —dijo Rudy—, simplemente seríamos viejas.

—Y aún tendríais un aspecto fantástico. Yo estaría gorda, pero Lee me empujaría la silla de ruedas, porque aún seguiría delgada, fibrosa y fuerte.

—Puede que sí, o puede que no. Si quieres que te empuje la silla tendrás que ser mucho más amable conmigo.

—Y aún seguiremos llevándonos bien —dijo Rudy.

—Jugaremos mucho a la canasta.

—Al bridge —le corrigió Lee.

—Y cuando muera una —dije— será incinerada, pero no se dispondrá de los restos hasta que muera la última.

—¿Y quién lo hará entonces?

—Isidoro. Allí mismo —dije señalando en dirección al lugar donde echamos las cenizas de Isabel al mar, a unos cincuenta metros mar adentro, invisible ahora en la oscuridad.

—¿Isidoro?

—Tu hijo. Tendrá unos sesenta años. Espero que entonces aún esté en forma para nadar.

—Y no como alguien que yo me sé.

La luna rielaba en el agua. Los grillos elevaban su canto hasta el punto de ahogar el murmullo del oleaje. En la casa de enfrente, dos niños y su padre salieron a jugar al aro en la rampa de acceso.

«Escribir un libro acerca de nosotras», había dicho Isabel.

¿Sería realmente ese mi tema? No acababa de verlo. La vida real se me antojaba demasiado caótica; no resultaba fácil reflejarla. La ficción era mucho más sencilla. Yo tenía pensado un argumento de misterio, con una historia de amor, peligros que acechan, y el recurso a la amnesia. Siempre me atraen las historias de amnesia. Y también podría tratar de nosotras cuatro. Cuatro mujeres que forman un club y a una de ellas la matan. No, eso es demasiado triste. O resulta que son hermanas y las demás se conjuran para solucionar el crimen. Y, si engancha, podría convertirlo en una serie: *Cuatro mujeres*. *Las cuatro yuppies*.

Bueno, lo del título tendré que pensarlo mejor.

Pero el caso es que Isabel dijo: «Escribe un libro acerca de nosotras.» (Ahora hablo con ella así, como si estuviese a mi lado, inspirándome. Creo que lo hacemos las tres.) Suena como si de pronto hubiese madurado. Déjenme perorar un poco más acerca de ello, ¿de acuerdo? Sí, ya lo sé, el factor tiempo; la vida es corta, y una nunca sabe hasta qué punto, ya lo sé, ya lo sé...

De acuerdo, pensaré en ello. Pero si me atasco, recurriré a la amnesia.

—¿Cenamos?

Entramos en el comedor. La mesa tenía un aspecto magnífico. Encendimos velas y utilizamos servilletas de hilo. No hablamos de que ser tres no era ni mucho menos como ser cuatro. Isabel estaba absolutamente en lo cierto. Teníamos que incorporar a otra al grupo.

Después, las tres quisimos llamar por teléfono. Lee para hablar con Henry, Rudy para hablar con su madre, y yo... yo sólo quería que me dejasen la línea libre por si me llamaba Mick.

Todo lo ocurrido, la ausencia, la lejanía... No estábamos preparadas para ello. Habíamos ido allí con un propósito concreto: poner punto final. Sin embargo, ahora estábamos preparando un nuevo comienzo.

¿Estás tal como yo te veo ahora, Isabel? ¿Sonríes y te frotas las manos de pura satisfacción allá arriba, dondequiera que estés? Bueno, pues estupendo, muy bien, no te lo reprocho, ni siquiera que nos mires ufana. Sólo me gustaría que estuviese aquí, ¿sabes? Te añoro.

ESTE LIBRO HA SIDO IMPRESO
EN LOS TALLERES DE
A&M GRÀFIC, S. L.
SANTA PERPÈTUA DE MOGODA (BARCELONA)